Pour Suzanne

un **PROUST**

en hommage amical,

Vincent

DU MÊME AUTEUR

L'INCONSCIENT MALGRÉ LUI, *1977*.

LE MÊME ET L'AUTRE, quarante-cinq ans de philosophie française (1933-1978), *1979*.

GRAMMAIRE D'OBJETS EN TOUS GENRES, *1983*.

COLLECTION « CRITIQUE »

VINCENT DESCOMBES

PROUST
PHILOSOPHIE DU ROMAN

LES ÉDITIONS DE MINUIT

© 1987 by LES ÉDITIONS DE MINUIT
7, rue Bernard-Palissy, 75006 Paris

ISBN 2-7073-1145-6

« Je suis donc forcé de peindre les erreurs, sans croire devoir dire que je les tiens pour des erreurs ; tant pis pour moi si le lecteur croit que je les tiens pour la vérité. »

(Marcel Proust, *Lettre à Jacques Rivière*), 7 février 1914)

TABLE DES SIGLES UTILISÉS
DANS LES RÉFÉRENCES AU TEXTE DE PROUST :

CG : *Le côté de Guermantes*
CS : *Du côté de chez Swann*
CSB : *Contre Sainte-Beuve*
F : *La fugitive*
JF : *A l'ombre des jeunes filles en fleurs*
P : *La prisonnière*
SG : *Sodome et Gomorrhe*
TR : *Le temps retrouvé*

Introduction

Je propose ici une lecture philosophique du roman *A la recherche du temps perdu*. Il convient que je dise d'abord en quoi l'œuvre de Proust se prête à ce type de lecture, et quel bénéfice philosophique peut en être tiré.

Au sens où je l'entends ici, la lecture *philosophique* de la *Recherche* n'est pas celle qui retient de façon privilégiée les pages d'allure spéculative pour en explorer le contenu. De façon générale, on a l'occasion de distinguer diverses « lectures » d'un texte là où le sens de ce texte est controversé. Une « lecture » est alors une interprétation, ce qui veut dire : une hypothèse sur le sens dans lequel le texte doit être pris. Cette hypothèse est soutenue par des arguments. J'appelle *lecture philosophique* la lecture dont les raisons sont philosophiques. Il arrive qu'on ait à défendre une interprétation proprement textuelle par des arguments philosophiques. S'il s'agit d'un auteur ancien, dont le texte nous est connu par des traditions de copistes, et parfois de façon fragmentaire, nous rencontrons des problèmes de lecture au sens le plus élémentaire du mot. Et il peut y avoir des raisons philosophiques d'écarter une certaine « leçon », d'adopter une certaine ponctuation ou une construction grammaticale particulière. Les difficultés éprouvées au cours de la lecture de la *Recherche* ne sont pas de cet ordre. Il n'y a pas de raison philosophique de comprendre la phrase « Longtemps, je me suis couché de bonne heure » autrement qu'on ne le fait ordinairement. Pourtant, la *Recherche* n'est pas seulement un *texte*. On peut bien entendu feindre qu'elle soit cela seulement pour nous : un texte, un segment de ce qui est conservé dans la Bibliothèque nationale. En réalité, nous ne lisons pas la

Recherche comme nous lirions un morceau écrit surgi de nulle part, ou découpé arbitrairement dans les archives. Nous lisons généralement le roman de Proust dans l'édition de la Bibliothèque de la Pléiade (section XXᵉ siècle), donc comme un classique de la littérature. Les questions que nous nous posons ne portent pas seulement sur le sens du texte, mais sur le sens de l'*œuvre*, du livre composé par Proust. Pour le dire autrement, notre problème n'est pas le plus souvent de savoir ce que signifie l'inscription par laquelle le texte commence (« Longtemps, je me suis couché de bonne heure »), mais ce que veut dire *le fait* que Proust ait écrit cette phrase au commencement de son récit. Ici encore on parlera de « lectures » pour désigner différentes manières de lire l'œuvre. Chaque manière de lire reflète la décision de mettre l'accent sur certains passages, ou de faire ressortir certaines particularités du livre. Au cours de la discussion, cette décision sera justifiée par des arguments.

On peut distinguer autant de types de lecture qu'il y a d'espèces de raisons utilisables au service d'une interprétation. Il semble que les commentateurs de l'œuvre de Proust fassent appel à trois sortes d'arguments. Si les arguments et les objections sont des raisons de fait, la lecture est *historique*. Si on appuie son interprétation sur des raisons d'agrément personnel, la lecture est *esthétique* (ou « critique », dans le sens de la critique littéraire). Mais si ce qu'on fait dire au texte se soutient ou s'effondre par des raisons philosophiques, la lecture proposée est *philosophique*.

Par conséquent, une lecture philosophique de la *Recherche* portera sur l'ensemble de l'œuvre. Elle n'a pas à privilégier les parties du livre où abondent les propositions d'allure spéculative sur la Vie et l'Art, le Temps et l'Éternité, les Essences et les Apparences, la Réalité du monde extérieur, l'Habitude et la Mémoire. Ne serait-ce que pour cette raison : il y a aussi une façon historique, et une façon esthétique ou critique, de lire ces mêmes pages.

La lecture historique établit des faits par des raisons de fait. Ou bien elle utilise certains faits, à l'intérieur d'un schéma théorique d'explication établi par ailleurs, pour rendre compte d'autres faits. Ces faits peuvent être relatifs au texte même du livre, à la personne de son auteur, à la nature de son public. La description de ces faits peut être chronologique, philo-

logique, stylistique, biographique, idéologique, et ainsi de suite
selon la nature des questions posées. Il y a des faits à établir
relativement aux « idées » de Proust. On demandera par
exemple : Quel était le bagage de Proust en philosophie ?
Connaissait-il l'idéalisme allemand de première main ? Jusqu'à
quel point s'est-il nourri de Schopenhauer ? A-t-il sérieusement
lu Bergson ? Ou encore : D'où vient le vocabulaire
philosophique dans la langue de la *Recherche* ? Comment
entendre les mots « idéalisme subjectif », « sensation
esthétique », « matérialisme », « essence éternelle », etc. ?
Toutes ces questions sont factuelles : les faits relatifs aux
« idées » de Proust ne sont pas moins factuels que les faits
relatifs à sa fortune, à sa vie amoureuse ou aux circonstances
de son travail de rédaction. Seule une enquête historique peut
fournir les éléments d'une réponse. Il va de soi que cette
enquête est indispensable pour une meilleure compréhension
de l'œuvre. Ce n'est pas toutefois ce que j'entreprends ici.

La critique littéraire pratique une lecture esthétique (qu'on
ne confondra pas avec la « lecture critique » des historiens et
des philologues). Elle défend en effet ses interprétations par des
raisons d'ordre esthétique. Le sens d'une œuvre se révèle dans
le fait que certaines parties sont pour le lecteur des sources de
délectation, d'autres des sources d'irritation. Dans la critique
absolutiste (aujourd'hui démodée), ce lecteur est posé comme
universel. Dans la critique inspirée, il est « une sensibilité » :
mon oreille, mon champ d'écoute, mes seuils d'éveil sensible,
mes vieilles blessures, mon plaisir, tels sont les arbitres qui
décideront de donner l'avantage à une manière de lire le texte.
Rien ne s'oppose à ce que la critique esthétique s'occupe aussi
de la pensée exprimée dans l'œuvre. La lecture esthétique de
la pensée retient les idées qui *font sensation* : la pensée qui
surprend, qui provoque, qui éblouit, qui exalte, qui accable,
qui inspire, etc.

Enfin, une interprétation peut être soutenue par des raisons
philosophiques. Sont philosophiques les raisons tirées de la
logique de nos concepts. Il ne s'agit plus de trancher des points
de fait ou d'exprimer une réaction. Il s'agit de savoir si le
langage dans lequel nous nous efforçons de restituer le sens de
l'œuvre est *philosophiquement clair*. Autrement dit, de savoir
si les concepts utilisés pour construire l'interprétation ont un
sens dont nous puissions rendre compte.

11

Mais pourquoi le commentaire qui donne le sens de la *Recherche* devrait-il être philosophiquement intelligible ? Pourquoi pouvons-nous entreprendre de lire philosophiquement la *Recherche* exactement comme on lit philosophiquement une œuvre de pensée, par exemple les *Principes* de Newton, ou le traité *De la guerre* de Clausewitz (c'est-à-dire en vue d'en saisir et d'en éclaircir les concepts principaux) ?

Proust a lui-même répondu à cette question lorsqu'il a indiqué, dans sa première lettre à Jacques Rivière (du 7 février 1914), que son roman avait une dimension spéculative. Dans cette lettre, Proust s'explique sur ses ambitions au moment où ce qu'il appelle son « premier volume » vient de paraître (*Du côté de chez Swann*, chez Bernard Grasset, 1913). A cette époque, Proust croyait encore que la *Recherche* paraîtrait en trois volumes, les deux suivants devant s'appeler *Du côté de Guermantes* et *Le Temps retrouvé*. Proust se réjouit de ce que Rivière ait compris d'avance ce que le troisième volume seulement devait établir : « Enfin je trouve un lecteur qui *devine* que mon livre est un ouvrage dogmatique et une construction ! » Le « premier volume » a créé un « malentendu ». On a cru que le but de Proust était de retrouver les *jours vécus*. En réalité, Proust s'est fixé un but qui est celui-là même des philosophes et des mystiques : *la recherche de la Vérité*. « J'ai trouvé plus probe et plus délicat comme artiste de ne pas laisser voir, de ne pas annoncer que c'était justement à la recherche de la Vérité que je partais, ni en quoi elle consistait pour moi. » Dans cette locution *la recherche de la Vérité*, le mot *recherche* prend une minuscule, mais *Vérité* prend la majuscule. Il ne s'agit pas de la vérité factuelle des historiens et des encyclopédistes. Il s'agit de la vérité des sages et des métaphysiciens. Cette déclaration de Proust suggère qu'une lecture spéculative de son œuvre n'est pas hors de propos. Pourtant, il reste à savoir comment la *Recherche* s'offre à une telle lecture. Il n'est pas sûr que ce soit par la présence de thèmes spéculatifs que Proust emprunte à la philosophie de son temps. La réponse est plutôt à chercher dans le mot qu'emploie Proust pour décrire son roman : *une construction*. Mais quelle sorte de construction ? Pas celle d'un ouvrage *idéologique*. (Il précise : « Je déteste tellement les ouvrages idéologiques où le récit n'est tout le temps qu'une faillite des intentions de l'auteur. ») L'ouvrage dogmatique est construit comme une œuvre d'art. Or il en résulte cette conséquence : puisque l'ouvrage que nous lisons est un récit, pas un traité de métaphysique ou un testament spirituel, la *recherche de la Vérité* prend forcément la forme d'une *peinture des erreurs*.

> « Non, si je n'avais pas de croyances intellectuelles, si je cherchais simplement à me souvenir et à faire double emploi par ces souvenirs avec les jours vécus, je ne prendrais pas, malade comme je suis, la peine d'écrire. Mais cette évolution d'une pensée, je n'ai pas voulu l'analyser abstraitement, mais la recréer, la faire vivre. Je suis donc forcé de peindre les erreurs, sans croire devoir dire que je les tiens pour des erreurs ; tant pis pour moi si le lecteur croit que je les tiens pour la vérité. Le second volume accentuera ce malentendu. J'espère que le dernier le dissipera. »

Cette lettre annonce en somme à Rivière qu'il faut lire les volumes du temps perdu à la lumière du *Temps retrouvé*. Et c'est ce que tous les commentateurs de Proust ont fait. On sait que ce dernier volume contient une réflexion du narrateur sur les « conditions de l'œuvre d'art » (TR, III, p. 920). Le narrateur traite de l'« essence même de l'œuvre d'art » (TR, III, p. 1044) au moment même où il prend la décision d'écrire « ce récit » (TR, III, p. 1045), apparemment celui que nous venons de lire. S'interroger sur l'*essence même de l'œuvre d'art*, c'est le trait d'une pensée typiquement philosophique. Il paraît donc naturel de dire, avec tous les critiques qui se sont préoccupés d'un sens philosophique de la *Recherche* : il y a en effet une lecture philosophique du récit, et cette lecture est donnée par Proust lui-même dans le dernier volume.

D'autre part, les historiens ont établi que la *Recherche* est née du développement inattendu d'un essai dont Proust avait entrepris la composition vers 1908. On a publié les fragments de cet essai sous le titre *Contre Sainte-Beuve*. Dans cet essai, Proust voulait exposer ses idées sur la littérature sous la forme d'une critique de la méthode de Sainte-Beuve, lequel commet l'erreur de vouloir comprendre l'*œuvre* à partir d'une connaissance personnelle de l'*homme*. Sainte-Beuve ne s'aperçoit pas que l'auteur d'une œuvre ne se confond pas avec l'« homme extérieur » qu'on a pu rencontrer dans les salons. Les chercheurs qui ont travaillé sur les carnets de Proust ont décrit l'invasion de l'essai par des morceaux narratifs, lesquels devaient d'abord venir en renfort de l'essai pour en illustrer les thèses. Ainsi, la réflexion du *Temps retrouvé* n'a pas été ajoutée après coup au récit pour en dégager la signification. C'est l'inverse qui s'est produit : le roman est né d'une volonté d'illustrer les propositions de l'essai.

D'où cette notion commune de l'œuvre, d'ailleurs pleinement justifiée d'un point de vue historique : la *Recherche* est un roman chargé d'un sens qu'une réflexion philosophique doit dégager ; cette réflexion est incluse dans le roman, les thèses du *Contre Sainte-Beuve* devenant les pensées du narrateur dans le *Temps retrouvé*. Bref, le livre se laisse ainsi décrire du point de vue de sa construction : c'est un *roman* qui donne la transposition narrative des propositions théoriques d'un *essai*.

Plusieurs critiques en ont conclu qu'il suffirait de retrouver ces propositions théoriques pour avoir donné la lecture philosophique de la *Recherche*. Tout ce qu'on aurait à faire, c'est en somme de revenir du roman à l'essai. Est-ce bien ainsi qu'on peut lire philosophiquement ? Certainement pas ! Car avec tout cela, la lecture philosophique n'a même pas commencé. Nous en sommes toujours à une lecture historique. C'est un fait que Proust a commencé un essai, qu'il a ensuite délaissé ce projet tandis qu'il se jetait dans le roman. C'est un fait qu'il reprend les thèses du *Contre Sainte-Beuve* dans le *Temps retrouvé*. C'est un fait qu'il entend bien présenter ses dogmes dans un récit. Mais la lecture philosophique n'est pas d'enregistrer le fait qu'une partie du texte est offerte par Proust en commentaire philosophique de l'autre partie. La lecture philosophique serait de *comprendre* ce commentaire, ce qui veut dire : de *comprendre la partie narrative grâce à la partie spéculative*.

Le récit de la *Recherche* s'éclaire-t-il si on y voit la transposition narrative d'une proposition spéculative, d'une pensée qu'on cherchera dans la réflexion du narrateur sur l'essence même de l'œuvre d'art ? Pour que la *Recherche* soit cette transposition, il faudrait : 1) que la proposition spéculative en question soit philosophiquement intelligible, 2) qu'elle détienne en effet le sens du récit.

Dans cette tentative d'une lecture philosophique du roman de Proust, je m'efforce d'établir l'inverse. A savoir : 1) que la proposition spéculative, justement identifiée par les historiens comme la pensée philosophique de Proust, est fort peu intelligible, 2) que c'est le roman qui nous éclaire sur l'essai.

Proust prête au narrateur cette réflexion sur le peintre Elstir : ses tableaux sont plus *hardis* que leur auteur, le tableau d'Elstir est plus hardi qu'Elstir *théoricien*. Toute l'intention du présent essai est d'appliquer la même distinction à Proust : le roman proustien est plus hardi que Proust *théoricien*. Par là je veux dire : le roman est philosophiquement plus hardi, il va plus loin dans la tâche que Proust assigne au travail de l'écrivain (éclaircir la vie, éclaircir ce qui a été vécu dans l'obscurité et la confusion).

On observera que les faits historiques mentionnés tout à l'heure n'interdisent nullement de former cette hypothèse. Le roman n'a pas été le point de départ de Proust. Les pensées du *Temps retrouvé* n'ont jamais été de véritables conclusions. D'autre part, la forme romanesque s'est imposée à Proust, tandis qu'il peinait à écrire ses pages contre la méthode de Sainte-Beuve. Dès lors, pourquoi ne pas considérer que le roman est philosophiquement plus avancé que l'essai ? Pourquoi ne pas chercher la pensée la plus instructive dans le récit ? Renversant l'ordre habituel, j'ai essayé de tenir le roman pour un éclaircissement, et non pour une simple transposition, de l'essai. J'ai supposé qu'il y avait quelque chose comme un *éclaircissement romanesque* des propositions obscures, paradoxales, égarantes, de Proust théoricien.

Mon hypothèse de lecture repose sur une distinction de la pensée du romancier et de la pensée du théoricien. Proust *théoricien* mobilise les thèses de la philosophie de l'esprit de son temps au service du dogme qu'il défend en littérature (que l'œuvre ne saurait être expliquée par l'homme). Il reprend imperturbablement les conclusions les plus aporétiques de la philosophie moderne comme autant de vérités lumineuses : la croyance au *langage privé* (moi seul sais vraiment la signification des mots que j'emploie), la tentation du *solipsisme* (je suis le seul être présentement donné à moi-même, les autres ne sont d'abord que des images ou des représentations), le *mythe de l'intériorité* (le sens de ce que je dis ou de ce que je fais est dans ce qui me passe par la tête tandis que je le dis ou que je le fais), la *subjectivité* des visions du monde (puisque je suis *moi*, je ne peux pas savoir comment *vous* voyez le monde), la *quasi-impossibilité de communiquer* (faute de pouvoir percevoir

15

directement la pensée de quelqu'un, F, III, p. 569), l'*idéalisme*
de la représentation (impossible de savoir si sa représentation
de la chose est fidèle, car on ne peut pas comparer la
représentation à la chose telle qu'elle est hors de la
représentation), la *théorie esthétique des arts* (ce que nous
cherchons dans une œuvre d'art, ce sont des sensations), le
dogme de l'*abstraction* (les « notions de l'intelligence » sont
produites par un appauvrissement des « impressions »), l'art
conçu comme *expression de soi* (l'artiste parvient à réaliser
ce prodige : communiquer ce qui est *par définition*
incommunicable). Si Proust était l'auteur d'un livre de
philosophie — on se gardera de confondre un livre de
philosophie et un livre philosophiquement instructif —, il
faudrait lui reconnaître la même sorte d'importance qu'avait
Freud pour Wittgenstein : d'être l'auteur d'une œuvre où l'on
peut puiser sans fin des exemples d'« erreurs typiquement
philosophiques » (ce qui veut dire : des erreurs qui tiennent à
ce qu'on veut donner une valeur explicative à ce qui ne devrait
être pris que pour une façon de parler parmi d'autres). De façon
générale, Proust *théoricien* reste pris dans la confusion qui
affecte toute la philosophie du sujet pensant (le « sujet » étant
ici le possesseur des états mentaux, celui à qui on les attribue).
La *particularité du point de vue* est confondue avec la *singularité
subjective de l'expérience*. Le fait que ma représentation d'une
chose ne soit pas votre représentation, si nous ne regardons pas
cette chose du même côté et sous le même angle, est confondu
avec le prétendu fait — en réalité, la propriété tautologique —
que *ma* représentation ne puisse jamais être *votre*
représentation, puisque la mienne est mienne, alors que la vôtre
est vôtre. D'où la tentation du solipsisme dans la pensée de
l'essai proustien, avec l'inexplicable solution de la
communication par l'art.

Mais un solipsiste n'est pas un personnage de roman. Le
romancier, par définition, raconte ce qui se passe entre
quelqu'un et quelqu'un d'autre. Proust, pas plus que les
philosophes qu'il a pu lire, ne fait la différence entre la solitude
de fait d'un solitaire (de quelqu'un qui est seul à penser ou à
éprouver quelque chose pour des raisons de fait) et la solitude
de principe d'un solipsiste (de quelqu'un qui est, pour des
raisons logiques, le seul à pouvoir savoir ou juger de quelque
chose). Tandis que les philosophes traitent du solipsiste ou de

16

la « clôture des consciences », le romancier ne peut s'intéresser qu'au solitaire, à l'individu isolé. S'il présente un personnage solitaire, il fait par là de l'absence d'autrui un événement dans l'histoire des rapports entre son personnage et les autres.

Il est regrettable que les philosophes ne lisent pas plus souvent des romans. Du moins, c'est ce qu'on serait tenté de dire lorsqu'on s'avise de la minceur du *vocabulaire* utilisé dans la philosophie morale d'aujourd'hui. Je corrigerai pourtant le regret énoncé ci-dessus : il est dommage que les philosophes ne parlent pas plus abondamment des romans qu'ils lisent. En France comme ailleurs, la philosophie contemporaine se montre insuffisante quand elle aborde le domaine de ce que les Anciens appelaient la « philosophie des affaires humaines » (*hē peri ta anthrōpina philosophia*, comme s'exprime Aristote, *Éthique de Nicomaque*, 1181 b 15). Nous n'avons même pas de nom pour une telle recherche. Aristote, dans le texte de la fin de son *Éthique* où il emploie cette locution, écrit justement que son « philosopher sur les affaires humaines » ne sera pas complet tant qu'il n'aura pas ajouté à son éthique proprement dite une philosophie du droit et une philosophie des régimes politiques. Mais chez nous la « philosophie des affaires humaines », qui est souvent limitée à l'éthique personnelle, est coupée en deux. D'un côté, nous reconnaissons aux philosophes le domaine des fondements : à eux de chercher si nous avons besoin d'un fondement ultime de nos jugements. De l'autre côté, nous sommes persuadés que ce que Kant appelait encore *l'anthropologie exposée d'un point de vue pragmatique* appartient aux « sciences humaines » (dont les philosophes feront, au mieux, l'épistémologie). Autant dire que la *philosophie pratique* est chez nous coupée de ce qui lui servait de terrain nourricier en un temps plus favorable à cette sorte de pensée. La philosophie morale finit par se réduire à des réflexions sur le fondement de l'évaluation morale. Comme si le grand problème n'était pas justement de discerner les multiples formes d'évaluation morale. Comme si le problème était de savoir *au nom de quoi juger* — au nom de quel absolu —, et non *comment juger*, ce qui veut dire : en quels termes, en se servant de quels vocabulaires. Ici comme ailleurs, les pensées du philosophe restent superficielles si elles ne sont pas précédées d'une *description des phénomènes*. Or les

« phénomènes », dans l'ordre des affaires humaines, ce sont les choses qu'on dit, les façons communes de penser et de juger. (Voir ce que dit Aristote au début du livre VII de l'*Éthique de Nicomaque* : la méthode sera d'établir les apparences —*tithénai ta phainomena* —, c'est-à-dire de rassembler les *legomena*, les choses que nous disons sur le sujet.)

Pourquoi les philosophes ont-ils tendu à délaisser le terrain de l'observation des mœurs, de sorte qu'aujourd'hui la parenté du philosophe de la morale et de l'écrivain dit *moraliste* n'apparaît plus clairement ? Une raison est que les philosophes ont trop vite acquiescé à une conception légaliste de la moralité (la loi morale, comme on dit). Une autre raison est que la philosophie des affaires humaines est devenue, de Hobbes à Freud, une entreprise « théorique » plutôt que « phénoménologique » (en un sens aristotélicien du mot *phénomène*). L'ambition des diverses *théories* de la nature humaine a été d'imiter la méthode scientifique d'une reconstruction du donné observable à partir de l'interaction d'un petit nombre d'éléments primitifs. Ces théories ont cherché à identifier les éléments de la nature humaine (les pulsions naturelles) et à trouver le mécanisme de leur interaction. Le résultat est que, pour parler comme Wittgenstein, la « philosophie de la psychologie » est une mine d'« erreurs typiquement philosophiques ».

Les philosophes ont le plus grand besoin de lire des romans s'il est vrai que la forme romanesque est aujourd'hui la plus riche en *legomena*, en échantillons de ces manières communes de penser qui sont la matière première de la philosophie pratique.

On le voit, j'attends d'une lecture philosophique du roman un éclaircissement de notre vocabulaire pour la description des affaires humaines. La *Recherche* fait parfois figure de livre de philosophie traitant dogmatiquement du Temps et de l'Essence. Mais la *Recherche* est un livre philosophiquement instructif par les concepts que le romancier met en œuvre pour penser en romancier, pour bâtir son histoire. Je cite en vrac : le prestige, le malentendu, la distinction, l'élection et l'exclusion, le charme personnel, la morgue, les devoirs et les obligations, l'ennui et l'exaltation, la conversation, le *chez soi*, la valeur mondaine, l'art des distances, etc. Tout cela compose la *philosophie proustienne du roman*, dont j'essaie de montrer qu'elle est supérieure à la philosophie proustienne de l'essai. Tandis que l'essai s'en tient au mode de penser des philosophies de la conscience, de sorte que la scène de l'action est réduite à l'esprit d'un sujet pensant, le roman conçoit tout événement selon le schéma d'une action à laquelle prennent part plusieurs personnages. Proust théoricien est résolument hostile à toute compréhension sociologique de la vie humaine. Proust romancier, pour construire ses personnages et ses épisodes, montre un flair sociologique exceptionnel. J'entends ici *sociologique* dans le sens des auteurs de l'école française, de Durkheim et Mauss à Louis Dumont : le principe d'une conception sociologique des choses est que le groupe précède l'individu, de sorte que l'individualité humaine ne peut pas être considérée comme une donnée primitive, qu'elle doit être décrite comme le produit d'un travail individuel, soutenu par les institutions, sur un matériau collectif. On ne s'étonnera pas que je fasse appel à l'appareil conceptuel de l'anthropologie et de la sociologie des religions pour articuler la *philosophie du roman*. En ceci d'ailleurs, je n'innove nullement et puis m'autoriser de l'exemple de Roger Caillois *(Puissances du roman)*, de Georges Bataille *(La littérature et le mal)*, de René Girard *(Mensonge romantique et vérité romanesque)* ou de Pierre Pachet *(Le premier venu)*.

L'essai qu'on va lire a quatre parties.

La première (ch. I-V) introduit la notion d'une *philosophie du roman*. Il s'agit ici de concevoir qu'un roman peut être philosophiquement instructif en tant que roman, et non pas seulement par les disgressions spéculatives qui se mêlent à la narration. Un roman peut donner le moyen de penser certaines affaires sans être pour autant la simple transposition d'un corps de doctrine philosophique. L'argument principal, exposé dans le chapitre IV, est que la doctrine professée par Proust théoricien est particulièrement impropre à la transposition narrative. Avec une doctrine qui confond le point de vue et la subjectivité, impossible de raconter une histoire.

La seconde partie (ch. VI-VIII) défend le principe de la lecture de la *Recherche* comme « recherche de la Vérité ». Plusieurs critiques contemporains ont cherché à interpréter l'œuvre de Proust à l'intérieur de ce qu'ils conçoivent comme la modernité littéraire. Cette œuvre serait un cas typique d'un phénomène littéraire typiquement moderne : la littérature se ramasse dans l'*écriture*, tandis que s'annonce en se dérobant toujours le *livre à venir*. Il m'a semblé que les paradoxes soutenus par cette tendance ultra-romantique de la critique étaient attribuables à l'utilisation de procédés philosophiques égarants, par exemple : la technique de définition d'un genre de choses par abstraction d'une essence censément générale.

Dans la troisième partie (ch. IX-XI), la question posée est : Quel est le sujet de la *Recherche* en tant que roman ? Je propose ici une réforme de la « théorie du récit », ou « narratologie ». La théorie poétique contemporaine a eu le grand mérite de rétablir dans tout son sérieux la considération des formes et des genres littéraires. Hors de l'étude de ces formes, il ne saurait y avoir de *théorie* littéraire, seulement de la *critique*. Toutefois, je crois que la théorie poétique, en son chapitre « narratologique », a été victime elle aussi du mirage essentialiste, tout comme l'ont été les théoriciens de l'*écriture*. Elle a en effet cherché à définir la notion d'un « récit pur » (d'une *narrativité*) qu'on pourrait spécifier ensuite en sous-espèces, comme si la distinction importante passait entre le récit et tout le reste. Je crois que la notion de récit pur est condamnée à rester vide, et que la théorie du récit doit se changer en théorie des formes de récit. Pour qu'il y ait quelque chose à raconter au sujet de ce qui arrive, il faut que les faits soient inclus dans le contexte de leurs circonstances, dans ce qu'on peut appeler un *monde*. Or il n'y a pas une et une seule cosmologie pour toutes les formes littéraires, ni même pour toutes les formes narratives de la littérature. Par exemple, la cosmologie de l'épopée ou du drame n'est pas celle du roman. Il s'agit donc de définir la cosmologie d'un monde romanesque. En l'espèce, la cosmologie de la *Recherche* ressort du contraste établi entre Combray et le monde parisien, avec entre les deux l'anti-Combray qu'est Balbec.

Dans la dernière partie de cette étude, j'examine deux images dont Proust se sert pour expliquer ce qu'il entend par la *peinture des erreurs*. Il y a d'abord l'image d'un livre intérieur qui a été mal traduit au cours de la vie, et que l'écrivain doit traduire à nouveau. Il y a d'autre part l'*illusion d'optique* donnée en image de l'erreur que le personnage doit corriger au cours de sa vie. Proust tente de définir un art impressionniste attaché à peindre l'erreur comme telle : c'est le « côté

Dostoïevski de Mme de Sévigné ». La théorie psychologique qu'appelle l'image du livre intérieur est un bel échantillon du « mythe de l'intériorité ». De son côté, l'effort de réduire l'erreur romanesque, par exemple l'erreur de Swann sur Odette, à une illusion d'optique due à une perspective curieuse illustre bien cette *optique des esprits* qui est au fond de la théorie de Proust. Il s'agit de montrer que la version romanesque de ces deux dogmes proustiens, loin d'en être la simple transposition, en représente la correction la plus décisive. Ce qui assure la victoire de la philosophie proustienne du roman sur la philosophie proustienne de l'essai.

Le dernier chapitre enregistre cette victoire en proposant une interprétation des épisodes mystiques du *Temps retrouvé*. C'est la crise poétique du monde individualiste qui vient à se résoudre, au moins pour le narrateur, lorsqu'il prend sur lui de renverser l'ordre commun des valeurs, et de juger de la grandeur des choses selon ses impressions les plus « intimes ». Il s'installe alors dans un statut séparé d'écrivain.

1. LE ROMAN, GENRE PROSAÏQUE

Où chercher, dans un roman, la philosophie du roman ?
La question est générale, elle peut être posée à propos de n'importe quel roman. On peut aussi l'adresser à Proust. Est-il important que le livre intitulé *A la recherche du temps perdu* soit un roman (même si ce n'est pas un roman conventionnel) et non pas un traité de philosophie ? La réponse est : Bien entendu. Mais si j'ai répondu que c'était important, je n'ai plus le droit de seulement citer des pensées de Proust. Il faut commencer par considérer la philosophie de ce roman, ce qui veut dire : celle qui rend compte du choix de cette forme littéraire qu'on appelle *roman*. C'est là une question de forme littéraire. On l'écarte parfois un peu vite, au nom d'un nominalisme des genres littéraires. Ce qui importe, aux yeux de plusieurs critiques, ce sont avant tout les œuvres individuelles. Quant aux formes, nous disent ces critiques, ce sont des dénominations générales que nous inventons pour classer ensemble les livres qui se ressemblent. Ils nous rappellent que les genres sont variables (selon l'époque et la nationalité). Pas plus que les espèces naturelles, les genres littéraires ne sont fixes ou fondés dans la nature des choses. Le critique nominaliste va donc récuser la question posée au début de ce chapitre. Si nous lui demandons : la *Recherche* est-elle roman ou traité de philosophie ?, il nous répond : Elle n'a pas à être l'un ou l'autre. La forme du roman n'est pas fixée une fois pour toutes. Les critiques les plus divers, de Thibaudet à Marthe Robert, ont insisté sur cette puissance de métamorphose du roman. Pourquoi le roman ne se ferait-il pas *philosophique*, comme il s'est fait tour à tour *historique, naturaliste,*

23

psychologique ? La critique nominaliste ajoutera que la philosophie n'est pas non plus attachée une fois pour toutes à un mode de communication. Aujourd'hui, la forme dominante de l'écrit philosophique est l'*Exposé* ou la *Dissertation*. Au cours des siècles, les philosophes ont écrit des *Traités*, des *Systèmes*, des *Dialogues*, des *Éléments*, des *Problèmes* (ainsi, la *Critique de la raison pure*), des *Lettres*, des *Miroirs*, des *Contes*, des *Commentaires*, des *Livres de théorèmes*, des *Méditations*, etc. Dès lors, pourquoi pas des romans aussi bien que des drames, des confessions et des chants ?

Le point de départ d'une lecture philosophique de la *Recherche* doit-il être, comme on le dit souvent : La *Recherche* est un roman dont une des originalités est d'être aussi, entre autres choses, un livre de philosophie ? Je soutiendrai qu'il faut plutôt partir de ceci : La *Recherche* est un roman qui aurait pu être un livre de philosophie. Où chercher de la philosophie dans la *Recherche* ? Si l'œuvre de Proust est un livre de philosophie en même temps qu'un roman, la philosophie de ce roman est à chercher dans le roman. Plus subtilement, Gilles Deleuze estime qu'il y a dans ce roman une « critique de la philosophie ». Dans ce cas, cette critique de la philosophie, d'ailleurs « éminemment philosophique » (*Proust et les signes*, p. 193), est à chercher dans le roman. Mais, si la *Recherche* a dû renoncer à être un livre de philosophie (et peut-être aussi à être d'autres livres encore) pour être le roman qu'elle est, la philosophie de ce roman est à chercher d'abord dans l'existence de quelque chose comme le *roman*. La philosophie de ce roman est à comprendre par la philosophie du roman comme tel. Que convient-il d'appeler *philosophie du roman* ? On entendra par là l'énoncé des raisons que donnerait l'auteur (si on les lui demandait et s'il prenait la peine de les formuler) pour expliquer son choix de la forme romanesque de préférence aux autres. Selon cette hypothèse, les seules idées qu'il peut y voir *dans* un roman sont des « idées de roman ». Quant à la philosophie du roman, elle n'est jamais dans le roman lui-même. Elle n'y est pas exposée. Elle est dans notre commentaire, celui que nous devons construire pour rendre compte du fait que nous comprenions et aimions le roman.

Nous savons que Proust a hésité quelque temps entre le genre de l'*essai* et le genre du *roman*. Il a d'ailleurs porté un diagnostic sévère sur son état d'incertitude, y reconnaissant une nouvelle manifestation de l'adversaire intime qui s'opposait en lui à l'accomplissement de sa vocation d'écrivain.

> « Les avertissements de la mort. Bientôt tu ne pourras plus dire tout cela. La paresse ou le doute ou l'impuissance se réfugiant dans l'incertitude sur la forme d'art. Faut-il en faire un roman, une étude philosophique, suis-je romancier ? » (*Le Carnet de 1908*, p. 61).

Proust n'est pas le seul, bien sûr, à avoir connu *la paresse ou le doute ou l'impuissance se réfugiant dans l'incertitude sur la forme d'art*. Il faudrait même dire que c'est une expérience bien *moderne*. Il y a comme une paralysie du vouloir en proportion de l'élargissement des possibilités ouvertes à l'individu. Pourquoi cette forme plutôt qu'une autre ? C'est à lui de le savoir. L'artiste se voit ainsi placé devant une charge difficile à porter, la responsabilité personnelle et entière de la *forme d'art*. A lui de dire s'il écrira selon la forme de l'essai ou celle du roman. Veut-il écrire un roman ? A son aise. Plutôt une étude philosophique ? Pourquoi pas. Encore autre chose ? Qu'il écrive. Il sera de toute façon jugé sur le résultat, comme si les règles du genre élu étaient les siennes. C'est pourquoi la solution *moderne* officielle à cet embarras du choix est, en théorie au moins, le refus de choisir. C'est en tout cas la solution professée par les critiques nominalistes. L'artiste, disent-ils, n'a pas à choisir entre les formes d'art déjà constituées. Il doit se les approprier à sa guise. Il lui appartient de « créer » sa forme d'art, son style, ses « valeurs esthétiques », son *médium* d'expression. Ici comme ailleurs, le moderne tient dans l'appel à l'émancipation de l'individu à l'égard des contraintes de l'histoire et du groupe. La réponse moderne est la réponse individualiste.

Mais ce n'est pas nous, lecteurs, qui imposons à Proust un choix entre roman et étude philosophique. C'est lui qui se pose la question. C'est donc Proust lui-même qui prend au sérieux l'alternative : ou bien être romancier, ou bien être philosophe. Il est peut-être un peu court de réduire les genres littéraires à de simples conventions qui ne pourraient restreindre la souveraineté de l'écrivain. Car il arrive ceci : dès que les mots *étude philosophique* viennent sous la plume d'un romancier, ils tendent à prendre un sens balzacien. Une étude philosophique, si c'est un romancier qui la compose, n'est pas une variante de l'exposé philosophique. C'est plutôt une variante du récit romanesque, comme il y a l'*étude de mœurs*, l'*étude de femmes*, etc. L'étude philosophique à la Balzac est ainsi appelée parce que l'action s'y agence autour d'un penseur (plutôt que d'une femme mal mariée, ou bien d'un jeune homme pauvre, mais ambitieux, etc.). En fait, le lecteur d'un roman du Penseur n'attend rien du récit qui ne soit romanesque. Cette sorte de roman montre comme la Pensée détermine, tout comme l'Amour ou l'Ambition, un conflit de l'individu et de son entourage.

Proust a d'ailleurs noté tout cela dans une note du projet contre Sainte-Beuve, où il traite des titres chez Balzac. Il est vrai qu'il y attribue encore à un naturel vulgaire de Balzac ce qui, peut-être, entre dans la constitution prosaïque (ou, comme il dit, *positive*) du genre romanesque lui-même.

> « Ses titres eux-mêmes [= les titres des romans de Balzac] portent cette marque positive. Tandis que souvent chez les écrivains le titre est plus ou moins un symbole, une image qu'il faut prendre dans un sens plus général, plus poétique que la lecture du livre lui donnera, avec Balzac c'est plutôt le contraire. La lecture de cet admirable livre qui s'appelle *Les Illusions perdues* restreint et matérialise plutôt ce beau titre, "Illusions perdues". Il signifie que Lucien de Rubempré, venant à Paris, s'est rendu compte que Mme de Bargeton était ridicule et provinciale, que les journalistes étaient fourbes, que la vie était difficile. (...) Dans *La Recherche de l'absolu*, l'absolu est plutôt une formule, une chose alchimique que philosophique. Du reste, il en est peu question. Et le sujet du livre est bien plutôt les ravages que l'égoïsme d'une passion étend dans une famille aimante qui la subit, quel que soit d'ailleurs l'objet de cette passion : Balthazar Claës est le frère des Hulot, des Grandet. Celui qui écrira la vie de la famille d'un neurasthénique pourra faire une peinture du même genre. » (*Contre Sainte-Beuve*, p. 269, note).

Comme on voit, Proust indique en passant ce que deviendrait son sujet — la vie qu'un névropathe impose à ses proches — si on l'avait confié à Balzac. Les jugements de Proust sur Balzac sont toujours ambivalents. L'admiration ne parvient pas à chasser une sorte de gêne. Mais Balzac, tout vulgaire qu'il soit,

est *le* romancier. De sorte que les sentiments mêlés à son égard
trahissent comme une résistance à la forme romanesque. La note
citée ci-dessus fournit les repères qui expliquent cette résistance.
Chez Balzac, les titres sont *positifs*. Le titre dit ce qu'il dit et
ne dit que ce qu'il dit. Un titre poétique devrait dire ce qu'il
dit et dire en même temps autre chose. Or dire quelque chose
et dire en même temps autre chose, c'est *allégoriser*. Toutefois,
l'allégorie proprement dite requiert que le second sens (figuré
ou allégorique) soit aussi défini que le premier sens (littéral).
Dire quelque chose et laisser entendre autre chose sans jamais
dire cette autre chose, ou encore dire quelque chose et suggérer
qu'il y a autre chose sans qu'on sache dire quoi, c'est le
symbolisme, au sens de l'école littéraire de ce nom (sens qui
est aussi celui dans lequel Proust parle ici de *symbole*). *Positif*
s'oppose donc à *symbolique*. Balzac est, dans le présent
contexte, l'auteur le plus éloigné du « symbolisme ». Il ne fait
pas la différence du monde et de l'idéal. Il s'en tient à une
réalité à mi-hauteur. (« Cette réalité à mi-hauteur, trop
chimérique pour la vie, trop terre à terre pour la littérature, fait
que nous goûtons souvent dans sa littérature des plaisirs à peine
[différents] de ceux que nous donne la vie. » *Contre Sainte-
Beuve*, p. 268.) Proust, au contraire, prend à son compte les
principales antithèses de la cosmologie symboliste. La *matière*
forme le pôle inférieur du positif, du particulier, du terre-à-
terre : ici, les choses ne sont que ce qu'elles sont. L'autre pôle,
celui de l'*esprit*, correspond aux visées idéalisantes de la poésie
et de la philosophie. Les catégories de cette cosmologie se
retrouvent dans la *Recherche*. Elles permettent par exemple à
Proust d'instruire le procès du baron de Charlus (et de conclure
qu'il lui sera pardonné). Charlus allant se faire fouetter et
enchaîner dans la maison que tient Jupien, c'est tout d'abord
une preuve de déchéance spirituelle. Proust dit alors : « Ce
Prométhée consentant s'était fait clouer par la Force au rocher
de la pure Matière. » (TR, III, p. 838). Mais aussitôt après
viennent les arguments de la défense, les raisons de se montrer
indulgent.

> « Pourtant j'ai peut-être inexactement dit : rocher de la pure
> Matière. Dans cette pure Matière il est possible qu'un peu
> d'Esprit surnageât encore. Ce fou savait bien, malgré tout, qu'il
> était la proie d'une folie et jouait tout de même, dans ces

moments-là, puisqu'il savait bien que celui qui le battait n'était pas plus méchant que le petit garçon qui dans les jeux de bataille est désigné au sort pour faire le ''Prussien'' (...). La proie d'une folie, où entrait tout de même un peu de la personnalité de M. de Charlus. Même dans ces aberrations, la nature humaine (comme elle fait dans nos amours, dans nos voyages) trahit encore le besoin de croyance par des exigences de vérité. » (TR, III, p. 839).

A un pôle de l'Univers on trouve la pure Matière et la Force. Au pôle opposé se tiennent l'Esprit et la personnalité. Entre les deux, ce sont les désirs humains qui tendent tantôt à la brutalité de l'ici-bas, tantôt à la poésie de l'ailleurs. Charlus rêve d'autre chose, donc il reste une créature spirituelle au fond du bordel.

« En somme son désir d'être enchaîné, d'être frappé, trahissait, dans sa laideur, un rêve aussi poétique que, chez d'autres, le désir d'aller à Venise ou d'entretenir des danseuses. Et M. de Charlus tenait tellement à ce que ce rêve lui donnât l'illusion de la réalité, que Jupien dut vendre le lit de bois qui était dans la chambre 43 et le remplacer par un lit de fer qui allait mieux avec les chaînes. » (TR, III, p. 840).

Un titre prosaïque ne dit que ce qu'il dit, ne promet que ce qu'il y a. Un titre qui en dit plus est *poétique* ou *philosophique*. Il symbolise un *au-delà*, d'ailleurs impossible à communiquer directement, de la vie ordinaire et de sa trivialité. Dans son étude sur Flaubert, Proust fait l'éloge du titre *L'Éducation sentimentale*, « titre si beau par sa solidité — titre qui conviendrait d'ailleurs aussi bien à *Madame Bovary* » (« A propos du style de Flaubert », p. 588). La beauté du titre *L'Éducation sentimentale* n'est-elle pas surtout d'être un titre plus général, qui vaut pour bien des romans ? En revanche, le titre *Madame Bovary* est positif : il ne vaut que pour un seul roman. Le symbolisme en littérature est justement cette aspiration à la généralité, laquelle va de pair avec l'immatérialité. L'écrivain symboliste rêve d'écrire un livre qui soit l'équivalent de tous les livres, rêve de trouver pour ce livre — le Livre — un titre qui soit tous les titres, d'y concentrer en une phrase, en un mot, le secret de toutes les phrases et de tous les mots. L'entreprise comporte un danger dont Proust s'est avisé très tôt. Dès 1896, il écrivait :

« Qu'il me soit permis de dire encore du symbolisme (...) qu'en prétendant négliger les « accidents du temps et de l'espace » pour ne nous montrer que des vérités éternelles, il méconnaît une autre loi de la vie qui est de réaliser l'universel ou éternel, mais dans des individus (...). Les œuvres purement symboliques risquent donc de manquer de vie et par là de profondeur. Si, de plus, au lieu de toucher l'esprit, leurs « princesses » et leurs « chevaliers » proposent un sens imprécis et difficile à sa perspicacité, les poèmes, qui devraient être de vivants symboles, ne sont plus que de froides allégories. » (« Contre l'obscurité », CSB, p. 390).

A travers tous ces textes nous voyons se dessiner une cosmologie foncièrement dualiste, où tout s'ordonne par couples de termes opposés, comme chez les Pythagoriciens. On peut en esquisser la table :

Matière	Esprit
laideur	beauté
positif	symbolique, imagé
restreint	général
terre-à-terre	rêve poétique
espace et temps, etc.	éternité, etc.

Mais cette cosmologie, il faut le souligner, n'est pas « la philosophie » de Proust. Elle n'est pas sa pensée, mais définit le système du monde à l'intérieur duquel lui et d'autres pensent. A aucun moment Proust n'éprouve le besoin d'argumenter ou de parler en faveur de ces oppositions. Tout se passe comme s'il y voyait un ordre nécessaire de la pensée, un bien commun irrécusable. A l'intérieur de ce système du monde, la poésie et la philosophie sont du même côté. Fidèle à une tradition qui remonte à Aristote et à sa critique de Platon, Proust oppose la poésie et l'histoire. Pour lui aussi la poésie est plus philosophique que l'histoire parce qu'elle présente du nécessaire et du général. Dans *La Fugitive*, le narrateur et sa mère commentent les deux mariages inattendus de « la petite Swann » et de la nièce de Jupien. Cette conversation est l'occasion d'un intermède de « sagesse des familles » (Qui l'aurait dit à Combray ? Si les grands-parents avaient pu le prévoir !). Cette sagesse un peu courte est étrangère à la poésie. Sa Muse n'est pas celle de l'enfance, c'est celle « qu'il convient de méconnaître le plus longtemps possible si l'on veut garder quelque fraîcheur d'impression et quelque vertu créatrice » (F, III, p. 675). Ce n'est pas la muse des pensées élevées, c'est la muse des détails matériels et des faits significatifs d'une foncière instabilité des choses. Cette Muse finit par se faire connaître « au soir de leur vie » à ceux qui l'ont ignoré longtemps : par exemple lorsque, visitant une « vieille église provinciale », ils « se sentent moins sensibles à la beauté éternelle exprimée par les sculptures de l'autel qu'à la connaissance des fortunes diverses qu'elles subirent, passant dans une illustre collection particulière, dans une chapelle, puis dans un musée, puis ayant fait retour à l'église » *(ibid.)*. En un mot, cette Muse est

> « la Muse qui a recueilli tout ce que les Muses plus hautes de la philosophie et de l'art ont rejeté, tout ce qui n'est pas fondé en vérité, tout ce qui n'est que contingent mais révèle aussi d'autres lois : c'est l'Histoire ! » *(ibid.)*.

Proust participe aux catégories d'une cosmologie qui oppose l'histoire et le poétique (ou le philosophique). Mais le roman est la fiction d'une histoire. Le roman est du côté du terre-à-terre, du contingent, du périssable. S'il en est ainsi, le choix de la forme romanesque ne peut pas être tenu pour accessoire. Choisir d'écrire un roman revient à choisir de *recueillir* dans une forme d'art *tout ce que les Muses* prétendument *plus hautes de la philosophie et de l'art* (poétique) *ont rejeté*. Qui écrit un roman a choisi de ne pas exclure le terre-à-terre. Lorsque Proust abandonne son projet contre Sainte-Beuve et s'engage dans la *Recherche*, il prend le risque de se mêler de qui est vulgaire, résistant ainsi aux séductions du rêve poétique et de l'idéal insaisissable. Dans la forme romanesque, la « recherche de la vérité » ne sera plus une recherche de l'Absolu au sens des idéalistes. Ce sera une recherche de l'Absolu au sens de Balzac. Puisque nous sommes dans un roman, la Vérité et l'Absolu prennent par force une figure factuelle. La vérité philosophique devient la pierre philosophale. La recherche de la vérité devient l'enquête sur le passé d'Odette, le travail de renseignement sur les fréquentations d'Albertine. Swann et Marcel sont deux grands chercheurs de vérité. Mais l'interrogation qui les habite est toujours positive. Odette était-elle avec Forcheville l'après-midi où elle n'a pas ouvert sa porte ? Albertine avait-elle rendez-vous avec la fille de Vinteuil chez les Verdurin ?

2. LE PHILOSOPHE INCONNU

Les lecteurs qui cherchent à reconstituer une doctrine qui serait la « philosophie de Proust » ou la « vision proustienne du monde » n'ont pas le sentiment de maltraiter le texte. Ils ne croient pas lui imposer des questions étrangères. En effet, le narrateur est aussi, à bien des égards, un docteur. Il prétend tirer pour nous, non seulement des leçons de sa vie, mais des conclusions importantes : de « grandes lois », de « précieuses vérités ». De toutes les doctrines que paraît contenir la *Recherche*, la plus célébrée est celle du temps et de la mémoire. Mais nous pouvons ici nous faire au sujet de ce narrateur-docteur la réflexion que le narrateur lui-même se fait à propos du peintre Elstir : le tableau d'Elstir représentant un hôpital « aussi beau sous son ciel de lapis que la cathédrale elle-même » est « plus hardi qu'Elstir théoricien, qu'Elstir homme de goût et amoureux du Moyen Age » (CG, II, p. 421). Il se pourrait que la narration de Proust soit plus hardie que son narrateur.

Aucun des personnages de la *Recherche* n'est donné pour un penseur. Bergotte l'écrivain est un sceptique. Brichot l'érudit paraît superficiel. Un seul philosophe apparaît furtivement lors d'un dîner Verdurin à La Raspelière. C'est un professeur norvégien qui n'est pas à son aise dans la conversation. Tout ce qu'on saura de lui est qu'il parle très lentement le français, et cela pour deux raisons. D'abord, il vient de l'apprendre et manque de spontanéité. Ensuite, il est philosophe : « (…) en tant que métaphysicien, il pensait toujours ce qu'il voulait dire pendant qu'il le disait, ce qui, même chez un Français, est une cause de lenteur » (SG, II, p. 930). Le seul philosophe de la *Recherche*, comme par hasard, est norvégien. Madame Verdurin s'empresse de l'interrompre. On sait que les personnages de la *Recherche* passent le plus clair de leur temps à bavarder. Le philosophe ne pouvait y être qu'un Norvégien, ce qui double les difficultés qu'aurait de toute façon un métaphysicien dans une réception. On s'explique que le philosophe ne puisse rester longtemps en scène : « Cet homme au parler si lent (il y avait un silence entre chaque mot) devenait d'une rapidité vertigineuse pour s'échapper dès qu'il avait dit adieu » *(ibid)*. *Il y avait un silence entre chaque mot :* cette élocution rompue est toute la présence que la métaphysique obtient dans le roman. Il en va de même de la poésie. Lorsque Rachel lit une fable de La Fontaine à l'ultime Matinée du roman, tout le monde est stupéfait. La fable étant déjà connue, les invités s'attendaient à se voir offrir du familier. Mais le jeu de Rachel, nous dit Proust, est *intelligent*, « car il présupposait la poésie que l'actrice était en train de dire comme un tout existant avant cette récitation et dont nous n'entendions qu'un fragment » (TR, III, p. 999). La récitation poétique interrompt la conversation. Un fragment de poésie surgit et s'impose sans jamais se fondre dans le bavardage ordinaire. Rachel lit poétiquement, avec force gesticulations, en détachant les mots.

> « L'annonce de poésies que presque tout le monde connaissait avait fait plaisir. Mais quand on vit l'actrice, avant de commencer, chercher partout des yeux d'un air égaré, lever les mains d'un air suppliant et pousser comme un gémissement chaque mot, chacun se sentit gêné, presque choqué de cette exhibition de sentiments. Personne ne s'était dit que réciter des vers pouvait être quelque chose comme cela. » (TR, III, p. 999).

Cette fois, c'est la duchesse de Guermantes qui intervient pour éviter que la situation ne se dégrade. Elle manque d'interrompre l'actrice en donnant à contretemps le signal de l'approbation générale : « La duchesse de Guermantes sentit le léger flottement et décida de la victoire en s'écriant : "C'est admirable !" au beau milieu du poème, qu'elle crut peut-être terminé. » (TR, III, p. 1001).

Ni la philosophie ni la poésie ne parviennent pas à s'imposer dans le roman. On y rencontre sans doute l'écrivain Bergotte dans le salon de Mme Swann. Mais Proust mobilise à point nommé sa distinction (élaborée dans sa critique de la méthode de Sainte-Beuve) entre un moi authentique et un moi social. La personne qu'on peut rencontrer dans le salon d'Odette est Bergotte *homme du monde*. Quant à Bergotte *artiste*, il n'est pas possible de le rencontrer dans un salon. Il faudrait le lire. Or Proust, chose remarquable, ne donne aucun échantillon suivi de la prose de Bergotte. Le narrateur nous parle avec abondance du style de Bergotte, mais se garde bien de lui attribuer des textes. Proust réussit à ne jamais nous livrer une seule phrase complète de Bergotte. Nous n'en connaîtrons jamais que de rares débris : « vain songe de la vie », « l'inépuisable torrent des belles apparences », le « tourment stérile et délicieux de comprendre et d'aimer », les « émouvantes effigies qui annoblissent à jamais la façade vénérable et charmante des cathédrales » (CS, I, p. 94), les « mystérieux frissons de la beauté » (JF I, p. 551). Nous avons aussi les mots de sa brochure sur la Berma (« noblesse plastique », « cilice chrétien » etc. ; JF, I, p. 443). Le grand écrivain est présenté ou *peint*, mis sous nos yeux, en tant qu'homme du monde. L'écrivain en lui n'est jamais qu'évoqué.

Ni le penseur profond ni le poète méditant ne sont des personnages de roman. Cette limite du roman — limite qui est tout autant une ressource qu'une restriction — doit être prise au sérieux. Si le roman est à l'aise dans la prose, c'est à la condition de s'en tenir à ce qui peut être raconté dans une prose limpide. Les romanciers n'ont aucune difficulté à mettre sous nos yeux quelqu'un qui voudrait être artiste, ou bien quelqu'un qui croit l'être, ou bien quelqu'un qui n'a pas été capable de l'être. Le roman admet l'apprenti philosophe, le poète débutant tout juste sorti de sa province, l'élève qui sera peut-être quelqu'un. Il admet aussi le penseur fou, le génie effondré, l'artiste raté, le poète sans inspiration. Mais le roman ne montre pas l'artiste en train de faire œuvre ou l'écrivain en train d'écrire.

Cependant, le sujet de la *Recherche* n'est-il pas, de l'avis général : *Marcel devient écrivain ?* Cela reste à voir. La doctrine de la dualité du *moi* paraît bien l'exclure : Marcel homme du monde ne doit pas être confondu avec l'être qui reçoit finalement la force d'écrire. Pourtant, quoi qu'il en soit de l'écrivain, ne faut-il pas accorder que le narrateur, bien présent dans le roman, est aussi un docteur. Les doctrines du narrateur ne sont-elles pas la « philosophie de Proust » ? Mais ce qui distingue la philosophie telle que nous l'entendons depuis Platon est qu'elle peut être transmise dans un *logos* (à la différence des sagesses qui ne peuvent s'exposer, qui ne se transmettent que dans la présence du maître). Pour contenir une philosophie, la *Recherche* devrait être un exposé du même type que les ouvrages dans lesquels on nous parle de la doctrine philosophique de Proust. En fait, le livre qui dit nous exposer la « philosophie de Proust » porte sur une fiction. Cette philosophie n'existe nulle part. Elle est une doctrine qui *aurait pu* être professée par quelqu'un à la fin du siècle dernier, si seulement il s'était trouvé quelqu'un pour le faire. Ce quelqu'un n'est pas Proust, et ce n'est pas non plus Marcel, lequel se contente d'être quelqu'un qui *pourrait* devenir un philosophe si seulement il trouvait — dit-il — « un sujet où je pusse faire tenir une signification philosophique infinie » (CS, I, p. 175). Reste que la fiction appelée « philosophie de Proust » est fabriquée à partir des propos décousus de Marcel. Pour ne pas confondre le philosophe auquel on attribue cette philosophie et Marcel qui voudrait mais ne parvient pas à trouver un sujet, il vaut mieux parler de la philosophie du pseudo-Marcel (comme on dit : *le pseudo-Denys*). On aurait alors la notice suivante :

VIE ET OPINIONS DU PSEUDO-MARCEL

Le Pseudo-Marcel est un philosophe français qui n'a pas laissé d'écrits et dont nous ne savons rien de première main. Tout ce que nous lui attribuons, nous le tirons en fait des remarques et réflexions que Proust (l'écrivain) confie au personnage du narrateur. Le Pseudo-Marcel est ainsi un philosophe inconnu, dont les pensées de Marcel (le personnage de la *Recherche*) sont comme l'écho. Qu'enseignait le Pseudo-Marcel ? Comment argumentait-il ? Qu'avait-il à répondre aux objections ? Quelle sorte de preuves acceptait-il ? Avait-il une méthode particulière, un point de départ, des techniques propres ? Tout cela, nous l'ignorons. Il nous manque donc non seulement le texte de ce philosophe, mais son *logos*, son discours philosophique. Il nous manque donc cela même qui fait une philosophie. En revanche, nous pouvons facilement dater cette pensée (dont pourtant nous ignorons tout) à l'intérieur de la tradition française. Ce que nous savons, à travers Marcel, du vocabulaire utilisé par le Pseudo-Marcel montre qu'il parlait l'idiome post-kantien de la génération des Lachelier, Boutroux, Brochard, etc. Son programme philosophique, pour autant que nous puissions le discerner, a aussi un goût d'époque. On y observe la tendance des Français à fondre en une seule discipline la psychologie philosophique (dite « psychologie réflexive ») et la métaphysique. Pour cette génération, le problème métaphysique est celui de l'« essence du monde » (une expression schopenhauerienne, qu'on retrouve encore dans le *Tractatus* de Wittgenstein). Les penseurs français, depuis le XVIIIᵉ siècle, s'efforcent de poser ce problème sous la forme particulière de la question dite de *l'union de l'âme et du corps*. Le Pseudo-Marcel paraît avoir été un idéaliste. A cet égard, les propos du narrateur ne sont pas très éclairants. Impossible de dire s'il professait l'« idéalisme subjectif » (à savoir : *Le monde est ma représentation*) ou l'« idéalisme objectif » (à savoir : *Le monde est la représentation grâce à laquelle l'esprit universel parvient en moi à la pensée de soi-même*).

Comme beaucoup de penseurs et d'auteurs de cette génération, le pseudo-Marcel semble avoir été un lecteur assidu de Schopenhauer. On en trouve un indice dans le genre de problèmes que le narrateur mentionne le plus fréquemment : le problème du « sens de la vie » (y a-t-il lieu d'être optimiste ou pessimiste ?), le problème du solipsisme, le problème du déterminisme et du libre arbitre, le problème de la réalité du monde extérieur, le problème de la permanence du *moi* au sein du flux de la conscience. On note que ces problèmes sont aussi ceux que posent plusieurs philosophes majeurs de l'époque, notamment William James et Henri Bergson.

Proust croit-il à l'idéalisme, au pessimisme, à la monadologie, au solipsisme (à toutes ces pensées qui figurent dans les éclaircissements du *Vocabulaire de la philosophie* composé par André Lalande et la Société française de philosophie) ? Est-il convaincu que ces questions sont sérieuses ? Pense-t-il sérieusement que les professionnels qu'il appelle parfois « les philosophes » ont la réponse à cette question ? A vrai dire, nous n'en savons rien. Il est facile de trouver des déclarations déjà disposées pour la citation, où s'exprime la plus pure doctrine « pessimiste ». Par exemple :

> « Les liens entre un être et nous n'existent que dans notre pensée, la Mémoire en s'affaiblissant les relâche, et, malgré l'illusion dont nous voudrions être dupes, et dont, par amour, par amitié, par politesse, par respect humain, par devoir, nous dupons les autres, nous existons seuls. L'homme est l'être qui ne peut sortir de soi, qui ne connaît les autres qu'en soi, et, en disant le contraire, ment. » (F, III, p. 450).

C'est ici le docteur qui parle, l'élève de La Bruyère et de Schopenhauer. Est-ce l'auteur du récit romanesque ? Ce n'est pas sûr. Le ton même de cette assertion a quelque chose de coupant, d'aphoristique. Ce pourrait être une « maxime », une « pensée détachée » dans un « Journal intime ».

On peut multiplier les citations dans un sens ou dans l'autre. Le dernier mot doit rester au genre qui, à l'exemple de l'Histoire, accepte de recueillir « tout ce que les Muses plus hautes de la philosophie et de l'art ont rejeté, tout ce qui n'est pas fondé en vérité, tout ce qui n'est que contingent ». Le romancier met sous nos yeux le personnage d'un idéaliste subjectif tel qu'il se présente, non pas seulement dans des déclarations, mais dans sa « contingence », donc aussi dans ses manquements à « la vérité ». Ce sera quelqu'un comme Legrandin, lequel ne peut s'empêcher d'avouer ses ambitions mondaines.

> « Certes je savais bien que l'idéalisme, même subjectif, n'empêche pas de grands philosophes de rester gourmands ou de se présenter avec ténacité à l'Académie. Mais vraiment Legrandin n'avait pas besoin de rappeler si souvent qu'il appartenait à une autre planète quand tous ses mouvements convulsifs de colère ou d'amabilité étaient gouvernés par le désir d'avoir une bonne position dans celle-ci. » (CG, II, P. 204).

Est-ce à dire que l'idéaliste se voit *démasqué* ou que son idéalisme soit *dénoncé* comme simple idéologie arriviste ? Le roman ne dit rien de tel. Peut-être Legrandin est-il un piètre idéaliste. Il n'y a pas une figure qui soit *la vérité de l'idéalisme*. Ce qu'il y a, c'est le personnage de Legrandin — curieux nom —, en qui il faut voir « une idée de roman ».

Quant au narrateur, il est vrai qu'il reçoit de la vie une *leçon d'idéalisme*, comme il est dit dans *Le Temps retrouvé* (« De ma vie passée je compris encore que les moindres épisodes avaient concouru à me donner la leçon d'idéalisme dont j'allais profiter aujourd'hui. » III, p. 910). L'esprit ne peut pas sortir de soi-même pour atteindre les choses extérieures. L'esprit ne connaît que ses propres représentations. Est-ce que le philosophe ne se déclare pas ici dans le narrateur ? Mais tout ce que veut dire Proust est que nous ne tenons pas compte d'une réalité qui est pourtant parfaitement accessible. Les épisodes les plus révélateurs de l'idéalisme subjectif dans lequel nous vivons, à notre insu et pour notre malheur, ce sont les épisodes de la vie amoureuse. Proust parle bien, à la façon d'un métaphysicien, de l'existence du monde extérieur. Mais c'est dans un sens décalé où *existence du monde extérieur* signifie : rôle que joue la réalité de la personne aimée dans la naissance de l'amour. Le narrateur tombe amoureux de Gilberte, d'Albertine, mais il n'est pas sûr de pouvoir les décrire. Lorsqu'il s'enflamme pour une jeune fille blonde aperçue dans la rue qu'il croit être une certaine Mlle d'Eporcheville (ayant retenu de travers le nom d'une jeune fille d'excellente famille fréquentant les maisons de passe que Saint-Loup avait signalée et qui s'appelle en fait de l'Orgeville), le narrateur l'a à peine vue, ignore tout d'elle, ne sait pas qu'il s'agit de Gilberte Swann devenue Mlle de Forcheville. « M'eût-il fallu dessiner de mémoire un portrait de Mlle d'Eporcheville, donner sa description, son signalement, cela m'eût été impossible, et même la reconnaître dans la rue. » (F, III, p. 566). Le monde extérieur existe bel et bien. Il est possible d'y rencontrer et d'y reconnaître Mlle de l'Orgeville et Mlle de Forcheville (alias Gilberte). Tout cela ne compte pas, pense Proust, au moment de la cristallisation de l'amour autour d'une image fugitivement saisie. La leçon d'idéalisme n'a plus rien de métaphysique. Elle coïncide avec l'observation d'un moraliste sévère.

PROUST

« Certains philosophes disent que le monde extérieur n'existe pas et que c'est en nous-mêmes que nous développons notre vie. Quoi qu'il en soit, l'amour, même en ses plus humbles commencements, est un exemple frappant du peu qu'est la réalité pour nous. » (F, III, p. 566).

3. LE ROMAN PHILOSOPHIQUE

Nous savons ce que c'est qu'un *conte philosophique* : un récit agencé autour d'une idée. Rabelais, Swift, Voltaire, Jarry, Kafka, Orwell ont écrit, entre autres choses, des contes philosophiques. Peut-on définir un genre du roman philosophique ? Que serait donc un roman philosophique ? La *Recherche* paraît bien être un tel roman, en ce sens que le lecteur est invité à y lire des vérités, pas seulement des anecdotes. Est-ce que le roman philosophique est fabriqué, comme le conte, avec des idées ? La réponse à cette question n'est pas du tout évidente. D'un côté, Proust parle de sa « démonstration (TR, III, p. 846). Il ne cesse de promettre des vérités et des lois : des « vérités mystérieuses », de « grandes lois ». Le lecteur est alors tenté de chercher l'énoncé de ces lois dans le texte. D'un autre côté, on le sait, Proust condamne les œuvres intellectuelles. « Une œuvre où il y a des théories est comme un objet sur lequel on laisse la marque du prix. » (TR, III, p. 882). Dans le jugement du lecteur, l'allusion aux vérités et aux lois pèse toujours plus lourd que l'avertissement contre l'intrusion de la théorie. Les critiques ne voient souvent dans cet avertissement qu'une simple dénégation, une coquetterie d'auteur. Pourtant, il se pose ici un problème grave et qui ne date pas d'aujourd'hui : celui du rapport entre littérature et philosophie.

Voici ce problème sous sa forme générale : une œuvre écrite doit-elle communiquer des pensées philosophiques pour être dite philosophique ? Toute la difficulté du problème paraît concentrée dans la notion d'une communication philosophique. Il est ici éclairant de comparer la *Recherche* à deux autres classiques du roman philosophique au XXe siècle : *la Montagne magique, l'Homme sans qualités.* Ces deux romans mettent en scène, non seulement des personnages, mais des pensées, sans pourtant communiquer aucune doctrine déterminée. Chez Thomas Mann et chez Musil, comme chez Proust, l'action tend à piétiner, laissant un personnage libre pour la spéculation. Mais chez ces deux auteurs la spéculation conserve un tour dramatique. Il y a plusieurs partis intellectuels. On assiste à de véritables joutes dialectiques. Les pensées mises en scène ne sont pas de calmes opinions, ce sont des discours affrontés. Les personnages auxquels l'auteur confie l'intérêt théorique ne sont pas des sujets pensants auxquels attribuer des pensées. Ce sont les suppôts de forces et de tensions. Un combat autour d'enjeux ambigus (éclairer un esprit ? dominer un être ? posséder un corps ?) mobilise les forces intellectuelles au service de positions elles-mêmes variables. Du même coup, l'auteur est celui qui n'a rien à dire de plus. Dans l'ordre du dogme, l'auteur figure comme un sceptique passionné. Mais, de tous les personnages de la *Recherche*, un seul nous est présenté dans son aventure mentale. Proust a systématiquement privé son narrateur de toute occasion d'avoir à découvrir le fond de sa pensée *pour un autre personnage.* Le narrateur ne s'adresse qu'à nous et à nous seuls. Tantôt le narrateur est encore trop jeune pour résister à une critique venant d'autrui (quand Norpois condamne ses opinions esthétiques). Tantôt les circonstances ne s'y prêtent pas (Saint-Loup voudrait bien avoir de grandes discussions avec Marcel, mais ce n'est jamais le moment). Tantôt l'interlocuteur auquel le narrateur fait la leçon est trop novice pour se voir dispenser autre chose que des bribes de sagesse (Albertine est en progrès, mais a encore du chemin à faire avant de comprendre la littérature). Dans le *Temps retrouvé*, le soliloque du narrateur est pur de toute présence d'un interlocuteur sur lequel il faudrait l'emporter. Il n'y a plus qu'un seul cours de pensée, où les réflexions succèdent en bon ordre aux observations, comme dans une manipulation de laboratoire. Mann et Musil, par l'effet même de la disposition des différents discours à l'intérieur du récit, nous retiennent de voir dans les pensées exprimées des propositions philosophiques à examiner sereinement. Dans la *Recherche*, un seul personnage vit une aventure intellectuelle qu'il commente pour nous. Nous risquons alors d'oublier que le commentaire fait partie du récit.

Nous sommes tentés de prendre les réflexions du narrateur pour le propos philosophique du roman. En confiant la narration du récit au personnage même qui en est le héros, Proust a évité le grave écueil rencontré dans *Jean Santeuil* : d'avoir à *communiquer*, dans un discours au style indirect tenu par le narrateur anonyme, les *illuminations incommunicables* du héros. Si l'extase de Jean Santeuil peut être décrite au style indirect, ce n'est plus une extase authentique, c'est un simple état d'âme tombant sous le coup d'une description psychologique. Par exemple, en disant que le personnage a l'impression de vivre une seconde fois un instant de son passé, on décrit l'*impression* (phénomène psychologique), mais non le fait de vivre une seconde fois un instant de son passé (phénomène extatique incommunicable). D'un autre côté, si l'auteur de la description à la troisième personne des expériences de Jean Santeuil se contente de lui attribuer une extase, le récit va rapidement tourner court ou devenir incohérent (un peu comme dans les parties « célestes » de la *Comédie humaine*, lorsque Balzac gratifie certaines personnes de pensées angéliques ou d'inspirations géniales, se trouvant du même coup dans l'embarras d'avoir à citer des pensées angéliques ou de produire pour nous des idées géniales). La difficulté est tournée dans la *Recherche*. Le personnage qui a reçu les impressions béatifiantes est aussi celui qui raconte cette expérience unique. Subjugués que nous sommes par le style de Proust, nous oublions parfois que les commentaires du narrateur sont dans le récit, pas dans la philosophie à tirer de ce récit. Un personnage qui émet des pensées les émet dans ce qui nous est raconté. Les pensées rapportées dans le récit ne sont pas encore des pensées communiquées par le récit.

A quelles conditions sommes-nous prêts à tenir un roman pour philosophique ? On peut prévoir d'avance que la réponse devra se tenir à l'intérieur d'un espace des hypothèses possibles que l'on peut déterminer. Il y a en effet deux conditions concevables, mutuellement indépendantes :

1. Pour être philosophique, un roman doit *contenir*, en un point de son texte, un propos philosophique.

2. Pour être philosophique, un roman doit *communiquer* un propos philosophique.

Les conditions sont indépendantes. On peut concevoir, en principe, qu'un roman contienne de la philosophie, mais n'en communique pas (cas Thomas Mann). Ou bien qu'il en communique, mais n'en contienne pas (cas du conte philosophique esotérique). Si l'on tient pour la première condition, on va chercher s'il y a des parties du roman (quelles qu'elles soient : parole d'un personnage, commentaire du narrateur, mot de l'auteur) qui soient des phrases de philosophe. Cette condition peut sembler claire, facile à manier. Elle dit que la présence dans un roman de phrases philosophiques suffit à faire de ce roman un roman philosophique. Pourtant, Proust dit qu'il faut éviter la théorie, y compris dans un roman qui se veut recherche de la Vérité. D'ailleurs, cette condition risque d'être trop libérale. Tous les romans seront philosophiques à quelque degré. Dans une conversation qu'il a avec le jeune narrateur, Swann dit en passant :

> « Je voulais dire simplement à ce jeune homme que ce que la musique montre — du moins à moi — ce n'est pas du tout la "Volonté en soi" et la "Synthèse de l'infini", mais par exemple, le père Verdurin en redingote dans le Palmarium du Jardin d'Acclimatation. » (JF I, p. 534).

Swann a prononcé des mots du jargon philosophique. La présence de cette phrase suffirait, selon le premier critère envisagé, pour rendre philosophique la *Recherche*. Et même si nous éliminions du texte de Proust les vocables idéalistes *(Volonté en soi, Synthèse de l'infini)*, la remarque de Swann reste une théorie de la musique. Sa présence équivaut à l'inclusion d'une théorie esthétique de la musique dans le roman (théorie qui est bien sûr celle de Swann, pas forcément celle de l'auteur). Mais quel est le roman dans lequel on ne pourrait pas épingler un propos un peu général et le baptiser *théorie* de ceci ou de cela ?

La seconde condition mentionnée semble plus intéressante. Il faut maintenant déterminer si un roman particulier communique ou non une pensée d'ensemble qui sera, sinon la pensée de l'auteur, du moins la pensée du roman. Comment le saura-t-on ? Ici, les avis pourront se partager entre les quatre hyspothèses suivantes :

I. Une *partie* du texte porte la pensée du roman tout entier ;

II. Le *tout* du récit romanesque est la communication *directe* de la pensée du roman ;

III. Le *tout* du roman est la communication *indirecte* d'une pensée du roman *qu'il n'est pas possible de communiquer directement* ;

IV. Le tout du roman est la communication *indirecte* d'une pensée *qu'il est possible de communiquer directement*.

Telles sont les quatre façons dont on peut concevoir qu'un roman soit fabriqué, tout comme un conte, pour communiquer une pensée philosophique. Malheureusement, aucune de ces hypothèses ne semble valoir pour la *Recherche*.

La première hypothèse, en dépit des apparences, ne correspond pas aux intentions de Proust. Elle est ce que condamne justement Proust sous le nom d'*œuvre intellectuelle*. Il nous dit aussi que son roman est une construction, donc à considérer comme un tout. Il insiste sur le fait que la pensée du livre (sa vision) est à chercher dans le style. Si nous prenons au sérieux ces avertissements répétés, nous ne pouvons pas extraire du récit les réflexions du narrateur pour y trouver la pensée du roman communiquée dans le roman lui-même.

La seconde hypothèse revient à soutenir que le roman puisse être un mode direct de la communication philosophique. Position soutenue en effet par une école de philosophie, l'école de la « pensée concrète » et de l'« existentialisme ». Selon cette école, les concepts dans lesquels nous pensons, y compris les plus généraux, sont extraits par *abstraction* de la vie que chacun mène parmi ses semblables en ce monde. Puisque les concepts sont abstraits de la vie, ils doivent être replongés dans la vie pour être éclaircis. Ainsi, la communication par le récit fictif ou le drame scénique n'est pas seulement permise, elle est recommandée comme plus *authentique*. La présentation « concrète » de la pensée vaut mieux que l'exposition « abstraite ». Il faut revenir des concepts d'apparence purement logique (« existence », « identité », « différence », « unité », « négation », « opposition », etc.) aux relations humaines dont ils sont l'abstraction (l'existence qu'on mène, l'identité personnelle, la différence entre soi et autrui, le sentiment d'indivision, l'attitude de refus, le conflit, etc.). Cette solution est celle du roman existentialiste. Les avis sont partagés sur la fécondité littéraire de la formule. Ce n'est pas ici le lieu montrer l'incohérence de cette théorie du concept. Quoi qu'il en soit, personne à ma connaissance ne veut que la *Recherche* soit un roman existentialiste.

La troisième hypothèse annonce quelque chose qui paraît impossible : *le roman symboliste*. Le roman est ici le roman d'une Idée. Il n'est pas possible de communiquer cette Idée. On doit seulement la suggérer. C'est bien sûr au poème que pense Mallarmé lorsqu'il prononce que la philosophie doit être présente dans l'œuvre littéraire, mais présente dans son absence même ou présente par cela même qui lui interdit d'apparaître. « Je révère l'opinion de Poe, nul vestige d'une philosophie, l'éthique ou la métaphysique ne transparaîtra ; *j'ajoute qu'il la faut, incluse et latente.* » (*Œuvres complètes*, p. 872 ; je souligne). Qu'est-ce qui empêche la philosophie d'apparaître dans le poème ? Son abstraction ! Comment inclure une philosophie latente ? En suggérant l'abstraction de l'Idée par des images d'abstraction

> *Une dentelle s'abolit*
> *Dans le doute du Jeu suprême*
> *A n'entr'ouvrir comme un blasphème*
> *Qu'absence éternelle de lit.*

Mais un roman symboliste est-il possible ? Maurice Blanchot avait réclamé jadis que les romanciers se fissent les élèves de Mallarmé (« Mallarmé et l'art du roman », dans *Faux pas*). Depuis, on peut citer quelques *fictions* répondant à cet état d'esprit. Toutefois, la solution du roman symboliste n'est pas pour Proust, lequel reproche aux symbolistes d'ignorer la condition de l'individualité dans la vie et dans l'art (« Contre l'obscurité »).

Reste la quatrième hypothèse. Les meilleurs commentateurs de Proust l'ont adoptée. Elle veut que nous cherchions la proposition philosophique dont la *Recherche* est la version littéraire. Cette proposition, on peut chercher à la deviner par une étude « structurale » (au sens de Martial Guéroult) du roman. C'est ce que fait Gilles Deleuze dans *Proust et les signes*. Ou bien la proposition fera l'objet d'une enquête sur les sources de la pensée de Proust. Dans son étude remarquable, Anne Henry pose que Proust a transcrit la philosophie de l'identité de Schelling. Et pourtant, même si nous recevons avec reconnaissance les résultats d'une telle enquête historique, nous ne sommes pas dispensés de poser le problème proprement philosophique que voici : Comment une proposition philosophique peut-elle être transposée en un roman ? (Je dis que le problème est proprement philosophique parce qu'on voit bien qu'il se pose quel que soit le philosophe auquel cette proposition est attribuée : Schelling, Schopenhauer, ou même Marcel Proust). Mais on peut tirer de l'exposé même d'Anne Henry une objection décisive contre l'idée de la transposition romanesque d'une proposition métaphysique quelle qu'elle soit. Traitant des raisons qu'avait Proust de préférer Émile Mâle à Ruskin, Anne Henry suggère que l'auteur de la *Recherche* (construite « comme une cathédrale » ; TR, III, p. 1033) pouvait se retrouver dans le mode d'intelligence de la cathédrale gothique proposé par Mâle. L'approche de Ruskin est « esthétique » : elle fait une large place à l'artiste individuel. Celle de Mâle est « iconographique » : l'art du bâtisseur est purement et simplement l'art de transposer dans la pierre un enseignement sacré. Or, nous dit Anne Henry dont c'est justement toute la thèse, le roman de Proust est la transposition littéraire d'une philosophie de la nature et de l'art. Aussi la méthode de Mâle n'a-t-elle rien pour déplaire à Proust. Elle écrit :

> « On ne saurait négliger combien les résultats de la méthode inconographique, justifiant toute l'entreprise romanesque de Proust, valent dès lors à Mâle tant de sympathie : c'est que ce dernier avait longuement démontré que la sculpture n'est que la transposition d'une vérité théorique. Qu'avait tenté pour sa part Proust lui-même sinon l'illustration identique d'un *Speculum* philosophique obéissant à un invisible abbé Suger ? (*Marcel Proust, théories pour une esthétique*, p. 189).

Dans cette comparaison des thèses de Mâle et de la *Recherche*, on retrouve les termes dont use Anne Henry : Proust a voulu donner dans son roman une « illustration », une « transposition », une « transcription » de la doctrine de l'identité élaborée par Schelling et pillée par les post-kantiens. Mais alors l'analogie ici construite impose une conséquence dont Anne Henry ne voudrait certainement pas. Selon cette analogie, la cathédrale selon Mâle correspond à la *Recherche*, tandis que l'abbé Suger (par rapport à la cathédrale) correspond à Schelling (par rapport à la *Recherche*). Il en résulte aussitôt que Émile Mâle (traitant de la cathédrale) correspond à Anne Henry (traitant de Proust). Pourtant, dans tout son chapitre sur Proust et Ruskin, l'auteur montre que Proust est *injuste* de préférer

l'iconographie de Mâle à ce qu'elle appelle l'herméneutique de
Ruskin. Ruskin rend justice à l'artiste : il pense qu'un artiste
ne perd jamais l'initiative, même s'il travaille sur commande.
En revanche, Émile Mâle est un positiviste satisfait : pour lui,
les statues du portail d'une cathédrale sont intégralement
expliquées si on indique le texte sacré dont elles sont « la
transposition plastique » (*op. cit.*, p. 192). Ruskin, écrit Anne
Henry, est plus fin : il voit dans les statues du portail de la
cathédrale d'Amiens « le prolongement logique d'une pensée
architecturale créatrice » *(ibid.).*

Avons-nous passé en revue toutes les hypothèses concevables ?
Pas du tout. Il en est une que suggère justement la discussion
par Anne Henry des injustices de Proust envers Ruskin. Le
portail d'une cathédrale ne peut pas être réduit à la transposition plastique d'un dogme sacré. Ce serait nier l'existence d'une
pensée architecturale. Tout de même, un roman ne peut pas
être tenu pour l'illustration d'une proposition philosophique.
Le roman ne pourrait pas entrer en contact avec les propositions
métaphysiques si le roman n'était pas l'exercice d'une pensée
romanesque. Mais c'est justement ce que ne cesse de dire
Proust. Il insiste sur ce point : la « valeur intellectuelle » d'un
artiste ne dépend pas de sa participation aux courants d'idées
ou aux avant-gardes. La pensée romanesque est à chercher dans
cela même qui a demandé du travail au romancier. Il n'est plus
question ici d'illustrer des thèmes philosophiques, mais de
composer un récit. « Et peut-être est-ce plutôt à la qualité du
langage qu'au genre d'esthétique qu'on peut juger du degré
auquel avait été porté le travail intellectuel et moral. (TR, III,
p. 882). Ce travail intellectuel et moral est un travail d'éclaircissement de ce qui était obscur. Il nous reste donc à reconnaître
dans la forme romanesque une puissance autonome d'élucidation. La pensée du roman n'est pas à chercher dans tel ou tel
contenu de pensée, mais dans le fait que le roman exige du
lecteur une *réforme de l'entendement*. Un roman, pour être
philosophique, n'a pas besoin de communiquer quoi que ce
soit. Il s'agit plutôt de savoir s'il possède cette force philosophique d'imposer un *travail intellectuel et moral*. Un roman
est philosophique s'il manifeste une discipline de pensée
analogue à celle qu'incarne la philosophie dans la tradition
occidentale. Quant à savoir ce qui donne à la forme romanesque
une puissance d'élucidation, c'est ce qui reste à déterminer.

4. L'OPTIQUE DES ESPRITS

« Mais par une loi singulière et d'ailleurs provi-
dentielle de l'optique des esprits (loi qui signifie
peut-être que nous ne pouvons recevoir la vérité de
personne, et que nous devons la créer nous-
même), (...) »

Proust, « Journées de lecture », CSB, p. 177.

Que la *Recherche* contienne beaucoup de phrases qui
pourraient figurer dans un livre de philosophie, c'est
incontestable. Qu'on puisse, à condition d'ajouter les ressorts
dialectiques appropriés, composer ce livre de philosophie, où
des phrases de Proust seront disposées selon un ordre des
raisons, c'est ce qui a déjà été fait plusieurs fois avec talent (voir
les études de Gilles Deleuze et d'Alain de Lattre). Rien de tout
cela n'éclaire pourtant la *philosophie du roman* au sens où je
prends ici ce terme. La pensée de Proust romancier est-elle
forcément la pensée de Proust théoricien ? Ce n'est pas ici une
question philosophique (a priori). Avec les doctrines qu'on peut
certes extraire du roman, est-il possible d'écrire quelque chose
comme un roman ? On peut, je crois, montrer que ce n'est pas
possible. La philosophie à laquelle il est fait allusion *dans* le
roman n'est pas la philosophie du roman une fois écrit (bien
qu'elle soit, vraisemblablement, celle que Proust aurait proposée
s'il avait finalement choisi d'écrire un essai, non un roman).
De l'avis général, Proust se propose d'écrire un roman
perspectiviste. Or la doctrine de Proust théoricien (que je
voudrais distinguer de celle de Proust romancier) assimile
perspective et *subjectivité*. Mais la subjectivité est, par

définition, ce qui ne se partage pas. De son côté, le point de vue est, par définition, ce qui peut être partagé par un déplacement réel ou mental dans l'espace. Si une théorie confond perspective et subjectivité, cette théorie est incohérente. Un roman écrit selon une théorie incohérente est lui-même incohérent. J'en conclus que la *Recherche*, si elle présente quelque cohérence, a été écrite en infraction à la théorie qu'elle est censée « démontrer ».

Le but de Proust, on le sait, est d'écrire un roman perspectiviste grâce à l'introduction de la « dimension du temps » dans la narration (TR, III, p. 1044-46). Il arrive même à Proust de parler de la « perspective du temps » (CG, II, p. 420). Cette idée est bien rendue dans une « interview » que donne Proust (et que, probablement, il rédige lui-même) en 1913 :

> « Vous savez qu'il y a une géométrie plane et une géométrie dans l'espace. Eh bien, pour moi, le roman ce n'est pas seulement de la psychologie plane, mais de la psychologie dans le temps. Cette substance invisible du temps, j'ai tâché de l'isoler (...). J'espère qu'à la fin de mon livre, tel petit fait social sans importance, tel mariage entre deux personnes qui dans le premier volume appartiennent à des mondes bien différents, indiquera que du temps a passé (...). Puis, comme une ville qui, pendant que le train suit sa voie contournée, nous apparaît tantôt à notre droite, tantôt à notre gauche, les divers aspects qu'un même personnage aura pris aux yeux d'un autre, au point qu'il aura été comme des personnages successifs et différents, donneront — mais par cela seulement — la sensation du temps écoulé. »
>
> (« *Swann* expliqué par Proust », CSB, p. 557).

Proust va plus loin que Balzac. Il ne pratique pas seulement le retour des personnages, à différents âges de la vie ou à divers stades de la carrière sociale. La dimension ajoutée du temps permet d'organiser une succession des *aspects* que prennent ces personnages aux yeux de l'un d'entre eux, le narrateur. Les aspects ultérieurs peuvent réfuter, ou confirmer, ou éclairer, telle conclusion qui avait été tirée plus tôt après avoir rencontré le personnage sous un premier aspect. (Ici, l'exemple classique est le déroulement dans le temps des divers aspects de Charlus). Aussi Proust peut-il insister sur la pureté artistique de sa technique : *par cela seulement.* Il s'agit bien de peindre les erreurs, non de les dénoncer. Le problème de Proust est donc un problème de construction (comme on parle de « construction légitime » pour désigner la perspective géométrique). Mais la construction d'une perspective n'est pas possible n'importe comment. Une théorie incohérente du point de vue va prescrire des constructions qui se découvriront, en pratique, impossibles.

La théorie officielle de Proust — reprise par ses commentateurs — fait de la subjectivité un cas de vision définie par une perspective. La subjectivité corrrespond à un point singulier, point d'où l'observateur a une vision unique des choses. On sait que la construction d'un tableau selon la perspective centrale *(costruzione legittima)* assigne à ce tableau un unique point de vue. « Le tableau défini comme un plan coupant perpendiculairement l'axe du cône visuel, pour être vu ''juste'' entraîne pour le spectateur l'obligation de se rendre au ''point de vue''. Léonard de Vinci, déjà, le dit expressément : ''Une seule personne peut être à la fois à l'endroit le plus propice pour voir le tableau''. » (Albert Flocon et René Taton, *La perspective*, p. 52). Pour un tableau ainsi construit, il y a un point et un seul de l'espace d'où le spectateur voit le tableau comme il doit être vu. Une seule personne à la fois en ce point singulier. Mais nous pouvons, bien sûr, nous succéder en ce point et avoir, tour à tour, *la* vision du tableau (définie comme la vision qu'on a de *ce* point de vue, tandis qu'en retour *ce* point de vue est défini comme le point d'où l'on a *la* vision juste, celle qui est prescrite par la construction géométrique du tableau). Le point de vue singulier de la construction légitime n'a donc rien de subjectif. Il est défini pour un observateur quelconque. Tous les spectateurs qui auront occupé (tour à tour) ce point de vue auront eu la même vision. Assimiler la subjectivité à un point de vue singulier, c'est poser que chaque sujet a sa vision du monde, vision unique correspondant à un point de vue dont il est, par la force des choses, le seul occupant possible. On parle en effet de subjectivité pour dire qu'il est essentiel à certaines choses d'être *à* quelqu'un ou *de* quelqu'un (à un « sujet »). La relation de subjectivité doit être distinguée de la relation de propriété (dont elle est dangereusement proche selon la grammaire de surface). Ma voiture est à moi : pourtant, il n'est pas inconcevable que la voiture que je dis être *ma* voiture se découvre, en fait, ne pas être ma voiture. Mais il est inconcevable que mon expérience ne soit pas *mon* expérience ou que mes sentiments ne soient pas *mes* sentiments. On dit alors que l'expérience ou les sentiments sont « subjectifs » ? Pourquoi cette différence entre une possession et une expérience ? La différence est logique, pas physique. La différence n'est pas que la voiture est une chose matérielle alors que l'expérience serait une chose mentale ou spirituelle. La différence est qu'on peut demander : A qui appartient *cette* voiture ? Mais on ne peut pas demander : A qui appartient *cette* expérience ? Il est possible de parler de la voiture (ce qui signifie : de s'y référer, de la désigner parmi les autres objets, de l'identifier) sans avoir à lui trouver un propriétaire. Le *principe d'individuation* de la voiture est indépendant du *principe d'individuation* de son propriétaire. La relation de cette voiture à cette personne est toujours une relation logiquement externe. Or c'est l'inverse dans le cas des entités subjectives. La relation de cette douleur à cette personne qui souffre n'est pas externe. On ne peut pas individuer *cette* douleur sans l'identifier comme la douleur de *cette* personne qui souffre. Il y a donc quelque chose de radicalement incommunicable dans tout ce qui est subjectif. Il est vrai que « communiquer » est souvent équivoque. Par exemple, communiquer un document sera parfois faire connaître le contenu du document (transmettre le sens), parfois remettre la pièce matérielle elle-même qui sert de document (déplacer entre vos mains un objet matériel). Nous rassemblons sous le concept de *subjectif* tous les faits d'incommunicabilité dans le second sens seulement. Je peux vous faire partager mes impressions en vous en parlant. Mais je ne peux pas vous les faire partager en faisant qu'elles soient désormais vos impressions, c'est-à-dire que vous les ressentiez à ma place.

La notion de point de vue, dans le sens originel des « prospecteurs » ou dans le sens plus large d'aujourd'hui, est la notion d'une position d'où un observateur, quel qu'il soit, voit les choses se disposer selon certaines proportions dans la vision qu'il en a. Le point de vue est un point où n'importe qui peut en principe se placer. (Que par ailleurs ce point de vue puisse être, pour des raisons géographiques ou physiques, difficile d'accès ne change rien au caractère pleinement public, ouvert à tous, d'un lieu d'observation.) Si maintenant nous voulons définir la subjectivité comme un point de vue, nous devrons accepter l'une ou l'autre des conséquences suivantes, également absurdes :

a) Ou bien je puis *partager votre subjectivité* (avoir la même relation interne que vous à votre expérience) ;

b) Ou bien je ne peux pas *partager votre point de vue* (je ne puis en aucune façon comprendre ce qui vous arrive quand vous souffrez, ni avoir la moindre notion de ce que vous voyez quand nous regardons le même spectacle).

Ces impossibilités nous sont aujourd'hui plus évidentes, grâce à la discussion par Wittgenstein des paradoxes du solipsisme. Dans une assimilation mutuelle de la subjectivité et du point de vue, ce peut être la subjectivité qui est prise pour un point de vue, ou bien à l'inverse le point de vue pour un cas de subjectivité. Si la subjectivité n'est après tout qu'un point de vue, alors il n'y a pas de raison qui s'oppose à ce que je puisse *éprouver votre douleur*. C'est même ce qui devrait se passer si nous acceptions vraiment de nous mettre à la place des autres. Mais l'assimilation peut aussi se faire du point de vue singulier à la subjectivité. Si le point de vue singulier correspondant à votre vision du monde est un point subjectif, alors je ne peux même pas me représenter ce qui vous arrive quand vous souffrez. Seule ma douleur, dit le solipsiste, est réelle, puisqu'elle est la seule qui soit donnée dans ma conscience.

Depuis Leibniz, il est devenu courant d'attribuer une vision du monde singulière à chaque esprit. Chaque esprit occupe un point de vue singulier. Leibniz compare la substance à « un Miroir vivant ou doué d'action interne, représentatif de l'univers suivant son point de vue et aussi réglé que l'univers lui-même » (*Les Principes de la Nature et de la Grâce*, § 3). Être un esprit, c'est être « représentatif » ou refléter le monde selon une perspective particulière. Être *cet* esprit, c'est avoir *cette* vision du monde. Si les esprits sont comme des miroirs, il est possible de rassembler ce que nous avons à dire sur les esprits dans une « optique des esprits ». C'est justement ce que fait partout Proust. Il s'efforce de ramener les erreurs intellectuelles à des erreurs optiques, à des erreurs qu'expliquent les apparences découvertes selon telle ou telle perspective.

Chez Leibniz, la comparaison des monades à autant de perspectives sur l'univers fonde une philosophie de l'entr'expression universelle. Tout correspond à tout selon des règles harmonieuses. La communication n'est pas du tout mise en danger, à condition de l'entendre dans le premier sens (transmission du contenu), non dans le second (influence physique). Il n'y a aucun paradoxe à voir en Leibniz le philosophe par excellence de la communication (voir l'ouvrage de Michel Serres, *Le système de Leibniz et ses modèles mathématiques*). C'est que Leibniz ignore encore l'« idéalisme subjectif », dont les écrivains français prendront connaissance à la fin du XIXᵉ siècle en lisant Schopenhauer. Rémy de Gourmont l'énonce assez bien lorsqu'il rattache la littérature symboliste à la philosophie idéaliste : « Le monde est ma représentation. Je ne vois pas ce qui est ; ce qui est, c'est ce que je vois. » (*Le Livre des masques*, p. 12.) Il en résulte une nouvelle définition de l'*écriture* :

> « La seule excuse qu'un homme ait d'écrire, c'est de s'écrire lui-même, de dévoiler aux autres la sorte de monde qui se mire en son miroir individuel ; sa seule excuse est d'être original ; il doit dire des choses encore non dites et les dire en une forme non encore formulée. Il doit se créer sa propre esthétique — et nous devons admettre autant d'esthétiques qu'il y a d'esprits originaux et les juger d'après ce qu'elles sont et non d'après ce qu'elles ne sont pas.
>
> Admettons donc que le symbolisme, c'est, même excessive, même prétentieuse, même intempestive, l'expression de l'individualisme dans l'art. » (*Ibid.*, p. 13).

Nous sommes vraiment très près de Proust théoricien. Ici aussi l'esthétique originale ne fait que traduire la vision originale d'un esprit, miroir individuel. Comme le dira Proust : « car le style pour l'écrivain, aussi bien que la couleur pour le peintre, est une question non de technique mais de vision » (TR, III, p. 895). Pour traduire aux autres le monde tel qu'il se reflète en lui (ou *s'imprime* en lui) de façon unique, l'écrivain doit dire des choses inédites dans une forme nouvelle. Voilà bien l'*écriture intransitive* : écrire, non ceci ou cela (ce qui aura toujours déjà été fait), mais écrire tout court, de façon à s'écrire soi-même.

Or Gourmont voit bien que le programme littéraire (ou « symboliste ») de l'idéaliste est désespéré. S'écrire soi-même, oui, mais pour qui ? Dans le texte qu'il consacre à Gide, il écrit ceci :

« Le genre humain, sans doute, dans son ensemble de ruche ou de colonie, n'est que parce que nous en sommes, prééminent au genre bison ou au genre martin-pêcheur ; ici et là c'est le triste automate mais la supériorité de l'homme est qu'il peut arriver à la conscience : un petit nombre y parvient. Acquérir la pleine conscience de soi, c'est se connaître tellement différent des autres qu'on ne sent plus avec les hommes que des contacts purement animaux : cependant entre âmes de ce degré, il y a une fraternité idéale basée sur les différences, — tandis que la fraternité sociale l'est sur les ressemblances.

Cette pleine conscience de soi-même peut s'appeler l'originalité de l'âme — et tout cela n'est dit que pour signaler le groupe d'êtres rares auquel appartient. M. André Gide.

Le malheur de ces êtres, quand ils se veulent réaliser, est qu'ils le font avec des gestes si singuliers que les hommes ont peur de les approcher ; ils doivent souvent faire évoluer leur vie de relation dans le cercle bref des fraternités idéales (…). » (*Ibid.*, p. 178).

La recherche de la conscience de soi par l'exercice spirituel de l'*écriture* conduit l'écrivain dans une zone dangereuse. En choisissant d'*écrire*, il a refusé la fraternité sociale, lui a préféré la fraternité idéale (« stellaire », disent les nietzschéens). Le troupeau humain trouve le principe de son rassemblement dans des *ressemblances*. Pour atteindre la conscience de soi — qui est la conscience de sa singularité —, il faut commencer par mépriser la ressemblance, qui est toujours la ressemblance à quelque chose d'autre, donc le défaut d'originalité. Les êtres d'élite qui atteignent à la conscience de soi souveraine n'ont rien en commun, sinon de se savoir différents. Ils se ressemblent par leurs différences mêmes. Il ne faut pas se dissimuler que cette fraternité idéale est une fraternité dans le malheur de ne pouvoir être compris.

Proust théoricien invoque volontiers le dogme de la clôture des consciences. Chacun vit enfermé dans ses représentations et ne retrouve partout que soi-même. Ces proclamations « pessimistes » figurent en général dans les épisodes de jalousie ou d'échec amoureux. Car à d'autres moments, lorsque aucune passion n'intervient, le narrateur est parfois doté d'une telle clairvoyance qu'on en vient à se demander comment les êtres peuvent lui être aussi transparents. Par exemple, le narrateur observe le docteur Cottard donner ses prescriptions :

> « Je vis aux yeux de Cottard, aussi inquiet que s'il avait peur
> de manquer le train, qu'il se demandait s'il ne s'était pas laissé
> aller à sa douceur naturelle. Il tâchait de se rappeler s'il avait
> pensé à prendre un masque froid, comme on cherche une glace
> pour regarder si on n'a pas oublié de nouer sa cravate. » (JF,
> I, p. 498).

De même, il est impossible de rien cacher à Françoise : « car,
comme les hommes primitifs dont les sens étaient plus puissants
que les nôtres, elle discernait immédiatement, à des signes
insaisissables pour nous, toute vérité que nous voulions lui
cacher » (CS, I, p. 29).

Il reste que les déclarations sur l'impossibilité d'une
communication entre les êtres humains ne manquent pas.
« L'homme est l'être qui ne peut sortir de soi, qui ne connaît
les autres qu'en soi, et, en disant le contraire, ment. » (F, III,
p. 450). Le fondement théorique de ce diagnostic est clairement
indiqué. C'est l'« égoïsme théorique », au sens où l'entendait
Schopenhauer (*Le Monde comme volonté et comme
représentation*, § 19). Proust écrit en effet : « les êtres n'existent
pour nous que par l'idée que nous avons d'eux » (F, III,
p. 641).

C'est pourquoi Deleuze est fondé à interpréter la doctrine
proustienne (mais non l'art du romancier) comme une sorte de
monadologie détraquée. Les monades proustiennes reflètent le
monde chacune selon une perspective singulière. Mais il n'y a
plus d'harmonie préétablie entre elles. Rien ne correspond plus
à rien, sinon après coup et par un pur effet de coïncidence.
Entre monades il ne saurait y avoir que quiproquo,
incompréhension, malentendu, défaut d'accord. Deleuze cite
le célèbre texte du *Temps retrouvé* sur la puissance de l'art :

> « Il [= l'art] est la révélation, qui serait impossible par des
> moyens directs et conscients, de la différence qualitative qu'il
> y a dans la façon dont nous apparaît le monde, différence qui,
> s'il n'y avait pas l'art, resterait le secret éternel de chacun. Par
> l'art seulement nous pouvons sortir de nous, savoir ce que voit
> un autre de cet univers qui n'est pas le même que le nôtre, et
> dont les paysages nous seraient restés aussi inconnus que ceux
> qu'il peut y avoir dans la lune. Grâce à l'art, au lieu de voir
> un seul monde, le nôtre, nous le voyons se multiplier, et,
> autant qu'il y a d'artistes originaux, autant nous avons de

mondes à notre disposition (...). » (TR, III, p. 895-896, cité par Deleuze, *Proust et les signes*, p. 53.)

L'application romanesque de l'adage leibnizien sur les monades qui n'ont pas de fenêtres « par lesquelles quelque chose y puisse entrer ou sortir » (*Monadologie*, § 7) est la condamnation de l'illusion qu'est l'amitié. L'amitié, écrit Deleuze, « n'établit jamais que de fausses communications, fondées sur des malentendus, et ne perce que de fausses fenêtres » (*op. cit.*, p. 52). Mais comment se fait-il alors qu'il y ait une communication par l'art ? En quoi consiste-t-elle ? Mais, surtout, comment est-elle possible après tout ce qui a été dit sur la séparation des consciences ? Proust, qui ne pose nulle part ce dernier problème, ne nous est ici d'aucun secours. C'est bien le cas de se souvenir qu'il n'a pas écrit un traité philosophique. Deleuze, qui écrit en philosophe, cherche une solution et la trouve dans une distinction du sujet et du point de vue de ce sujet. « Le point de vue ne se confond pas avec celui qui s'y place, la qualité interne ne se confond pas avec le sujet qu'elle individualise. » (*op. cit.*, p. 54). La distinction paraît en effet raisonnable. Dans le sens où l'on comprend d'ordinaire le concept de point de vue, on ne risque pas de confondre un point de vue singulier et l'observateur singulier qui s'y trouve placé. Cet observateur peut en effet se déplacer. Autrement dit, le point de vue singulier et l'observateur singulier ont des principes d'individuation différents. Nous n'identifions pas le point de vue par l'observateur qui s'y trouve (pas plus qu'un lieu par son occupant). Nous n'identifions pas non plus un observateur par le poste d'observation qu'il occupe présentement. Pourtant, la distinction qu'invoque Deleuze n'est justement pas cette distinction ordinaire. Car il ne s'agit pas du point de vue au sens ordinaire, mais en un sens métaphysique où le point de vue est censé constituer la subjectivité du sujet.

> « Mais l'important est que le point de vue dépasse l'individu, non moins que l'essence, l'état d'âme : le point de vue reste supérieur à celui qui s'y place, ou garantit l'identité de tous ceux qui y atteignent. Il n'est pas individuel, mais au contraire principe d'individuation. » (*Op. cit.*, p. 118).

Deleuze parle ici de l'individu, mais l'entend comme sujet plutôt que comme personne physique en chair et en os. Le point de vue du sujet de l'observation est le principe d'individuation de ce sujet. Cela paraît vouloir dire : quelqu'un est *ce* sujet, celui qui a telle et telle vision, parce qu'il est celui qui a *cette* vision, celle qu'on obtient de ce point de vue. L'assimilation de la perspective et de la subjectivité reste donc entière. Or la subjectivité d'une vision consiste en ceci que cette vision n'appartient pas au sujet par une relation externe de propriété mais par une relation interne. De même, le point de vue et la vue qu'on a de ce point sont liés par une relation interne. Si on assimile l'une à l'autre la vision du monde attribuée au sujet (ses croyances, conceptions et manières d'être afffecté) et la vision du monde attribuée au point de vue, on peut chercher à individuer le sujet d'observation par le point de vue. Un exemple serait ici utile pour éclaircir ce dont il s'agit ici. Lorsque le narrateur contemple les toiles d'Elstir chez les Guermantes, il comprend quel est le *point de vue d'Elstir.*

> « De nouveau comme à Balbec j'avais devant moi les fragments de ce monde aux couleurs inconnues qui n'était que la projection de la manière de voir particulière à ce grand peintre et que ne traduisaient nullement ses paroles. » (CG, II, p. 419).

Ce qui caractèrise, entre autres choses, la manière d'Elstir, c'est une certaine manière de fixer « l'instant lumineux » (CG, II, p. 421-422). Cette façon de voir constitue la subjectivité d'Elstir.

Or c'est justement ici que l'incohérence de la théorie se déclare. Tantôt, la subjectivité de nos représentations est tellement exagérée qu'on ne parvient plus à admettre ce fait banal : il est possible de se comprendre, du moins en général. C'est alors que Proust en vient à traiter de « douce folie » le rêve d'une compréhension mutuelle entre amis (TR, III, p. 875). Si le point de vue occupé à tel instant par un esprit était constitutif de cet esprit, il ne lui serait pas possible d'en changer. Le point de vue singulier d'un esprit original serait donc un point subjectif, par là même incommunicable. Mais ensuite tout se renverse : c'est maintenant la subjectivité qui n'est plus qu'une affaire de point de vue. Cette fois, la subjectivité est si bien exprimée qu'on ne voit pas ce qui reste de la pluralité des sujets. Il est remarquable que Deleuze soit parfaitement conscient de cette conséquence, puisqu'il écrit : le point de vue est supérieur parce que, principe d'individuation, il garantit l'*identité* de tous ceux qui y atteignent. Cela veut bien dire que comprendre la manière de voir d'Elstir n'est possible qu'à la condition de *devenir Elstir*. Puisque la subjectivité est constituée par le point de vue, on ne peut comprendre la vision d'Elstir sans devenir le *même sujet* qu'Elstir. Le point de vue qui individue le sujet Elstir individue aussi tous ceux qui parviennent à occuper ce point de vue. Mais il les individue forcément comme étant le même sujet qu'Elstir. Si le spectateur conserve son point de vue en regardant une toile d'Elstir, il n'y comprendra rien. Pour devenir sensible au tableau, il faut que, par une identification étrange, il cesse d'être soi et devienne le même *sujet* (ce qui ne veut pas dire ici : le même corps) qu'Elstir. La solution artistique à l'impossibilité ordinaire de la communication, c'est la migration des âmes.

La pensée de la séparation des consciences dit quelque chose comme ceci : « Je ne peux pas éprouver votre douleur, vous ne pouvez pas éprouver ma douleur. Donc la communication entre nous est sans doute un malentendu, car nous sommes différents et ne pouvons jamais être sûrs de donner le même sens au mot *douleur*. » Cette radicalisation de la *différence* entre les êtres (ou du moins, entre les êtres souverainement conscients de soi) a pour limite le solipsisme, ou « égoïsme théorique », lequel, dit Schopenhauer, « considère tous les phénomènes, sauf son propre individu, comme des fantômes » (*Op. cit.*, § 19). Wittgenstein a montré qu'il y avait ici confusion entre une proposition psychologique et une proposition grammaticale (*Le Cahier bleu*, p. 48-53). C'est un fait psychologique que je n'éprouve de douleur que dans les limites physiques de mon corps. D'autre part, nous n'employons le vocabulaire de l'expérience que sur le mode subjectif, de telle sorte qu'il n'y a pas de place pour la question de savoir si une certaine sensation serait plutôt la mienne ou plutôt la vôtre. L'impossibilité d'avoir l'expérience d'autrui n'est pas une limite psychologique ou physique (qu'il faudrait attribuer à la minceur de nos capacités de sympathie pour autrui). C'est une impossibilité logique. Parler d'égoïsme favorise donc la confusion, puisqu'on pourrait croire qu'une espèce vivante mieux dotée en générosité et en capacité d'« ouverture à l'Autre » pourrait accomplir ce que notre « égoïsme » nous empêche de faire : être à la place d'autrui lorsqu'il éprouve quelque chose.

Le solipsisme métaphysique surgit à la confluence de deux pensées du *moi*, l'une « classique » et l'autre « romantique ». Le solipsisme est cette pensée irréfutable dont nous parlent Schopenhauer, Proust et Wittgenstein parce qu'il combine deux pensées incompatibles. Selon la pensée classique du *moi*, « le moi est haïssable » parce qu'il est incommode et injuste : « incommode aux autres » et « injuste en soi » (Pascal, *Pensées*, n° 597 dans l'édition Lafuma). La considération de l'incommodité appartient au moraliste qui raisonne sur nos mœurs. Ne parler que de soi ou ne s'occupe que de soi, c'est manquer de manières. La « haine du moi » est donc d'abord une question de bon ton ou de civilité. Il n'y a pas de raison que je porte intérêt à ce qui vous intéresse si vous ne vous intéressez qu'à des choses d'où je suis moi-même exclu. Mais, au-delà de cette condamnation morale, il y a une condamnation spéculative plus grave : c'est pourquoi les bonnes manières ne suffisent pas (« Vous en ôtez l'incommodité, mais non pas l'injustice », dit Pascal). Le moi, qu'il soit incommode ou qu'il soit aimable, « est injuste en soi en ce qu'il se fait centre de tout ». L'injustice du moi est celle de la *partie* qui se prend pour le *tout*, tel un membre du corps qui se prendrait pour un corps indépendant. (« Cependant il croit être un tout et ne se voyant point de corps dont il dépende, il croit ne dépendre que de soi et veut se faire centre et corps lui-même. » Éd. Lafuma, n° 372.) La pensée classique du moi s'alimente donc à deux sources, l'une morale et l'autre spirituelle (ce sont « la civilité humaine » et « la piété chrétienne » dont il est question dans le fragment 1006 de l'édition Lafuma). Mais qu'il s'agisse du moi selon le moraliste ou du moi selon le spirituel, nous avons affaire au même concept du moi, à savoir à quelqu'un défini par son contraste avec quelqu'un d'autre. *Moi* est toujours un parmi d'autres à l'intérieur d'un tout (même si l'existence de ce tout, comme le note Pascal, apparaît de plus en plus problématique). Dans la pensée « romantique » du moi, ce qu'on entend par « le moi » ou « le sujet » n'est plus un thème de prédilection parmi d'autres ou à l'exclusion des autres. Le moi est maintenant l'unique thème possible d'une pensée un peu approfondie : car il ne s'agit plus de moi par opposition à vous, à eux ou à tout le monde, il s'agit du moi comme condition de toute existence. Le moi est le *sujet* présupposé par l'assertion de quelque objet que ce soit. Schopenhauer écrit : « Ce qui connaît tout le reste, sans être soi-même connu, c'est le *sujet*. » (*Op. cit.*, § 2). Selon la philosophie idéaliste du moi, le sujet est le présupposé de l'objet. Le débat de la philosophie post-kantienne s'organise entre deux partis, le matérialisme (« il y a des objets ») et l'idéalisme (« il y a un sujet qui se représente qu'il y a des objets »). Condition de toute assertion et de toute existence, le moi n'est plus une partie dans un tout. Il est l'égal du tout, sinon son supérieur, puisqu'il en est la condition. Du point de vue de ce sujet métaphysique — le moi comme condition de tout —, le moi classique ne peut se voir reconnaître aucune des prérogatives du sujet. Le moi classique, n'étant qu'une partie du monde, est encore un objet dans le monde (qu'on le conçoive comme corps humain ou comme « conscience empirique »). Les classiques trouvaient malséant qu'on parlât excessivement de soi. C'est un sot projet que celui de se peindre soi-même. Ils ne disaient certes pas que c'était un projet impossible. C'est justement parce qu'il est si facile de parler trop complaisamment de soi-même qu'il faut discipliner le moi. L'honnête homme ne va pas jusqu'à demander, comme Pascal et les mystiques, que nous « ôtions » le moi. Il voudrait qu'au moins nous le « cachions ». Or le moi idéaliste a un tout autre statut. Puisqu'il est la condition de toute assertion et de toute existence, le voilà omniprésent. Impossible de l'ôter ou de le cacher. Mais puisqu'il est, en un sens, tout (et non telle ou telle partie dans le tout), impossible également d'en parler. Le nouveau moi de la philosophie idéaliste fait partie de ces choses qu'il faut *taire* parce qu'il est impossible de les *dire*. Le moi métaphysique ne peut pas être désigné (par contraste avec quoi ?). Il ne peut pas être décrit (comme étant tel et tel plutôt que quoi ?).

C'est là le point de départ (mais non le point d'arrivée) du lecteur de Schopenhauer que fut Wittgenstein. Dans ses *Carnets*, à la date du 17.10.16, on peut lire : *Wie meine Vorstellung die Welt ist, so ist mein Wille der Weltwille* (« De même que ma représentation est le monde, de même ma volonté est la volonté du monde ». *Carnets*, p. 85). Il s'ensuit que je suis le monde, que ma vie est la vie, que mon monde est le monde (voir les propositions 5.6 et suivantes dans le *Tractatus logico-philosophique*).

On retrouve alors la difficulté fondamentale de la quasi-théorie proustienne (et en tout cas de sa reconstruction deleuzienne). Est-ce la Vie qui est ma vie ? Est-ce ma vie qui est la Vie ? Dans les deux cas on aboutit à des impossibilités. Si la Vie est seulement ma vie, la communication doit être délarée impossible, en dépit des phénomènes apparents de bonne compréhension mutuelle. Car, où que j'aille, je ne circule jamais que dans *mon* monde. Il serait insuffisant de dire qu'une communication profonde ou authentique est chose difficile. Elle doit être radicalement impossible. Lorsque le narrateur contemple les toiles d'Elstir, il a une vision de ces toiles, ainsi qu'une vision de ce qui y est représenté. Ces visions sont les siennes. Quant à la vision qu'Elstir a du monde, elle est réservée à Esltir. Inversement, si ma vie est la Vie, la communication est plus que facilitée : elle se change en pure et simple identification. Voir les toiles d'Elstir, c'est maintenant voir le monde par les yeux d'Elstir. Mais voir le monde par les yeux d'Elstir, c'est être devenu Elstir.

La même difficulté est au cœur de la définition proustienne de la littérature. Le but de la littérature n'est pas, selon Proust, de raconter *une vie* (comme dans le roman d'aventures). Il n'est pas non plus de raconter *sa propre vie* (les jours vécus). L'objectif le plus élevé de la littérature, qui en fait une « recherche de la vérité », est de raconter la Vie en racontant une vie. Mais, pour raconter d'un seul geste *une* vie et *la* Vie, il faut selon Proust approfondir cette vie qui est pour soi-même la Vie, à savoir sa propre vie (ses impressions véritables). Proust s'exprime parfois comme si son but était autobiographique, sous la protection, il est vrai, de la fiction. Mais attention ! Il s'agit pour lui de raconter sa vie comme une vocation d'écrivain (TR, III, p. 899). Or la littérature est la vraie vie, non pas seulement de l'auteur, mais de tous : « La vraie vie, la vie enfin découverte et éclaircie, la seule vie par conséquent réellement vécue, c'est la littérature ; cette vie qui, en un sens, habite à chaque instant chez tous les hommes aussi bien que chez l'artiste. » (TR, III, p. 895.)

« Le monde est mon monde. » « Je suis le monde. » C'est le point de départ de tout raisonnement solipsiste. Pour le romancier comme pour le philosophe, le problème est alors le suivant : comment manifester que le monde est mon monde, ou que je suis la condition du monde ? Toute l'ambiguïté du problème tient à ce qu'on peut l'entendre de deux façons :

a) Si *le monde est mon monde*, il faut être moi pour avoir ma vision du monde (c'est l'hypothèse solipsiste de l'« égoïsme théorique » ;

b) si *mon monde est le monde*, je suis victime d'une illusion « égocentrique » (nous sommes passés sans nous en apercevoir de la métaphysique idéaliste à la « critique port-royaliste » de l'amour de soi, celle que Proust évoque dans *Le Temps retrouvé*, III, p. 894).

L'hypothèse solipsiste est assez bien figurée par la conception étrange que le jeune Marcel se fait du théâtre avant d'avoir jamais pu y aller : « je n'étais pas éloigné de croire que chaque spectateur regardait comme dans un stéréoscope un décor qui n'était que pour lui, quoique semblable au millier d'autres que regardait, chacun pour soi, le reste des spectateurs », (CS, I, p. 73). Pour qu'on ait ici l'image parfaite d'un théâtre solipsiste, il faudrait ajouter que chacun des spectateurs n'aurait jamais la possibilité de savoir s'il y a vraiment d'autres spectateurs. Il faudrait que toute la vie et toute l'action se passent sur la scène. Le théâtre qui isole le spectateur réalise les conditions exactes dans lesquelles vaut l'assertion : Le monde (ou du moins *le décor*) est ma représentation. Ou bien encore, autre façon de produire un spectacle qui soit pour un spectateur et un seul, on pourrait faire croire à chacun des spectateurs que toutes les autres personnes sont des acteurs et qu'elles jouent un rôle dans la pièce. Peut-on écrire un roman dans cette hypothèse solipsiste ? Il ne semble pas qu'on le puisse. D'abord, le roman que l'on écrira ne sera plus un roman perspectiviste, puisqu'il n'y aura plus de contraste entre un point de vue et un autre. La seule façon d'écrire le roman solipsiste est d'éliminer toute mention d'un autre sujet. Or l'élimination des autres sujets fait disparaître aussi le besoin de désigner quelque sujet que ce soit. Ce sera justement la réponse de Wittgenstein au solipsiste. Ce dernier tient à dire ceci : « Chaque fois que n'importe quoi est vu, c'est toujours moi qui vois. » Mais si c'est le cas, note Wittgenstein, le mot *moi* ne désigne rien et renvoie seulement au fait qu'il y a une expérience perceptive. Tout ce qu'on a dit se réduit donc à ceci : « Chaque fois que n'importe quoi est vu, quelque chose

est vu » (voir *Le Cahier bleu*, p. 63). La conséquence est
étrange : plus on affirme que *le monde est mon monde*, plus
on prive de sens et de raison d'être le pronom possessif « mon ».
On peut alors imaginer ce que serait la *tentative* d'un roman
monadique ou solipsiste. Toute marque d'un sujet (ce qui veut
dire, d'un sujet particulier, d'un *moi* au sens « port-royaliste »)
aura été effacée. Le discours devra être entièrement impersonnel
(comme dans certaines notes privées elliptiques) : « Il est arrivé
ceci », « Il est arrivé cela », « C'était triste », etc. Mais la
tentative qui suivrait cette ligne — on pense à certains exercices
du « nouveau roman » — ne parviendrait justement pas à
présenter le monde comme mon monde. Elle aurait peut-être
présenté un monde *mien*, elle n'aurait pas présenté *le* monde
puisqu'elle aurait dû éliminer toute trace d'un contraste entre
les autres et moi. Le monde présenté comme mon monde serait
donc incomplet. C'est qu'il n'est pas facile de réduire tous les
objets à des « fantômes », comme le fait l'égoïste théorique de
Schopenhauer.

Peut-on faire un roman en suivant la seconde hypothèse, celle
qui dit que *mon monde est le monde* ? Dire ici que, pour
chacun d'entre nous, son petit monde est le monde, ce sera
déplorer la séparation des visions du monde. L'optique des
esprits qui résulte de l'hypothèse ne vaut plus pour des sujets
métaphysiques. Elle porte sur des personnes en chair et en os,
donc sur des « objets » du point de vue idéaliste. On a un
exemple d'une telle optique des esprits dans une réflexion de
Proust sur « l'égocentrisme permettant (...) à chaque humain
de voir l'univers étagé au-dessous de lui qui est roi » (JF, I,
p. 771). Nous sommes bel et bien revenus à la notion d'un moi
injuste en soi parce que se faisant centre de tout. La « loi
optique » en question n'a plus rien à faire avec un énoncé de
philosophie transcendantale sur les conditions d'une expérience
du monde. L'égocentrisme n'est pas un principe suprême de
la connaissance. Il est l'illusion par laquelle un « moi » (ce qui
veut dire seulement, un particulier, une personne parmi
d'autres) croit que sa place est le centre du monde. Proust écrit
à propos de M. Bloch père :

> « C'est le miracle bienfaisant de l'amour-propre que, peu de
> gens pouvant avoir des relations brillantes et les connaissances
> profondes, ceux auxquels elles font défaut se croient encore les

mieux partagés parce que *l'optique des gradins sociaux fait que tout rang semble le meilleur à celui qui l'occupe* (...). » (JF, I, p. 770.)

Bien que la langue ordinaire d'aujourd'hui ait conservé le mot idéaliste de *subjectivité*, elle n'emploie pas ce mot pour un présupposé du monde, mais plutôt pour les particularités de quelqu'un dans le monde. La « vie subjective » n'est plus, comme pour l'idéaliste, une « vie transcendentale » (c'est-à-dire un présupposé de toute assertion d'un monde vivant). Elle n'est plus la vie de l'âme du monde. (Ce qu'elle est bel et bien pour l'égoïste théorique. Wittgenstein écrit dans ses *Carnets* à la date du 23 mai 1915 : « Il n'y a en réalité qu'une seule âme du monde, même si je l'appelle plutôt *mon* âme ».) Dans la version de l'optique des esprits que nous considérons ici, la subjectivité est une *partialité*. Et d'abord, une partialité dans la sensibilité. Chaque peintre a ses couleurs et ses paysages. Chaque portraitiste a ses prédilections en matière de visages. Chaque musicien a son accent. Chaque écrivain a sa « phrase-type ». Le parti pris en matière de sélection des thèmes, des atmosphères, des humeurs, voilà ce qui révèle « la composition intime de ces mondes que nous appelons les individus » (P, III, p. 258). L'individu est bien un microcosme, mais il l'est dans la mesure où il s'écarte du macrocosme. Comme le remarque très justement Anne Henry (*Marcel Proust*, p. 230-231), la subjectivité n'est pas chez Proust ce qu'on avait dit qu'elle serait. Elle devait être la réalité véritable, la vie la plus précieuse. Elle n'est finalement qu'une *déviance*. La composition intime d'un individu tient dans un ensemble de particularités physiologiques, de thèmes obsessifs, de hantises diverses, de bizarreries.

L'oscillation de Proust théoricien entre deux conceptions du *moi*, le moi comme partie du monde et le moi comme condition du monde, est évidente dans sa condamnation de la lecture. De même que la conversation est une communication illusoire, de même la lecture ne permet qu'une vie spirituelle ralentie. Étrange propos de la part d'un écrivain. Si on prenait au sérieux la doctrine contenue dans le texte cité en exergue du présent chapitre, il faudrait que tout le monde écrive, mais que personne ne lise. Ceux qui écrivent sont les créateurs, mais ils écrivent pour des esprits impuissants et incapables de les comprendre. Proust paraît avoir aperçu la fragilité de cette doctrine. Il écrit, dans une note qui a été publiée avec le *Contre Sainte-Beuve* :

> « Les écrivains que nous admirons ne peuvent nous servir de guides (...). Superflus si l'on veut. Pas tout à fait inutiles cependant. Ils nous montrent [que] ce qui a paru si précieux et vrai à *ce moi tout de même un peu subjectif* qu'est notre moi œuvrant, l'est aussi, d'une valeur plus universelle, pour les moi analogues, *pour ce moi plus objectif, ce tout-le-monde cultivé* que nous sommes quand nous lisons, l'est non seulement pour notre *monade particulière* mais aussi pour notre *monade universelle*. » (CSB, p. 311 ; je souligne.)

Voulant réhabiliter, dans un rôle accessoire, la pratique de la lecture, Proust lui reconnaît une fonction de contrôle de nos inspirations et de nos ferveurs. Pour ce faire, il est amené à combiner deux échelles hiérarchiques incompatibles : selon l'une, le moi et le vécu valent mieux que l'objet et la notion générale ; selon d'autre, l'universel vaut mieux que le particulier. Dans une pensée classique du moi, l'injustice du moi est de vouloir donner une place trop éminente à un être particulier. Dans une pensée idéaliste du moi, le seul moi qui soit exalté est le présupposé universel, ce que Proust appelle ici curieusement la « monade universelle ». Mais nous voyons dans ce texte comment le sens idéaliste doit céder la place au sens ordinaire. Le « moi tout de même un peu subjectif » est subjectif dans le sens non idéaliste, dans le sens où c'est une erreur ou une faute que d'être « subjectif » (parce qu'on ignore alors qu'il y a d'autres points de vue que le nôtre, et que certains sont aussi bons, sinon supérieurs). Quant au « moi plus objectif », il devrait être justement le sujet transcendantal de l'idéalisme (la condition suprême de toute expérience des objets). Il le serait s'il était vraiment la « monade universelle » (le solipsiste de Wittgenstein dirait : *the vessel of life*). Pourtant, la pensée de Proust reste aimantée par la « critique port-royaliste » ainsi que par la sévérité des moralistes classiques. La monade universelle n'est pas la condition des objets, c'est l'honnête homme, « ce tout-le-monde cultivé que nous sommes quand nous lisons ». Bien qu'il soit dit universel, le « moi plus objectif » est inférieur à la subjectivité créatrice du moi

« œuvrant ». Bien qu'il soit dit particulier, le moi subjectif reste supérieur à l'honnête homme.

La doctrine de Proust théoricien ne prescrit que des constructions impossibles. Tantôt le narrateur ne peut pas espérer comprendre la vision ou les sentiments d'Elstir, Vinteuil ou Albertine parce qu'il est *soi*, Marcel, et non eux, Elstir Vinteuil ou Albertine. Tantôt il faudrait admettre que le narrateur est devenu Esltir et Vinteuil (les artistes) parce qu'il a saisi leur style, tandis qu'il n'aurait pas réussi à devenir Albertine (la jeune fille aimée),

La *Recherche* est donc construite selon d'autres principes, qu'il s'agit maintenant de dégager.

NOTE SUR L'ÉGOÏSME PRATIQUE

Schopenhauer fait une distinction entre un « égoïsme théorique » et un « égoïsme pratique ». Il croit pouvoir expliquer le second par le premier, de même que Proust voudrait souvent nous faire croire que la jalousie s'explique par la fermeture sur soi de l'esprit individuel.

L'égoïsme théorique est de se représenter soi-même comme étant le seul être existant au monde (tout le reste étant fantomatique ou « phénoménal »). Voici maintenant l'égoïsme pratique : se conduire comme si on était tout et les autres rien. Dans ses pages mordantes sur l'égoïsme pratique, Schopenhauer retrouve les termes mêmes de la « critique port-royaliste » du moi. Il écrit :

> « Chaque individu, en dépit de sa petitesse, bien que perdu, anéanti au milieu d'un monde sans bornes, ne se prend pas moins pour centre du tout, faisant plus de cas de son existence et de son bien-être que de ceux de tout le reste, étant même, s'il consulte la seule nature, prêt à y sacrifier tout ce qui n'est pas lui au profit de ce moi, de cette goutte d'eau dans un océan, et pour prolonger d'un moment son existence à lui. » (*Le Monde comme Volonté et comme Représentation*, § 61.)

Mais Wittgenstein a montré que la prémisse sur laquelle repose ce passage de l'égoïsme théorique à l'égoïsme pratique est injustifiée. Schopenhauer suppose à tort que le sujet métaphysique (à savoir, la condition de tout, le sujet supposé par la représentation de n'importe quel objet) est plus proche d'un certain objet, à savoir de ce corps parmi tous les corps que l'individu appelle *son* corps. Schopenhauer croit pouvoir en quelque sorte emboîter le sujet métaphysique dans l'individu. A cela, Wittgenstein objecte à juste titre que tous les objets sont par définition sur le même plan : aucun n'est plus proche qu'un autre du sujet. « Une pierre, le corps d'un animal, le corps d'un homme, mon corps, tout cela se tient au même niveau. » (*Carnets de 1914-1916*, 12 octobre 1916). Schopenhauer, en somme, ne s'aperçoit pas qu'il passe d'un sujet métaphysique à divers personnages dont le moi est envahissant. Le sujet métaphysique est unique pour des raisons essentielles. L'égoïste pratique *fait comme s'il était seul au monde*, comme si lui seul importait dans ce monde. Pourtant, à supposer qu'il ne reste plus qu'un seul échantillon de l'espèce humaine dans le monde, cet individu serait unique par suite d'un concours de circonstances historiques. Sa solitude ne ferait pas lui un solipsiste. Mais notre difficulté à nous représenter la vie universelle du sujet métaphysique fait que nous retombons toujours sur l'image plus facile d'un semblable « égocentrique ».

5. MENSONGE ET VÉRITÉ ROMANESQUES

Il peut paraître étrange de chercher dans la forme du roman une discipline intellectuelle. De toutes les formes littéraires, le genre romanesque n'est-elle pas la plus libre, la moins rigoureuse ? Qu'il s'agisse d'écrire des romans ou d'en lire, il semble qu'on s'y livre pour se passer une fantaisie. Comme les historiens nous le rappellent de temps à autre, le genre du roman est le moins fixé, le plus indiscipliné de tous. Il est ce genre peu difficile en matière de langage et d'originalité où l'écrivain n'a pas honte d'écrire des choses aussi indignes que : *La marquise sortit à cinq heures.*

On sait que l'adjectif *romantique* surgit d'abord dans le sens de : « comme dans les vieux romans » (à savoir, les romans de chevalerie et les récits de la littérature courtoise). Est romantique ce qui n'arrive que dans les romans. *Romantique* est donc d'abord l'équivalent de *romanesque*. Ou plutôt, le mot anglais *romantic* — puisque c'est dans le vocabulaire anglais que ce mot apparaît pour la première fois au XVIIᵉ siècle — est l'équivalent du français *romanesque* (voir les références données par Hans Robert Jauss dans son étude sur « la ''modernité'' dans la tradition littéraire », p. 188-192). Être romantique, c'est alors chercher à retrouver dans la vie des situations ou des instants qu'on a d'abord goûtés en lisant des romans. S'il en est ainsi, que penser de l'antithèse construite par René Girard, dans le titre même de son premier livre, entre un mensonge romantique et une vérité romanesque ? On voit bien en quoi consistera le *mensonge romantique*. C'est l'attitude du chevalier errant qui, non seulement va prétendre que les moulins à vent deviennent plus *intéressants* si l'on décide d'y voir des cavaliers en armes, mais va fonder sur cette soumission au modèle romanesque une prétention à l'originalité personnelle et à la souveraineté individuelle. Le romantisme est de prendre Amadis de Gaule pour modèle. Le *mensonge romantique* est de dénier cette imitation et de soutenir qu'on a trouvé en soi-même et seulement en soi-même les idéaux de sa vie. Le romantique est subjugué par la littérature romanesque. Où pourrait-il donc y avoir une *vérité romanesque* ? (Je ne formule ici qu'une objection possible : on verra plus loin que l'antithèse du romantique et du romanesque est pleine de sens, qu'elle est justifiée à condition de ne pas la faire passer entre le genre romanesque pris tout d'un bloc et d'autres formes littéraires, mais entre diverses lignes de force de la littérature des temps modernes.)

Dans un premier sens, celui qui se conserve aujourd'hui dans la littérature populaire ou sentimentale, le romanesque est l'extraordinaire, l'invraisemblable. On n'est jamais loin du conte de fées. Ecrire un roman ne peut être qu'une entreprise de divertissement. Curieusement, le sens dans lequel Proust parle le plus souvent de roman est ce sens léger ou naïf. Le roman est, dans la *Recherche*, l'aventure surprenante, en général érotique. Le romanesque est le « sable magique » qui se mêle parfois à la « poussière des réalités » (JF, I, p. 865). Par exemple, Swann soutient que la vie contient des situations « plus intéressantes, plus romanesques que tous les romans » (CS, I, p. 193). Ces situations sont des coïncidences inattendues. Il a une liaison avec une femme rencontrée dans le train : or cette femme est la sœur d'un souverain, de sorte que Swann est plongé au cœur de la politique européenne. Ou bien Swann voudrait devenir l'amant d'une certaine cuisinière, mais « le jeu complexe des circonstances » fait que son succès auprès de la cuisinière dépend de l'élection du prochain pape. Dans l'un et l'autre cas, la *magie* (ou, si l'on préfère, le merveilleux) tient à la disproportion entre les causes et les effets, entre les projets de Swann (purement privés) et les conditions ou les résultats inattendus de ses entreprises. Proust évoque ici des situations romanesques qu'il se garde bien de raconter plus en détail.

Il est remarquable que Proust, au moins dans la *Recherche*, à une exception près (qui a trait à Dostoïevski et dont il sera question plus loin), privilégie le sens « romantique » du romanesque, le sens où les choses ne se passent pas dans le roman comme dans la vie, sauf circonstances extraordinaires. Ce romanesque est au pôle opposé de ce que Proust se propose de faire en littérature, lui qui écrit, malgré tout, un roman. Bien plus, le romanesque pris en ce sens est dénoncé comme un obstacle qui se dresse sur le chemin de Marcel et le détourne de sa vocation d'écrivain. Alors qu'il voue un amour de tête malheureux à la duchesse de Guermantes, le narrateur en vient à souhaiter qu'elle perde sa fortune immense et en soit réduite à lui demander asile. Ruinée, elle tombe enfin à sa merci. Proust oppose alors la futilité de la rêverie romanesque et le véritable travail de la création littéraire :

> « Et même les soirs où quelque changement dans l'atmosphère ou dans ma propre santé amenait dans ma conscience quelque rouleau oublié sur lequel étaient inscrites des impressions d'autrefois, au lieu de profiter des forces de renouvellement qui venaient de naître en moi, au lieu de les employer à déchiffrer en moi-même des pensées qui d'habitude m'échappaient, au lieu de me mettre enfin au travail, je préférais parler tout haut, penser d'une manière mouvementée, extérieure, qui n'était qu'un discours et une gesticulation inutiles, *tout un roman purement d'aventures, stérile et sans vérité*, où la duchesse, tombée dans la misère, venait m'implorer, moi qui étais devenu par suite de circonstances inverses riche et puissant. » (CG, II, p. 68 ; je souligne).

Toutes les antithèses de l'esthétique proustienne sont présentes dans ce texte. L'écrivain doit choisir : ou bien gesticuler, ou bien travailler ; ou bien parler tout haut (comme en s'adressant à quelqu'un d'autre), ou bien se tourner vers ses propres pensées pour les déchiffrer ; ou bien imaginer, par compensation, des circonstances invraisemblables, ou bien approfondir les impressions d'autrefois. Par conséquent, imaginer un roman est précisément ce qu'il ne faut pas faire. Ecrire ce roman n'est pas plus recommandable si le roman écrit ne fait que transcrire le discours inutile.

L'imagination romanesque peut être définie comme une rêverie sur les changements de situation respective entre les êtres qui résulteraient, le cas échéant, d'un « jeu complexe des circonstances ». Rien, en principe, ne peut résister à une imagination romanesque. C'est pourquoi le genre est peu considéré, au moins dans sa version divertissante. A tout instant, le sort des personnages peut être bouleversé par un léger changement dans les hypothèses initiales : le héros peut hériter d'un oncle oublié, l'héroïne peut ne pas être la fille de ses parents, la grande dame peut s'éprendre d'un jeune homme. Aujourd'hui, la duchesse de Guermantes est inaccessible parce qu'elle est trop riche, trop noble, trop à la mode. Voici donc un scénario romanesque : *Une femme jusque-là inaccessible tombe dans la misère et me demande l'asile.* Le narrateur condamne — aujourd'hui, au moment où il raconte — les pensées purement « extérieures » auxquelles il se livrait à l'époque. Pourtant, ce scénario ne nous rappelle-t-il pas quelque chose ? Une femme pauvre trouve asile chez le narrateur. N'avons-nous pas déjà lu cette histoire ? C'est déjà, bien sûr, *la Prisonnière.* Le scénario que Proust vient de condamner quand il s'applique à Oriane est justement celui qu'il utilise pour mettre en place l'épisode d'Albertine. On trouve en effet dans le Carnet de 1908 l'esquisse suivante : « Dans la deuxième partie du roman, la jeune fille sera ruinée, je l'entretiendrai sans chercher à la posséder par impuissance du bonheur. » (*Le carnet de 1908*, p. 49). Le *roman purement d'aventures, stérile et sans vérité*, est devenu entre-temps une idée féconde. Comment expliquer cette réhabilitation de l'imagination romanesque ?

Nous devons admettre que la forme romanesque est susceptible de plusieurs emplois. L'un d'entre eux, innocent mais sans portée, est le simple divertissement : on lit un roman pour s'amuser. Un autre emploi, stérile et même malsain, est la rêverie compensatoire. Reste à comprendre qu'il y ait encore un troisième emploi, cette fois fécond et profond, emploi dans lequel la forme du roman puisse être mise au service du but que Proust fixe à la littérature : éclaircir la vie. (Le narrateur, jugeant finalement que la vie est digne d'être vécue, déclare : « Combien me le semblait-elle davantage, maintenant qu'elle me semblait pouvoir être éclaircie, elle qu'on vit dans les ténèbres, ramenée au vrai de ce qu'elle était, elle qu'on fausse sans cesse, en somme réalisée dans un livre ! » TR, III, p. 1032). Mais s'il y a une façon de raconter sa vie qui en soit l'éclaircissement, ce sera bien la preuve que la forme romanesque peut servir de support à une discipline intellectuelle. Ecrire un roman, loin d'être un simple passe-temps ou une évasion imaginaire, sera justement ce « travail intellectuel et moral » que demande Proust. Or nous cherchons ici la philosophie du roman, non dans telle ou telle idée, mais dans ce travail lui-même. Pour le dire autrement, nous comparons ici le romancier qu'est Proust (mais non pas tout romancier) et le philosophe dans ce qui les rend comparables : le fait que leurs activités soient commandées par l'intention d'éclaircir ce qui était resté obscur (les pensées fuyantes, les sentiments confus, les situations paralysantes). Ce n'est rien de plus qu'une analogie, car le mode de l'éclaircissement est, bien entendu, différent. On peut dire, je crois, que la philosophie cherche à éclaircir des pensées par la voie d'un examen des propositions dans lesquelles ces pensées sont communiquées. La philosophie, en ce sens, n'a prise que sur ce qui est dit ou peut être dit. (A cela on peut objecter que, selon Proust lui-même, la philosophie est obscure, qu'elle est même légitimement obscure : voir à ce sujet la note à la fin de ce chapitre.)

Qu'en est-il du pouvoir littéraire d'éclaircissement de la vie ? La réponse de Proust est stylistique. Ce qu'il s'agit d'exprimer est « amené à la lumière » (TR, III, p. 907) quand on a trouvé une belle phrase pour le dire. Telle est la doctrine annoncée dès le *Côté de chez Swann*. Lorsque le narrateur a son expérience extatique devant les clochers de l'église de Martinville, ce qu'il manque à reconnaître est justement « que ce qui était caché derrière les clochers de Martinville devait être analogue à une jolie phrase, puisque c'était sous forme de mots qui me faisaient plaisir que cela m'était apparu » (CS, I, p. 181). Dans *le Temps retrouvé*, Proust proclame la nécessité d'un « beau style ». Tout ce qu'il dit s'appliquerait aussi bien à la composition d'un poème en prose. A part quelques remarques sur l'invention des personnages, rien de ce qu'il enseigne n'a trait à la construction d'un récit romanesque proprement dit. Proust ne nous est donc plus d'aucun secours quand nous nous demandons : En quoi la forme romanesque a-t-elle une force d'éclaircissement de la vie ? En dépit de ce qu'on dit souvent — et de ce que Proust donne lui-même à croire lorsqu'il parle de l'"auto-contemplation" dans les chefs-d'œuvre modernes (P, III, p. 160) —, la *Recherche* n'est pas une œuvre *réflexive*. Elle n'est pas un *roman du roman*. Elle n'inclut pas sa propre théorie (selon le rêve d'une œuvre qui puisse être à la fois littérature et réflexion sur la littérature). Car la *Recherche* parle fort peu du roman dans le sens où elle est elle-même un roman. René Girard a souligné cette bizarrerie de Proust théoricien :

> « Il aurait pu écrire, sur l'unité du génie romanesque, le seul livre que mérite ce grand sujet (...). On peut s'étonner, dans ces conditions, que le romancier n'ait jamais abordé le thème de l'unité romanesque dans sa propre conclusion, dans ce *Temps retrouvé* qui s'élargit en méditation sur la création romanesque. Ce silence est d'autant plus surprenant que le romancier s'entoure de références littéraires. Il se reconnaît des précurseurs, du côté de la mémoire affective, en Jean-Jacques Rousseau, en Chateaubriand et en Gérard de Nerval. Mais il ne mentionne aucun romancier. » (*Mensonge romantique et vérité romanesque*, p. 301).

Toute la théorie littéraire du *Temps retrouvé* porte sur la qualité de la prose *à l'échelle de la phrase*. Et lorsque le narrateur donne une leçon de littérature à Albertine, il ne lui parle que de la « phrase-type » des romanciers, ou bien de la scène-type. Toutes les phrases de Barbey d'Aurevilly ou de Thomas Hardy sont comme une seule phrase. Toutes le scènes de Dostoïevski sont la même scène. De même chez Tolstoï (voir P, III, p. 375-378). Il n'est pas question de récit au sens où le récit romanesque est censé raconter une histoire. A une exception toutefois, celle d'un commentaire sur l'art romanesque de Dostoïevski. Ici, cas peut-être unique dans la *Recherche*, le mot *roman* est utilisé dans le sens d'une forme véridique de présentation de la vie. Cette remarque survient dans une conversation que le narrateur a avec Gilberte à la dernière matinée du roman. Ils parlent des idées de Robert de Saint-Loup sur la guerre. Le narrateur oppose une vision stratégique de la guerre, chose scientifique, et une vision romanesque de la guerre, chose humaine :

> « Il y a un côté de la guerre qu'il commençait, je crois, à apercevoir, lui dis-je, c'est qu'elle est humaine, se vit comme un amour ou une haine, *pourrait être racontée comme un roman*, et que par conséquent, si tel ou tel va répétant que la stratégie est une science, cela ne l'aide en rien à comprendre la guerre, parce que la guerre n'est pas stratégique. » (TR, III, p. 982 ; je souligne).

Pour comprendre la réalité de la guerre, mieux vaut la raconter comme un roman. La présentation romanesque est véridique, tandis qu'une présentation en termes de calculs stratégiques et de plans de campagne serait trompeuse, donnant à croire que la guerre est « scientifique ». Le narrateur renchérit sur cette appréciation de la forme romanesque. Même si la guerre était chose purement stratégique, elle est vécue comme une affaire humaine, et ce serait encore comme un roman qu'il faudrait la raconter.

> « A supposer que la guerre soit scientifique, encore faudrait-il la peindre comme Elstir peignait la mer, par l'autre sens, et partir des illusions, des croyances qu'on rectifie peu à peu, *comme Dostoïevski raconterait une vie.* » (*Ibid.*, p. 983 ; je souligne).

On retrouve ici le projet même de Proust tel qu'il le définissait pour Jacques Rivière : chercher la vérité, mais en s'imposant de peindre les erreurs. Pourtant, nous ne savons toujours pas pourquoi le récit romanesque peut nous être recommandé comme un moyen plus authentique de tirer au clair ce qui se joue dans la vie. Il nous faudra revenir sur la formule que Proust utilise ici en passant : *raconter quelque chose comme un roman.* Avant de s'y engager, il n'est pas inutile de citer ici quelques observations de ces romanciers que Proust se garde de citer dans *le Temps retrouvé.* Ces romanciers sont pourtant de ceux qui ont forgé cette notion d'un récit présentant les choses, non telles qu'elles paraissent après coup à un observateur ultérieur et donc étanger aux événements, mais à un personnage engagé dans l'action. Ces romanciers nous disent la supériorité d'une présentation purement narrative sur une formulation abstraite. En marge de son manuscrit de *Lucien Leuwen*, Stendhal écrit : « Le roman doit raconter. (Maxime pour moi, à effacer, ce serait pédant pour le public.) ». Le 14 mars 1835, il note avec satisfaction :

> « Il y a dans les *Bois de Prémol* [= premier titre de *Lucien Leuwen*] une quantité énorme de récits, chaque phrase raconte pour ainsi dire, si je les compare à celles du *Médecin de campagne* de M. Balzac ou de *Kaotven* de M. Sue. Or, la première qualité d'un roman doit être raconter, amuser par des récits (...). » (*Romans et nouvelles*, I, p. 1400).

De même, dans sa lettre à Mme Gaulthier (qui lui avait fourni le sujet de *Lucien Leuwen* dans le manuscrit qu'elle lui soumettait), Stendhal condamne l'emploi d'un vocabulaire psychologique abstrait. Il ne s'agit pas de dire que quelqu'un est amoureux, il faut montrer qu'il l'est par un récit convaincant de ses faits et gestes.

> « Ne jamais dire "la passion brûlante d'Olivier pour Hélène". Le pauvre romancier doit tâcher de faire croire à la *passion brûlante*, mais ne jamais la nommer (...). Si vous dites : *La passion qui le dévorait*, vous tombez dans le roman pour femmes de chambre (...)." (*Romans et nouvelles*, I, p. 736).

Flaubert est du même avis. Les « idées » et les « jugements » doivent, en littérature, être éliminés au profit d'une présentation narrative. Il explique ainsi à Louise Colet son jugement défavorable sur un récit de celle-ci intitulé *la Servante* :

> « Crois bien que je ne suis nullement insensible aux malheurs des classes pauvres, mais il n'y a pas, en littérature, de bonnes intentions. *Le style est tout* et je me plains de ce que, dans *la Servante*, tu n'as pas exprimé tes idées par des *faits* et des *tableaux*. Il faut avant tout, dans une narration, être dramatique, toujours peindre ou émouvoir, et *jamais déclamer*. » (*Lettre* à Louise Colet du 15 janvier 1854).

De même, dans son *Étude sur Gustave Flaubert*, Maupassant s'exprime dans des termes que reprendra Proust dans son article sur le style de Flaubert :

> « Au lieu d'étaler la psychologie des personnages en des dissertations explicatives, il la faisait simplement apparaître par leurs actes. Les dedans étaient ainsi dévoilés par les dehors, sans aucune argumentation psychologique (...). Jamais il n'énonce les événements ; on dirait, en le lisant, que les faits eux-mêmes viennent à parler, tant il attache d'importance à l'apparition visible des hommes et des choses. » (*Étude sur Gustave Flaubert*, p. XIV-XV).

Plus loin, Maupassant s'exprime comme Mallarmé à propos de la philosophie du poème. Parlant de *l'Éducation sentimentale*, il note que « la philosophie en demeure si complètement latente, si complètement cachée derrière les faits » que le gros public n'y a rien compris (*op. cit.*, p. XVIII).

Il y aurait donc, selon les maîtres du genre, une force supérieure de la pure narration. Ils énoncent une règle d'*extraversion* systématique : *toujours préférer le fait ou le tableau à l'idée.* Il vaut mieux, nous disent-ils, « peindre » (montrer le « dehors ») qu'« énoncer » ou « dire » (dire ce que le personnage ressent au-« dedans »). (Je prends ici *extraversion* dans le sens où Northrop Frye, cherchant à caractériser l'inspiration proprement romanesque parmi les formes variées de la fiction, écrit que « le roman tend à être extraverti et personnel » (*Anatomie de la critique*, p. 308). Frye explique que le génie du roman est étranger à la spéculation intellectuelle, ce qui fait que le romancier, s'il veut introduire des « idées » dans son récit, doit adopter une forme mixte, par exemple l'autobiographie fictive ou le *Künstler-roman*. « Mais — écrit Frye — cet intérêt pour les idées et les propositions théoriques est étranger au génie du roman proprement dit, dans lequel le problème technique est de dissoudre toute théorie dans des relations personnelles. Chez Jane Austen, pour prendre un exemple bien connu, l'église, l'État et la culture ne sont jamais pris en considération sinon comme données sociales ; quant à Henry James, on a dit qu'il avait un esprit si délicat qu'aucune idée ne pouvait le souiller. » (*Ibid.*). Voici d'ailleurs une excellente formulation de la règle d'extraversion : dissoudre tout élément de théorie en une relation de personnage à personnage.)

Comment comprendre cette règle d'extraversion ? Aujourd'hui, le moindre bachelier a appris à dénoncer la fausse naïveté d'un récit prétendument réaliste, récit dans lequel, « les faits eux-mêmes viennent à parler ». La perfection de l'art de Flaubert dans *l'Éducation sentimentale*, nous dit Maupassant, est que la philosophie y demeure complètement « cachée derrière les faits ». Des critiques d'inspiration diverse nous disent que cette disparition de la philosophie est, en réalité, une dissimulation. Le but du critique est alors de *démasquer* les idées de l'auteur. Deux écoles ont surtout pratiqué le démasquage du contenu idéologique ou philosophique : l'école de la critique engagée (plutôt politique) et l'école plus « moderniste » de la critique des « effets de langage ». Pour la critique qui croit à une « responsabilité des formes » — à une responsabilité politique et morale des formes d'art —, le choix d'un style « réaliste » trahit un dessein idéologique et politique : faire passer pour un fait tout naturel ce qui est en réalité un produit de l'histoire des hommes. Le romancier réaliste voudrait bien qu'on le prenne au mot et qu'on ne cherche pas, dans son texte, des partis pris, des préjugés de clan ou de classe, un jugement sur l'histoire qui se fait dans les luttes de tous les jours. La lecture naïve accepte de prendre les conventions dominantes pour la définition du réel. La lecture éclairée montre comment et pourquoi le réel représenté a été fabriqué. Simultanément, dans une autre campagne de démystification, la critique littéraire a annoncé que le « problème du langage » devait être enfin posé. Elle s'en est prise à l'opposition entre, par exemple, *dire* que quelqu'un est amoureux — ce qui est manifestement une énonciation, un acte de langage —, et *peindre* un amoureux par des faits et des tableaux. Dans la lettre que j'ai citée plus haut, Stendhal se félicite que, dans son roman, « chaque phrase raconte pour ainsi dire ». Ce sont bien pourtant encore des phrases qui racontent. On ne sort donc jamais de la « prison du langage ». Le récit purement narratif n'est pas moins langage, n'est pas moins *oratio*, que la déclamation rhétorique condamnée par les stylistes du roman réaliste. Cette deuxième sorte de critique n'est pas politique, mais plutôt « textualiste ». Elle ne démasque pas l'*idéologue* dans l'écrivain (à savoir, l'homme qui a les idées de son camp politique). Elle démasque l'*écrivain* dans l'auteur. L'auteur se présente à nous comme un peintre, ou même comme le porteur d'un miroir promené le long de la route. Moyennant quoi nous risquons d'oublier qu'il a écrit un *texte*. Oublier que le roman est un texte, négliger, comme disent les philosophies herméneutiques, de « thématiser le langage », c'est la naïveté du lecteur. Faire prendre le produit du travail de sa plume pour un miroir du monde, c'est la ruse supérieure de l'auteur.

Ces tendances de la critique récente peuvent fusionner en adoptant un idiome plus général. Le critique plus soucieux du parti pris politique veut manifester les idées qui avaient été cachées. Le critique d'inspiration plus formaliste veut mettre fin à l'oubli toujours menaçant du langage. Dans un cas comme dans l'autre, quelque chose est dans le texte qui risque toujours d'être méconnu. Quelque chose qui, à chaque fois, déborde l'ordre des faits. Les « idées » ne sont justement pas des faits, elles sont ce qui commande le rassemblement, la présentation et l'évaluation de tout ce qui est donné pour un fait. Les « idées » ne peuvent donc jamais apparaître dans un simple « procès-verbal » des faits. Quant au langage dans lequel le récit est produit, il a, lui aussi, quelque chose d'invisible. En un sens, c'est un fait qu'un roman est composé de phrases. Mais ce fait est d'un ordre supérieur à tous les faits mentionnés dans le récit. Que le roman soit un roman n'est pas l'un des faits à inclure dans l'histoire dont ce roman est le récit. La critique cherche donc à mettre en évidence quelque chose qui ne peut jamais avoir l'évidence d'un fait parce que ce quelque chose dépasse l'ordre du factuel. A ce qui dépasse le plan des faits ou des données matérielles, les positivistes donnent le nom, pour eux péjoratif, de *métaphysique*. Est « métaphysique » ce qui ne peut jamais apparaître sous nos yeux ou être attesté dans l'ordre des faits avérés. S'il en est ainsi, on pourra dire que la doctrine littéraire du réalisme n'est qu'une variante du positivisme (de la croyance en un ordre des faits indépendants de toute « idée » ou de toute « méthode » quant à la manière de les établir). De son côté, la critique littéraire qui dénonce la métaphysique positiviste devra se donner elle-même pour une entreprise paradoxale, voire pour une entreprise littéraire. En effet, son programme est de faire apparaître ou de manifester ce qui justement, d'après ses propres dires, ne peut pas vraiment apparaître ou ne peut jamais être proprement manifesté. Il lui faudra donc ruser, feindre que l'idée soit un fait, tenter de narrer l'inénarrable.

Qu'en est-il donc du romancier Proust ? Comment le situer par rapport aux classiques du roman réaliste ? Blanchot a soutenu que la littérature moderne ignorait la division en genres (*Le Livre à venir*, p. 265). Reprenant ce thème, Gérard Genette écrit que la *Recherche* clôt l'histoire du genre romanesque, qu'elle « inaugure, avec quelques autres [œuvres], l'espace sans limites et comme indéterminé de la *littérature* moderne » (« Discours du récit », p. 265). La raison que donne Genette est justement la faible proportion des phrases narratives au regard du « discours psychologique, historique, esthétique, métaphysique » qui envahit le récit. Bien des lecteurs estiment que Proust a le mérite de ne plus croire au réalisme et ne plus

prendre au sérieux les conventions du genre romanesque.
Vouloir mettre l'accent, comme je tente de le faire ici, sur
Proust *romancier* peut alors passer pour paradoxal ou absurde
(sinon rétrograde). L'important, ce serait bien plutôt « cette
invasion de l'histoire par le commentaire, du roman par l'essai,
du récit par son propre discours » (G. Genette, *op. cit.*, p. 265).
Proust dit pourtant qu'il ne faut pas laisser de *théorie* dans un
ouvrage littéraire. Mais Genette n'y voit qu'une « dénégation ».
Il y a ici, bien évidemment, un point capital.

Si la *Recherche* n'est pas essentiellement un roman, si elle
n'est un roman qu'entre autres aspects, alors il est légitime d'en
discuter les « idées » là où elles paraissent être exposées, comme
on le ferait pour un essai ou un traité de philosophie. (Il
faudrait alors conclure que c'est un essai faiblement argumenté,
puisque justement toute l'argumentation est dans la narration,
dont on ne serait pas tenu de se préoccuper en principe.) Il faut
bien entendu accorder à Genette et aux théoriciens de l'espace
littéraire infini que Proust n'a pas écrit un *roman pur*, au sens
que Frye donne à ce terme. La *Recherche* est un roman mixte,
où plusieurs formes sont combinées. Forme mixte ne veut
d'ailleurs pas dire forme moins digne ou moins ambitieuse (ni
plus digne ou plus profonde). Forme mixte veut dire forme dans
laquelle la réduction des éléments théoriques à des jeux de
rapports personnels n'est pas complète. Mais que la Recherche
soit *mixte* ne veut pas dire qu'elle soit, à notre gré, roman,
essai, farce, analyse psychologique, confession, etc. Car il
faudrait décider d'abord de l'importance respective de ces
différentes formes présentes dans le texte. Il faudrait savoir, en
somme, si les formes non narratives ne sont pas subordonnées
à la forme narrative. Mais comment juger de l'ordre
d'importance entre toutes ces formes ?

Proust condamne en effet un certain réalisme. Il se moque
de la « littérature de notations » (TR, III, p. 894). Il met en
doute, sinon l'existence, du moins l'épaisseur d'une réalité
commune, la même pour tous, indépendante de ce que chacun
éprouve en son for intérieur.

> « Si la réalité était cette espèce de déchet de l'expérience, à
> peu près identique pour chacun, parce que quand nous disons :
> un mauvais temps, une guerre, une station de voitures, un
> restaurant éclairé, un jardin en fleurs, tout le monde sait ce que

nous voulons dire ; si la réalité était cela, sans doute une sorte
de film cinématographique de ces choses suffirait et le "style",
la "littérature" qui s'écarteraient de leurs simples données
seraient un hors-d'œuvre artificiel. Mais était-ce bien cela, la
réalité ? » (TR, III, p. 890)

Proust, s'il ne renonce nullement à peindre une réalité, au
moins ne croit plus qu'on puisse la trouver aussi simplement
dans des *données*. C'est M. de Norpois qui croit à la littérature
simple et directe. Norpois en a contre les « joueurs de flûte »
ou les coupeurs de cheveux en quatre. On peut supposer que,
pour lui, un bon livre est celui qui fait oublier qu'il est un
texte. Ou qu'un bon tableau, en vertu du même préjugé, est
celui qui fait oublier qu'il est une toile coloriée. Pourtant, une
distinction s'impose entre la « littérature de notations » que
condamne Proust et la pure narration recommandée par
Stendhal ou Flaubert. La littérature de notations se donne pour
une sorte d'exploration de la vie, de préférence dans ses aspects
curieux ou exotiques. *Notation* est à prendre ici au sens propre.
Le romancier prend des notes. « Le littérateur envie le peintre,
il aimerait prendre des croquis, des notes, il est perdu s'il le
fait. » (TR, III, p. 899). L'observation est censée remplacer
l'imagination : « J'observe », répond le romancier mondain
muni de son monocle (« son seul organe d'investigation
psychologique et d'impitoyable analyse » ; CS, I, p. 327) à qui
lui demande pourquoi il est venu à une soirée insignifiante. Il
n'est donc pas hors de propos de reprocher au roman
naturaliste, par exemple aux frères Goncourt, une certaine
naïveté positiviste.
 Mais la règle d'extraversion qu'on peut extraire des conseils
et avis donnés par les maîtres du roman réaliste est une règle
de *style*. Elle ne nous fait nullement sortir du langage. Elle ne
nous dit pas d'aller observer des faits (de l'« extra-
linguistique »). Elle nous dit de préférer une forme d'expression
à une autre. Elle recommande la phrase qui raconte et
déconseille la phrase qui explique ou la phrase qui juge. Il n'y
a donc ici aucune dissimulation du langage. Toutefois, la
question de savoir si le récit romanesque gagne à être considéré
avant tout comme un *agencement de signes* est si importante
pour le présent propos que je préfère la renvoyer au chapitre
suivant. Le point particulier qui m'occupe ici est celui d'un

privilège éventuel du style narratif (« chaque phrase raconte pour ainsi dire ») et des raisons qu'on peut avancer de ce privilège. Ces raisons forment ce que j'ai appelé plus haut la *philosophie du roman* Il s'agit de savoir si Proust met en pratique cette philosophie (non s'il y adhère dans ses théories, mais s'il la suit dans son récit). Il s'agit donc de mesurer la part faite à la narration dans la *Recherche*.

Pour ce faire, nous avons besoin d'une notion moins grossière de ce qui est en cause, à savoir : le langage. Toute la critique « textualiste » de l'après-guerre souffre d'un mal qu'on peut appeler le *vague philosophique*. (Au sujet du textualisme, voir la note en fin de chapitre.) Les questions sont posées à un niveau beaucoup trop général, dans des termes beaucoup trop indéterminés, de sorte que les critiques « textualistes » ne craignent pas de se demander quel rapport il peut y avoir entre *le* langage et *la* réalité. (Mais le langage comme tel n'a pas un rapport avec la réalité, pour la bonne raison que *le* langage consiste dans les phrases qui s'échangent ou dans les langues qui se parlent ou ont été parlées à la surface de la terre. Autrement dit, si l'on doit parler *du* langage, il faut dire que *le* langage fait partie de *la* réalité. La question qu'on voulait poser portait donc, en fait, sur le rapport d'une partie de la réalité avec d'autres parties de la réalité.)

Que recommande la règle d'extraversion ? De toujours préférer l'expression par des faits à la communication directe de l'idée. Par exemple, dans la lettre citée de Stendhal à Mme Gaulthier, l'idée était quelque chose comme : *la passion brûlante d'Olivier pour Hélène*. La communication directe de l'« idée » consiste ainsi à *nommer* le prédicat psychologique attribué à quelqu'un. Dans le mauvais roman, le tour de phrase qu'épingle Stendhal fait de quelque chose comme *la passion* un objet de description (la passion d'Olivier est *brûlante*, elle *dévore Olivier*). De nos jours, les mauvais auteurs ne disent plus : *la passion brûlante*. Mais ils disent en vertu de la même erreur de style : *la pulsion venue du ça, le surmoi d'Olivier, la représentation inconsciente*, etc. Or la règle d'extraversion prescrit de réduire ces pseudo-descriptions « métapsychologiques » en authentiques descriptions psychologiques d'Olivier considéré dans ses rapports avec Hélène : comment parle-t-il d'Hélène, combien de fois pense-t-il à elle dans une journée, quelle place a-t-elle dans ses projets, qu'a-t-il entrepris, est-ce qu'il en conserve des images, etc. ? (La critique littéraire oppose en général la description et la narration : la description porte sur le décor et la narration sur l'action. Mais je préfère suivre l'usage des philosophes : toute proposition rapportant un fait relatif à quelque chose est une description, celles des propositions descriptives qui relatent des événements sont des propositions narratives. La narration est donc pour moi une espèce de la description.) On devra donc éviter de commencer une phrase par la tournure : *la passion d'Olivier pour Hélène*. On dira plutôt : *Olivier aime passionnément Hélène*. Déjà le style est meilleur, puisque la phrase raconte. Pourtant, elle raconte mal ou faiblement. Elle n'est qu'un condensé de récit, un scénario abrégé. Reste à remplacer le prédicat psychologique schématique (« aimer avec passion ») par une foule de faits qui seront les manifestations plausibles d'une passion amoureuse. Or les propositions narratives qui rapportent les faits et gestes significatifs d'Olivier ont ceci de remarquable : ces propositions n'emploient plus les mots psychologiques *amour* et *passion*. Au lieu de nommer l'amour (en disant : *la passion d'Olivier*), on montre cet amour en parlant de ce que fait ou de ce que dit le personnage. Dans une authentique description psychologique du personnage (qui aime-t-il et comment ?), le vocabulaire psychologique (les mots *passion, amour*) a été éliminé. Loin d'être une dénégation du langage, le privilège donné au style narratif est plutôt une *analyse du langage*. C'est une opération qui ressemble à une analyse philosophique (sans, bien sûr, lui être équivalente ou chercher la même sorte d'éclaircissement). Pour le romancier comme pour le philosophe, il s'agit en effet de remplacer une expression ayant un degré déterminé de complexité par d'autres expressions prises à un degré inférieur de complexité, expressions qui, prises ensemble de la manière convenable, en sont un équivalent plus explicite ou plus intelligible. Telle est, je crois, la profondeur philosophique du roman. Les leçons de style de Stendhal ou de Flaubert nous restituent le sens de l'étagement du langage. Tout n'est pas sur le même plan. Il n'y a pas *le* langage, toute phrase n'est pas *du* langage. Mais il y a *plusieurs* jeux de langage : par exemple, l'un dans lequel on rapporte des faits et gestes, un autre dans lequel on attribue des sentiments. Entre ces jeux, l'ordre n'est pas quelconque : on ne peut pratiquer l'attribution des sentiments qu'à la condition de savoir déjà comment rapporter des faits et gestes.

Il est maintenant possible de poser en termes plus précis la question de tout à l'heure : Jusqu'à quel point Proust est-il un romancier ? Nous devons considérer, non la part quantitative du narratif et du non-narratif, mais plutôt l'étagement dans le texte des formes possibles d'expression.

A cet égard, il y a dans la *Recherche* un mauvais romancier (au sens où Proust n'était pas un maître romancier dans *Jean Santeuil*) : c'est Marcel considéré non comme narrateur mais comme personnage et héros du récit. Marcel commet l'erreur de placer sur le même plan une description relativement simple et une attribution psychologique beaucoup plus complexe. Pour Marcel, « je suis amoureux » proclame un fait du même ordre que « je me sens fiévreux ». Le fait d'être amoureux devrait donc être accessible à l'observation. De même qu'être fiévreux consiste à ressentir certaines sensations de malaise général, de chaleur, de courbatures, etc., de même être amoureux devrait se révéler d'une façon ou d'une autre dans un fait permettant de dire : « je suis amoureux ». Mais, lorsque Marcel est amoureux de Gilberte, il a beau examiner attentivement les moments qu'il a passés en sa compagnie : il ne leur trouve aucune qualité remarquable (« et je le savais bien, car c'était les seuls moments de ma vie sur lesquels je concentrasse une attention méticuleuse, acharnée, et elle ne découvrait pas en eux un atome de plaisir. » CS, I, p. 400). Or l'amour de Marcel pour Gilberte est plutôt à chercher dans ce que Proust romancier nous raconte par ailleurs : l'agitation perpétuelle, la préoccupation constante, l'attente des lettres, le nom *Gilberte* inscrit magiquement à toutes les pages de ses cahiers, etc. Autre exemple du mauvais style de Marcel débutant son apprentissage : son premier contact avec le théâtre et la Berma. Pendant toute la représentation, Marcel s'examine pour savoir s'il éprouve du plaisir. Tout va bien jusqu'à ce que la Berma entre en scène. Il lui accorde alors toute l'attention dont il est capable.

> « Mais en même temps tout mon plaisir avait cessé ; j'avais beau tendre vers la Berma mes yeux, mes oreilles, mon esprit, pour ne pas laisser échapper une miette des raisons qu'elle me donnait de l'admirer, je ne parvenais pas à en recueillir une seule. » (JF, I, p. 449).

MENSONGE ET VÉRITÉ ROMANESQUES

Lorsqu'il voit pour la deuxième fois la Berma quelque temps plus tard, il a fait de grands progrès. Il voit bien qu'elle joue de la même façon noble et intelligente que la première fois. Mais il n'a plus le moindre doute sur son admiration pour la Berma. C'est qu'il ne voit plus dans la déclaration « j'admire la Berma » un énoncé qui devrait rapporter un fait observable (avoir telle sensation de plaisir, telle raison d'admirer). Le narrateur sait maintenant décaler ses formes d'expression. « J'admire » n'est plus sur le même plan que « je regarde la Berma ».

> « Je n'avais pas eu de plaisir à entendre la Berma (pas plus que je n'en avais, quand je l'aimais, à voir Gilberte). Je m'étais dit : « Je ne l'admire donc pas ». Mais cependant je ne songeais alors qu'à approfondir le jeu de l'actrice, je n'étais préoccupé que de cela, je tâchais d'ouvrir ma pensée le plus largement possible pour recevoir tout ce qu'il contenait : je comprenais maintenant que c'était justement cela, admirer. » (CG, II, p. 50).

Au fond, la question de savoir si Proust *clôt* l'histoire du genre romanesque ou s'il enrichit ce genre est une question qui porte sur la fonction chez lui du vocabulaire psychologique. Le vocabulaire psychologique est celui par lequel on *nomme* les motifs *attribués* aux gens : leurs émotions, leurs passions, leurs croyances, leurs désirs, leurs soucis, etc. Le plus souvent, ce vocabulaire psychologique est utilisé pour expliquer les faits et gestes de quelqu'un. Mais on peut citer ici une distinction que fait Anthony Kenny entre une utilisation explicative et une utilisation purement descriptive des noms d'émotions, de désirs, etc. Kenny fait observer qu'on peut raconter une histoire parfaitement intelligible sans jamais parler des motifs que les gens ont de faire ce qu'ils font.

> « Si quelqu'un trouve cela surprenant — écrit-il —, qu'il lise les six premiers chapitres de l'Evangile selon Saint Marc. On n'y trouve pas la moindre explication par des motifs. Les noms des émotions y sont utilisés de façon purement descriptive, comme dans *il regarda d'un air furieux.* » (*Action, émotion et volonté*, p. 87, note).

L'explication psychologique que pratique le « roman d'analyse » est contraire au génie du roman. Mais l'emploi des mots psychologiques ne signale pas forcément le passage de la description des faits et gestes à l'explication de la conduite des personnages par leurs motifs. Il peut s'agir d'une variation dans le style de la description. Et c'est ici que se déclare l'originalité de Proust à l'intérieur de la tradition romanesque.

Considérons les trois phrases suivantes :

1. *Olivier parle à Hélène parce qu'il en est amoureux,*
2. *Olivier parle amoureusement à Hélène,*
3. *Olivier parle à Hélène comme s'il en était amoureux.*

La *première* phrase offre un exemple d'explication psychologique, ce qu'il convient de proscrire sous cette forme selon nos maîtres. Mais, quand il s'agit de donner des explications psychologiques, le trait original de Proust est de s'en tenir fort souvent à de simples hypothèses. Ce n'est pas qu'il s'abstienne d'expliquer, comme dans un roman pur. C'est plutôt qu'il multiplie les explications possibles. Cette abondance a pour effet que l'explication, en fin de compte, n'est pas donnée. Exemple classique de cette paralysie de l'intelligence d'autrui par la multiplication des hypothèses, les motifs que le garçon d'ascenseur à Balbec pourrait avoir de ne pas engager la conversation avec le narrateur :

> « Mais il ne me répondit pas, soit étonnement de mes paroles, attention à son travail, souci de l'étiquette, dureté de son ouïe, respect du lieu, crainte du danger, paresse d'intelligence ou consigne du directeur. » (JF, I, p. 665).

Lorsqu'il s'agit de déterminer *le* motif de certaines actions, le narrateur ressemble souvent à un détective dont l'enquête piétine : les possibilités d'explication ne cessent d'augmenter, tandis que les preuves matérielles se dérobent toujours. Quant à la *seconde* phrase, elle est purement descriptive. Comment Olivier parle-t-il à Hélène ? Amoureusement. Lorsque Proust utilise ainsi le vocabulaire psychologique, il fait comme tous les auteurs de portraits ou de scène. Par exemple, dans l'entrevue théâtrale de Charlus et de Marcel (après le dîner chez la duchesse de Guermantes), Proust écrit que Charlus répond « d'un air impérieux », s'écrie « avec colère », répond « d'un air méprisant », sourit « avec dédain », s'écrie « avec fureur » ou « d'un ton terrible » (CG, II, p. 554-560). L'originalité de Proust se déclare plutôt dans son exploitation des ressources d'un style dont la *troisième* phrase offre un exemple. Il s'agit, bien entendu, du style de la description métaphorique. Le sens de ce style est moins de décrire comment les gens parlent ou agissent que de dire *l'air* qu'ils ont aux yeux d'un observateur étranger, l'*impression* qu'ils font. Si les mots psychologiques figurent dans la phrase métaphorique, ce n'est pas pour expliquer, ni même pour attribuer un état d'esprit à un personnage. Il en va de la métaphore psychologique comme des autres : elles cherchent à saisir une apparence, un aspect extérieur de quelqu'un. Lorsque Mme de Guermantes trouve que Mme Leroi *a l'air* d'une grenouille (CG, II, p. 210), elle ne veut pas dire que Mme Leroi soit une grenouille ou qu'elle ait une ressemblance avec les grenouilles. On a un bel exemple de ce style descriptif dans l'épisode de Swann arrivant tardivement à la soirée de la marquise de Saint-Euverte. Les métaphores sont prises successivement dans le registre bestial et dans le registre humain. Swann remarque d'abord « la meute éparse, magnifique et désœuvrée des grands valets de pied qui dormaient çà et là sur des banquettes et des coffres et qui, soulevant leurs nobles profils aigus de lévriers, se dressèrent (..) » (CS, I, p. 323). L'un des valets retient plus spécialement l'attention de Swann. « L'un d'eux, d'aspect particulièrement féroce, (...) s'avança vers lui d'un air implacable pour prendre ses affaires. Mais la dureté de son regard d'acier était compensée par la douceur de ses gants de fil, si bien qu'en s'approchant de Swann il semblait témoigner du mépris pour sa personne et des égards pour son chapeau. » (*Ibid.*). Dans cette description, les gants sont présentés comme doux et le regard comme dur. Mais le valet n'est certainement pas donné pour un homme cruel ou ayant du mépris pour Swann. Il s'agit justement de décrire de pures apparences détachées de toute réalité. L'absurdité de l'impression que fait le valet sur Swann — non l'impression que ce valet soit féroce, mais l'impression qu'il *serait* féroce si l'on devait s'en tenir à cette impression fugitive — est ce qui donne tout son prix à la description.

Il va de soi que la *Recherche* contient beaucoup de psychologie, si l'on entend par là une attention constante portée aux motifs qu'ont les personnages de faire ce qu'ils font ou de dire ce qu'ils disent. Et si on définit, avec Northrop Frye, le *roman pur* comme celui qui observe scrupuleusement la règle de dissolution des idées et des abstractions en rapports personnels, on admettra facilement que la *Recherche* n'est pas un roman pur. Mais qu'elle ne soit pas un roman pur n'implique pas qu'elle ne soit déjà plus un roman ou à peine un roman. Pour décider de ce point, il ne suffit pas de mesurer la part quantitative de la narration dans le texte. Il faut aussi considérer la place donnée à la narration dans la construction de l'œuvre. A cet égard, les observations de Genette sur l'invasion du discours par des modes non narratifs sont justifiées si l'on pense à la place au sens de la quantité d'espace. Il n'en va plus de même si l'on pense à la place au sens d'une position hiérarchique. C'est des premières tentatives de Proust qu'il faut dire : le narratif y est dominé par le non-narratif, au sens où le principe de l'organisation du texte n'est pas de type narratif. Dans les pages du *Contre Sainte-Beuve*, il y a beaucoup d'essai et fort peu de récit : la pensée s'y montre critique plutôt que romanesque. Dans le *Jean Santeuil*, ainsi que Proust l'avait lui-même diagnostiqué, il manque une véritable narration. Mais, dans la *Recherche*, il paraît juste de dire que les modes non narratifs du discours ont été mis au service d'un style proprement narratif. Par exemple, l'''analyse psychologique'' y est moins une digression qu'une nouvelle ressource pour la description (à savoir, un moyen de décrire de quoi les personnages ont l'air). De même, ce qui pourrait passer pour une digression « critique » reçoit aussitôt une fonction descriptive. Dans le *Sainte-Beuve*, la distinction des deux personnalités de l'artiste — son « moi » superficiel et son « moi » authentique — n'est qu'une pensée de critique. Mais, dans la *Recherche*, la même distinction permet d'instituer un contraste entre les apparences qu'offre de lui-même l'écrivain Bergotte dans le salon d'Odette Swann et celles qu'il devrait offrir si le Bergotte réel ressemblait au Bergotte imaginé d'après ses livres. Dans le salon d'Odette, Bergotte a les allures d'un « ingénieur pressé ». Mais l'auteur des livres de Bergotte incarne plutôt un stéréotype homérique : il est le vieillard inconsolé, le « doux Chantre aux cheveux blancs » (JF, I, p. 547).

Reste pourtant à affronter l'objection de principe qu'élève avec une belle unanimité la critique contemporaine contre l'idée même d'une vérité romanesque : qu'il faut d'abord considérer le roman comme un texte, un agencement de signes, avant d'y voir le récit d'une histoire. Avec cette conséquence ruineuse :

qu'à envisager ainsi le roman, on comprend vite qu'il ne peut rien raconter de vrai.

NOTE SUR LA NATURE DE L'ÉCLAIRCISSEMENT PHILOSOPHIQUE

Proust accorde au philosophe un droit à l'obscurité, signe peut-être qu'il ne prend pas les philosophes trop au sérieux. Il écrit en effet dans son article de 1896 :

> « Ne s'adressant pas à nos facultés logiques, le poète ne peut bénéficier du droit qu'a tout philosophe profond de paraître d'abord obscur. S'y adresse-t-il au contraire ? Sans arriver à faire de la métaphysique qui veut une langue autrement rigoureuse et définie, il cesse de faire de la poésie. » (« Contre l'obscurité », CSB, p. 392).

Comment se fait-il que le souci de la logique donne un droit à l'obscurité ? Pourquoi la logique n'est-elle pas du côté de l'éclaircissement ?

Les philosophes dont Proust a pu suivre les leçons enseignaient en effet que l'homme possède, à côté de ses facultés « sensibles » (et par là « poétiques »), un ensemble de facultés « logiques ». Ces facultés de concevoir et de raisonner, Proust les appelle le plus souvent *intelligence*. Chez les philosophes de profession, on parle plus volontiers de la *raison*. A l'époque de Proust, la notion reçue de la philosophie est celle de la construction d'un *système du monde* plus satisfaisant que celui du *sens commun*. En quoi plus satisfaisant ? Le philosophe est censé offrir un système plus *logique*, ce qui veut dire libéré des « contradictions » qu'il a remarquées dans le point de vue vulgaire. Mais, puisque le système philosophique du monde a pour définition d'être supérieur à la vision commune des choses, ce système paraîtra inévitablement « obscur ». C'est pourquoi la philosophie a droit à l'obscurité. Qu'importe si le système « rationnel » paraît en fait inintelligible à l'entendement commun (y compris à l'entendement de la personne du philosophe lorsqu'il raisonne comme tout le monde et s'entretient avec ses semblables), pourvu qu'il puisse être donné pour « logique » et « cohérent ». *Cohérent* veut dire ici : systématiquement déduit de prémisses incontestables. Les professeurs de philosophie qui partageaient cette conception de la pensée philosophique ont cherché à reconstituer les systèmes des différents philosophes. Même les auteurs qui n'ont, selon toute apparence, laissé aucun *système* étaient crédités d'un système du monde. (C'est ainsi qu'Octave Hamelin a exposé une construction qu'il appelle le « système d'Aristote ».) Un philosophe qui n'aurait pas eu un « système rationnel » n'aurait pas dépassé le niveau du sens commun.

Aujourd'hui, nous ne pouvons plus concevoir les choses ainsi. Les professeurs de philosophie de la tradition post-kantienne croyaient devoir exposer des systèmes parce qu'ils se figuraient avoir dégagé ce qu'on appelle parfois la « structure de la rationalité ». Parler de la « structure de la rationalité » (ou, en bref, du « rationnel »), c'est donner à entendre que nous maîtrisons pleinement la « logique du langage » ou la « logique de la pensée ». Nous serions en mesure d'indiquer d'avance quelle doit être la *forme d'une pensée conséquente*. C'est précisément ce que croyaient les auteurs post-kantiens. Ils partageaient avec Kant l'idée que la logique formelle était une science achevée depuis longtemps. Nous pouvons donc décrire la « structure de la rationalité ». Cette structure, selon eux, consiste dans les triplicités kantiennes. Autrement dit, il y a en tout et pour tout trois formes logiques de proposition : la *catégorique*, l'*hypothétique* et la *disjonctive*. En combinant ces formes, on peut reconnaître d'avance l'architecture que doit présenter un discours rationnel sur le monde. Tout état du monde devra entrer dans l'une ou l'autre des formes d'avance reconnues. En étudiant l'ordre que doit présenter le cours de nos idées pour être « logique », nous connaissons d'avance l'ordre des choses. L'ordre des idées est l'ordre des choses. La structure du rationnel est la structure du réel. A cet égard, les diverses philosophies de type systématique ne se distinguent entre elles que par la mesure de leurs prétentions. Certaines restent modestes : pour elles, la « structure logique du monde » est une forme tellement abstraite qu'elle ne dit rien du tout de la *matière* du monde, de ce qui se passe en fait. D'autres sont plus ambitieuses et veulent pousser le développement de la forme logique jusqu'au détail le plus extrême. Elles montrent que ce qui se passe est ce qui logiquement doit se passer. Dans ces constructions titanesques, le cours de logique en vient à fusionner en un seul exposé avec le cours de physique et le cours de théodicée.

On observe que la prétention des philosophes à donner le système rationnel du monde provoque aussitôt une réaction d'incrédulité et de résistance. Les philosophes se sont adressées à nos facultés logiques, mais ils ont négligé nos facultés sensibles. A côté de la « clarté logique » (qui, pour l'entendement commun, est l'obscurité en personne), il y a la « clarté esthétique », autrement dit, la présence sensible (au sens où Pascal parle du Dieu *sensible au cœur*). Or la présence sensible est le royaume que la philosophie elle-même, au moins depuis le XVIIIᵉ siècle, attribue à l'art et à la littérature. Aussi la littérature et l'art vont-ils être opposés à la philosophie. L'écrivain et l'artiste, selon cette conception, appartiennent à un parti de l'anti-philosophie, le parti de l'élément du monde qui n'a pas trouvé sa juste place dans le système rationnel du monde. Parti qui, tour à tour, a défendu la « représentation » contre le « concept », l'« existence » contre la « raison », le « sentiment », contre l'« intelligence », le « désir » contre le « choix rationnel », l'« événement » contre la « déduction a priori », la « gratuité » contre la « finalité », le « gaspillage » contre l'« économie », le « signifiant » contre le « signifié », etc. On voit que la définition de la littérature comme *anti-philosophie* est solidaire de la définition de la philosophie comme construction d'un système cohérent, mais obscur (obscur en ceci, premièrement, que personne ne s'y retrouve, qu'on ne s'y sent pas présent).

Mais, si cette conception de la littérature est aujourd'hui assez vivante chez nombre de critiques, la notion de la philosophie dont elle dépend est, quant à elle, entièrement défunte. Personne ne peut plus aujourd'hui croire à une philosophie construite à l'aide du manuel de logique dont se servaient Kant et ses successeurs. L'idée même d'un manuel de logique enfermant toute la science logique s'est effondrée au XIXᵉ siècle, particulièrement depuis la révolution opérée par Frege. On ne croit plus qu'il soit possible de dénombrer une fois pour toutes les formes logiques de propositions sensées ou d'inférences valides. Nous savons qu'il y a en réalité une diversité pour nous inépuisable de formes propositionnelles. Il faut bien avouer qu'en dépit de leur réflexion sur le « rationnel », le point faible des philosophes post-kantiens était la logique. Nous devons reconnaître leurs mérites dans d'autres domaines (par exemple, la « philosophie de l'esprit »). Mais nous ne pouvons les suivre sur ce point tant prisé du rationnel. Du même coup, il nous est permis de revenir à une notion moins dogmatique, plus *grecque*, de la philosophie. A savoir : le fait de confier la *réforme de l'entendement* dont on sent le besoin à un *examen dialectique des propositions*. La philosophie est alors une voie parmi d'autres. Ainsi, les disciplines de salut ont cherché la réforme de l'intellect par des voies non philosophiques. Ces écoles spirituelles ont pratiqué les *méditations*, les *exercices spirituels*, les *pratiques d'illumination*, etc. Toutes ces disciplines sont personnelles, réclament un travail direct sur soi. Or la philosophie, à l'inverse, commence par détacher les propositions des personnes qui les soutiennent. Que l'examen soit dit « dialectique » signifie que la proposition est considérée en elle-même, indépendamment des raisons (bonnes ou mauvaises) qu'on aurait de la défendre ou de l'attaquer dans un contexte particulier. La proposition est examinée en tant que *logos*, en tant qu'elle propose une pensée dont on veut éprouver la teneur.

Dans le présent essai, je cherche à comprendre comment Proust a pu concevoir son roman comme une « recherche de la Vérité », comme un travail d'éclaircissement de pensées obscures. Où trouver une affinité entre le roman de Proust et les écrits spéculatifs des philosophes ? Tant qu'on reste enfermé dans l'antithèse de la philosophie comme système de la raison et de la littérature comme anti-philosophie, on n'a aucun moyen d'envisager une parenté possible entre le travail du romancier et le travail du philosophe. Mais nous devrions savoir depuis longtemps que cette antithèse ne tient pas debout. Il est donc possible de parler d'une visée commune au philosophe et à l'art littéraire tel que le conçoit Proust : amener au grand jour ce qui était resté informulé, obscur, implicite, méconnu. La réforme philosophique de l'entendement passe en fait par l'examen dialectique des propositions. Le romancier ne s'occupe pas du tout de « propositions » et ne pratique aucune espèce de « dialectique ». Il n'écrit pas de la philosophie. Toutefois, l'écriture d'un roman comporte peut-être une étape qu'on pourrait appeler l'*analyse romanesque* (comme on dit : l'*analyse grammaticale*). Une idée quelconque devient une « idée de roman » lorsque l'écrivain a trouvé le moyen de l'« analyser », c'est-à-dire de la changer en scénario schématique. « Dans la deuxième partie du roman, la jeune fille sera ruinée, je l'entretiendrai sans chercher à la posséder par impuissance du bonheur. » On pourrait alors dire que la philosophie d'un auteur de roman est à chercher dans la façon dont il soumet ses idées (ou les idées de son temps) à l'analyse romanesque. Quant à la philosophie du genre romanesque comme tel, elle serait la pensée (relative aux hommes et au monde) qui s'exprime dans la prédilection pour ce genre considéré comme un mode d'analyse, ou encore, si l'on préfère, comme une forme de présentation.

NOTE SUR LE TEXTUALISME

J'emprunte la notion de « textualisme » à l'essai de Richard Rorty sur « l'idéalisme du XIX⁰ siècle et le textualisme du XX⁰ siècle » (1980). Selon Rorty, le textualisme est la version contemporaine de l'idéalisme, à une différence près : l'idéalisme était hautement métaphysique, alors que le textualisme est « post-philosophique ». Au siècle dernier, les métaphysiciens idéalistes professaient que tout ce qui existe est idée. C'était la critique du dogme de la « Chose en soi » séparée de nos « représentations » ou « idées ». Aujourd'hui, les auteurs textualistes laissent entendre que tout ce qui existe est texte. C'est la critique de la « métaphysique du référent ».

Rorty remarque fort justement que l'idéalisme était clairement une métaphysique, alors que le textualisme est plutôt un état d'esprit diffus. L'idéalisme n'avait aucune peine à s'exprimer par des « propositions spéculatives » ou des « thèses sur l'être ». Si vous êtes idéaliste, vous croyez avoir des raisons de penser que tout est idée. En revanche, l'école textualiste, en vertu de ses principes mêmes, ne saurait prendre au sérieux les thèses sur la nature des choses. Tout ce qui se présente comme une *thèse* (prétendant à une vérité) sur la *nature* des choses n'est après tout qu'un texte qu'il faut ranger avec les autres dans la bibliothèque. Rorty reconnaît donc au textualisme le statut de ce que j'ai appelé dans la note précédente l'*anti-philosophie*. « Ni avec toi, ni sans toi » : l'antiphilosophe (ou le post-philosophe) est soumis au métaphysicien comme l'amant maudit à son amour impossible. *Ni sans toi*, car l'anti-philosophe entend bien témoigner contre les prétentions du concept et du rationnel. *Ni avec toi*, car l'anti-philosophe reste naïvement persuadé que *l'idéaliste a raison*, que la raison est du côté de l'idéaliste, qu'on ne doit surtout pas examiner les raisons de l'idéaliste.

6. UNE QUESTION DE POÉTIQUE

Une guerre, comme un amour, peut être racontée *comme un roman, à partir des illusions, des croyances qu'on rectifie peu à peu*. La présentation romanesque de quelque chose consiste à peindre des erreurs. Il appartient à la philosophie du roman d'expliquer pourquoi la forme romanesque de la narration est propre à faire ressortir ce côté de la vie, ou de la guerre, ou de l'amour (à savoir, qu'on y progresse, au mieux, de l'illusion acceptée à l'illusion rectifiée). La vérité romanesque, si cette expression a un sens, sera cette convenance mutuelle (ou « adéquation ») d'une forme de présentation et d'un aspect des choses.

A peine ai-je avancé ces hypothèses sur le roman que se dresse contre moi une objection de principe. La notion d'une vérité romanesque, ou, si l'on préfère, d'un mode romanesque de présentation, cette notion serait des plus naïves. Un roman est un morceau de littérature. Un roman est une fiction. Un roman ne présente donc rien du tout, mais fait croire qu'il présente quelque chose. On le voit, l'objection n'est pas tirée de l'interprétation d'un texte particulier. Elle n'est pas dirigée contre une interprétation particulière. Elle vaut d'avance pour tout texte et toute interprétation. Elle s'oppose d'avance à toute tentative de chercher une vérité en littérature. Il s'agit donc d'une objection philosophique.

Puisque l'objection est philosophique, la discussion du point soulevé ne peut être ni historique ni critique. Nous n'avons pas à nous demander ce que Proust pensait de la littérature. (Aurait-il préféré la définir comme « peinture » ou comme « écriture intransitive » ? C'est un point d'histoire, qui n'affecte pas le statut littéraire de son texte, mais seulement la lucidité de Proust à l'égard de son activité d'écrivain.) Nous n'avons pas non plus à nous demander si le lecteur lit plus volontiers le roman comme une « peinture » ou comme un « texte ». C'est affaire de goût, donc de critique ou d'esthétique. La question que nous avons à discuter porte sur le *concept* de littérature. Elle est une question de philosophie poétique, ou, brièvement, de poétique. Les raisons de l'objection, tout comme les raisons de la réponse à l'objection, appartiennent à l'éclaircissement du concept de littérature. Tout va donc finalement dépendre de notre philosophie du concept, de ce que nous concevons comme la juste manière d'éclaircir un concept.

Nous avons à nous demander comment l'école textualiste procède pour établir son concept de la littérature comme produit textuel d'une écriture intransitive. J'appelle école textualiste toute la critique qui se reconnaît dans les deux dogmes suivants :

1°) Que, pour les modernes que nous sommes, la littérature est indissociable de la conscience que nous avons prise de la « question du langage » ;

2°) Que l'écrivain devient « moderne » lorsqu'il comprend qu'écrire de la littérature n'est pas représenter (tout comme les peintres et les sculpteurs sont modernes dès qu'ils mettent en question la nécessité de représenter).

Ces idées ont été profondément développées en France par Maurice Blanchot. Elles ont été popularisées par des auteurs tels que Roland Barthes (avec la notion d'*écriture*) et Michel Foucault (lorsqu'il parle, dans *les Mots et les choses*, d'une littérature « fascinée par l'être du langage »). Depuis le XIXᵉ siècle, écrit Foucault, la littérature est « repliée sur l'énigme de sa naissance et tout entière référée à l'acte pur d'écrire » (*op.cit.*, p. 313). Elle s'enferme, comme il le dit encore, reprenant le mot de Barthes, dans une « intransitivité radicale » (*ibid.*). A suivre ces critiques, une œuvre littéraire est un écrit qui ne doit jamais être saisi comme autre chose qu'un écrit. Dans une œuvre littéraire, on manque la littérature dès qu'on y cherche autre chose que du langage. De ce point de vue, Proust paraît classique ou traditionnel chaque fois qu'il nous parle de « vérités », de « lois », de « peinture de la vie ». Mais il est moderne dès qu'il affirme la nécessité de la littérature et du style.

Pourquoi la philosophie fixe-t-elle dans le concept d'une écriture intransitive la nature de la littérature (ou son « être ») ? Que se soit bien la philosophie qui parle ici, la même page de Foucault le rappelle opportunément. Mon propos sera plus clair si je la cite un peu longuement et en y soulignant les expressions qui y signalent un procédé philosophique de définition :

> « (...) On voit bien quelle fut, au XIXᵉ siècle, la fonction de la littérature par rapport au mode d'être moderne du langage (...). Elle rompt avec toute définition de ''genres'' comme formes ajustées à un ordre de représentations, et devient pure et simple manifestation d'un langage qui n'a pour loi que d'*affirmer* — contre tous les autres discours — *son existence escarpée* ; elle n'a plus alors qu'à *se recourber dans un perpétuel retour sur soi*, comme si son discours ne pouvait avoir pour *contenu* que de dire sa propre *forme* : elle s'adresse à soi comme *subjectivité écrivante*, ou elle cherche à ressaisir, dans le mouvement qui la fait naître, *l'essence de toute littérature* ; et ainsi tous ses fils convergent vers la pointe la plus fine — *singulière*, instantanée, et pourtant absolument *universelle* —, vers le simple acte d'écrire. » *(Ibid.)*.

Cette page donne d'abord l'impression de proposer au lecteur une description historique. Elle paraît nous dire ce que la littérature a tendu de plus en plus à devenir dans la seconde moitié du XIXᵉ siècle. Foucault voudrait ici passer pour un historien qui rapporte certains faits. On remarque pourtant que sa description est paradoxale et qu'elle est entièrement rédigée dans l'idiome spéculatif du philosophe. Mais alors, s'agit-il bien d'une caractérisation de la littérature à l'âge moderne ? Selon Foucault, la littérature est aujourd'hui le discours qui, se prenant lui-même pour objet, opère le *retour sur soi* grâce auquel il peut *s'adresser à soi comme subjectivité écrivante*. Ce discours a pour *contenu* sa propre *forme* et pour finalité l'*affirmation* de sa propre *existence*. La littérature veut saisir, dans l'acte *singulier* d'écrire, l'*essence de toute littérature*.

Le fait que la page d'allure descriptive soit paradoxale suffit à l'empêcher de décrire quoi que ce soit. Aucune propriété de la littérature moderne n'a été ici mentionnée. Dire que le discours littéraire a désormais pour contenu sa propre forme n'est pas indiquer un cas particulier de discours, cas qui serait distingué par le fait que forme et contenu coïncident. C'est plutôt faire savoir que la distinction de la forme et du contenu ne s'applique pas. Les notions relatives de « forme » et de « contenu » servent à contraster divers aspects d'un propos (par exemple, la forme piquante donnée à une idée banale). Si on déclare que la forme est le contenu ou que le contenu est la forme, on admet seulement que la description en termes de forme et de contenu n'est pas possible. Et, de même, dire que l'acte d'écrire est, dans la littérature moderne, la manifestation d'une subjectivité écrivante parce que l'écriture y a pour objet l'écriture, ce n'est pas décrire l'acte de l'écrivain comme un cas d'opération « réflexive » ou de « retour sur soi ». C'est plus simplement annoncer que la distinction d'un sujet de l'écriture et d'un objet de cette écriture ne s'applique pas. (Car il en va ici comme de la subjectivité de la conscience au sens des philosophes. En disant que la conscience de soi est subjective parce que le sujet conscient y a un savoir dont l'objet est ce savoir lui-même, on ne donne pas une définition ou une caractérisation de la conscience de soi. En disant que l'acte de conscience, au lieu de se diriger vers un objet, fait retour vers le sujet lui-même, on admet qu'il n'y a dans la conscience de soi ni sujet ni objet au sens habituel de la distinction d'un sujet et d'un objet, et qu'en somme la conscience de soi ne doit en aucune façon être conçue comme un savoir, pas même comme un savoir d'un type très particulier ou « paradoxal ».)

La description de Foucault est paradoxale. Elle n'est pas paradoxale au sens trivial, au sens où elle heurterait le sens commun. Elle est logiquement paradoxale. Elle a donc la même force qu'une description contradictoire, à savoir : *aucune*. De même qu'un cercle carré n'est pas une figure très exceptionnelle, très difficile à définir, de même le discours qui a pour contenu sa propre forme n'est pas un type curieux de discours. De même que les mots *cercle carré*, loin d'être la description d'un objet bizarre, donnent la description forcément vide d'une figure impossible, de même les caractérisations de Foucault sont purement négatives. Tout ce qu'il a dit du « discours littéraire » dans sa forme moderne, c'est qu'on ne pouvait en parler ni en termes de forme et de contenu, ni en termes de soi et d'autre chose. Mais la fin du texte l'indique : il ne s'agissait pas de raconter un épisode dans l'histoire littéraire, il s'agissait de saisir l'*essence de toute littérature*. Foucault parle comme s'il voulait rapporter des faits. En réalité, il propose au lecteur une définition. Autrement dit, Foucault a déguisé ici en narration historique ce qui était un procédé de définition. Il a affecté de trouver chez l'écrivain, comme trait caractéristique de son activité d'écriture, ce qui était une opération de philosophe. Cette opération du philosophe, c'est la *réduction éidétique*, ou définition d'une chose par réduction de cette chose à l'*essentiel*. Quelle est l'essence de toute littérature ? Quel est le trait commun à toute œuvre littéraire quelle qu'elle soit ? Foucault répond : l'acte singulier d'écrire. Mais il affuble sa réponse en une sorte de *cogito* littéraire attribué à l'écrivain lui-même. De même que le « je pense » accompagne, selon Kant, toutes mes représentations (ou du moins, doit pouvoir les accompagner), de même l'acte d'écrire accompagne tous les textes écrits (ou du moins, doit pouvoir les accompagner). Cet acte d'écrire a d'ailleurs tous les traits d'un acte absolu, d'une position de soi : le mot écrit ne fait qu'*affirmer son existence escarpée*. Du même coup, n'importe quel acte d'inscription d'un mot sur une feuille de papier va manifester l'essence de toute littérature si cet acte parvient, dans une ascèse suprême, à n'être que cela, pure inscription. A cette fin, l'écrivain devra résister à toute tentative d'inclure son acte dans une opération plus vaste. Écrire un chèque, écrire une lettre, écrire un article, écrire un rapport, ce sont là autant d'exemples d'écritures transitives. Écrire un sonnet, écrire un drame, écrire ses Mémoires, écrire un roman, ces écritures étaient jadis conçues comme transitives, *ajustées à un ordre de représentations*. A l'âge de la littérature, nous découvrons que ces écritures, réduites à ce qu'elles ont d'essentiel, ne sont rien qu'une opération d'inscription textuelle.

Il est à vrai dire effarant de voir un auteur aussi soucieux que l'était Foucault d'échapper à une conceptualité conventionnelle confier sa pensée à des instruments aussi émoussés, aussi discrédités que les bonnes vieilles oppositions : la forme et le contenu, le sujet et l'objet, l'instance singulière et l'essence universelle. Toute tentative d'une pensée philosophique devrait commencer, semble-t-il, par contester ces distinctions et repérer ce qu'elles ont d'égarant. Mais ce qui ressort au fond de cette page est une adhésion sans réserves au mode de définition essentialiste. A la question *Qu'est-ce que la littérature* ?, il s'agit de répondre en indiquant une « essence universelle ». Tous les écrits littéraires ont quelque chose de commun, quelque chose en vertu de quoi on les dit littéraires. Il faut montrer que tous présentent le même trait essentiel. Mais qu'y a-t-il de commun à tous les écrits ? Tant qu'on distingue des genres littéraires, il est difficile de répondre. Si la division en genres tend à s'effacer, si donc on n'a plus à distinguer des fins (édifier, instruire, divertir, etc), quelque chose se met de soi-même en évidence, comme si la littérature avait pris la peine de se définir elle-même : c'est l'opération matérielle de l'écriture. Non plus écrire dans le sens « transitif », mais écrire un *texte* (le mot *texte* n'étant pas ici un complément d'objet, mais ce qu'on appelle un « accusatif interne », comme dans : *danser une danse, chanter une chanson*, etc.). Ce qu'il y a de commun à tous les textes sans exception, ce sans quoi un écrit ne serait pas un écrit, c'est le fait d'avoir été écrit dans un acte (singulier) d'écrire.

Si un auteur aussi habile que Foucault n'a pu dissimuler l'essentialisme impénitent qui commandait sa doctrine de la modernité littéraire, on ne s'étonnera pas que le même procédé de définition essentialiste s'étale chez des critiques moins soucieux de cacher leur jeu conceptuel. Roland Barthes arrive, lui aussi, à des conclusions radicales par un argument analogue. Dans son article de méthode « Introduction à l'analyse structurale du récit », il conclut de même : la littérature est le langage des conditions du langage. Soit, en ce qui concerne le *récit* :

> « Ainsi, dans tout récit, l'imitation reste contingente ; la fonction du récit n'est pas de ''représenter'' (...). Le récit ne fait pas voir, il n'imite pas (...). ''Ce qui se passe'' dans le récit n'est, du point de vue référentiel (réel), à la lettre : *rien* ; ''ce qui arrive'', c'est le langage tout seul, l'aventure du langage, dont la venue ne cesse jamais d'être fêtée. » (*Communications*, n° 8, p. 26-27).

On notera que Barthes veut parler pour tout récit. La remarque vaut donc aussi bien pour les historiens que pour les conteurs, dès lors qu'ils racontent. Qu'est-ce qui arrive tout de bon lorsque quelqu'un raconte une histoire ? Peu importe si l'histoire est vraie ou inventée : ce qui arrive quand une histoire est racontée n'est *rien*, sinon qu'une histoire a été racontée. Rien n'est changé dans le monde, sinon le fait qu'un événement de langage a eu lieu. Ce qui arrive lorsque le conteur dit ce qui arrive, c'est donc *le langage tout seul*.

Le raisonnement essentialiste se signale par une capacité prodigieuse d'absorption des différences. Le raisonnement essentialiste permet de tenir pour inessentiel ce qui n'est pas strictement universel. Qu'est-ce *au fond* qu'un récit ? Un récit n'est rien qu'un exercice de langage. Tous les récits sont donc sur le même pied pour qui cherche l'essence de tout récit. Du point de vue de l'essentiel, les différences qu'on peut remarquer entre les diverses formes de narration ne sont pas dignes d'être retenues. Ces différences sont inessentielles.

Pourtant, on dirait aussi bien par un raisonnement du même cru : *rien* ne distingue *essentiellement* la peinture mythologique de la peinture abstraite. Dans toute peinture, donc aussi dans la peinture mythologique, la représentation est inessentielle. Car enfin, dira le critique essentialiste, la peinture mythologique ne représente rien (de réel). Si l'on se place du « point de vue référentiel », la toile qui figure la naissance de Vénus ne correspond à rien, n'*imite* rien. Ainsi, lorsqu'un peintre représente la naissance de Vénus, rien n'est arrivé, rien n'a été montré, sinon qu'une certaine toile a été peinte. Toute toile, qu'elle soit abstraite ou figurative, montre qu'il y a de la peinture. Toute peinture est donc peinture de la peinture. Rien d'essentiel ne distingue donc le tableau abstrait du tableau mythologique : ce qu'il fallait démontrer.

Quelles que soient par ailleurs les bonnes raisons qu'on peut avoir de contester les doctrines du « réalisme » en littérature, il paraît clair que cet argument de Barthes relatif au récit est un sophisme. Le raisonnement essentialiste s'y livre sans vergogne à l'annulation pure et simple de tout ce qui devrait retenir l'attention : la diversité des formes narratives. Qu'est-ce qui est commun à toutes les histoires racontées ? Réponse : qu'elles soient racontées ! (On retrouve le *cogito* des philosophes de la conscience : Ce qui est commun à toutes les représentations, c'est qu'elles puissent être « pensées ».) Qu'est-ce qui est commun à tous les récits ? Qu'ils soient du langage ! Et c'est pourquoi tous les récits, toutes les histoires, toute la littérature narrative, une fois tout cela réduit à l'essentiel, annoncent le même événement : l'arrivée du langage.

Y a-t-il une lecture essentialiste de Proust ? Il suffit pour la produire de prétendre que le sujet de la *Recherche* est l'écriture de la *Recherche* elle-même. Le but de toute littérature consciente de soi serait de donner pour contenu à la forme cette forme même, d'introduire la réflexivité ou la subjectivité dans le roman. Dans un texte où il définit précisément la littérature comme réflexion de soi sur soi, Barthes écrit que Proust appartient à la modernité littéraire en ce qu'il donne pour objet à la littérature la littérature même : le moment de Proust dans le destin de l'écriture littéraire, c'est

> « l'espoir de parvenir à éluder la tautologie littéraire en remettant sans cesse, pour ainsi dire, la littérature au lendemain, en déclarant longuement qu'on *va* écrire, et en faisant de cette déclaration la littérature même. » (*Essais critiques*, p. 106).

Dans cette lecture où les choses sont prestement réduites à l'essentiel, toute la matière du *Temps perdu* n'a plus qu'une seule fonction et une seule raison d'être, maintenir la communication avec le lecteur tout en se gardant de lui dire quoi que ce soit. L'écrivain moderne est alors semblable au journaliste Harry Blount dans *Michel Strogoff*, qui n'a aucune nouvelle à transmettre (du moins pour l'instant) mais ne veut pas perdre la ligne. Le journaliste en est donc réduit à émettre le seul « message » (au sens physique, au sens de la poste) qui ne passera jamais pour ce que lui, Harry Blount, aurait à dire :

> « Et il continua à écrire une suite de mots qu'il passa ensuite à l'employé, et que celui-ci lut de sa voix tranquille :
> Au commencement, Dieu créa le ciel et la terre. » (Jules Verne, *Michel Strogoff*, ch. XVII, « Versets et chansons »).

La question *Qu'est-ce que la littérature ?* est une question de poétique. L'école textualiste répond : la littérature est le langage du langage. La littérature, selon cette école, est un discours dans lequel les mots sont utilisés *pour rien*. Ce qui se passe dans le récit n'est rien. Ce qui est représenté dans la fiction n'est rien. Le discours est littéraire lorsque rien ne correspond aux mots qui sont écrits. Avec la littérature, nous avons un texte et rien qu'un texte. C'est seulement dans le texte qu'il est question d'une réalité à trouver en dehors du texte. (C'est seulement si nous lisons *l'Ile au trésor* que nous avons l'idée qu'il y a — hors du texte que nous lisons — une île au

trésor.) Aussi la conscience littéraire est-elle la conscience de la
« question du langage », à savoir : que l'*être* du langage consiste
tout entier, hors l'inscription matérielle sur le papier ou la
profération sonore, dans un *défaut* ou un *vide*. La condition
du langage est qu'il y ait moins de mots que de choses. La
littérature est la mise à découvert de ce défaut du langage, de
cet espace vide qui est l'« espace littéraire ».

> « Et ce vide — écrit Foucault —, je ne l'entends point par
> métaphore : il s'agit de la carence des mots qui sont moins
> nombreux que les choses qu'ils désignent, et doivent à cette
> économie de vouloir dire quelque chose. Si le langage était
> aussi riche que l'être, il serait le double inutile et muet des
> choses ; il n'existerait pas. Et pourtant, sans nom pour les
> nommer, les choses resteraient dans la nuit. » (*Raymond
> Roussel*, p. 207-208).

La réponse textualiste ne rassemble nullement les résultats d'une
enquête historique : elle ne se cache pas de chercher l'essence
du littéraire chez certains auteurs jugés exemplaires. La réponse
textualiste ne doit pas non plus être traitée comme l'expression
d'une esthétique particulière, la prédilection du critique pour
certaines œuvres. Les thèses textualistes ne sont ni historiques
ni esthétiques, mais philosophiques. Est donc ici en cause la
philosophie poétique elle-même, la façon dont les philosophes
abordent les livres et généralement les œuvres d'art armés de
questions telles que : Qu'est-ce que la littérature ? Quelle est
l'essence ou l'origine de l'œuvre d'art ?

Les raisons de l'école textualiste sont à chercher dans la façon
dont ces auteurs comprennent les tâches de la définition, de la
description, de l'élucidation conceptuelle, de la mise en
évidence de l'*essentiel*. Par exemple, Foucault nous découvre
sa philosophie lorsqu'il avance que le langage réduit à l'essentiel
est le *mot*, que le mot est essentiellement le *nom*. Si nous
n'opérons pas avec lui ces réductions éidétiques, nous ne
comprendrons jamais l'énoncé qu'il donne de la « question du
langage » (Comment parler de toutes les choses avec si peu de
mots ?). Il est vrai que Foucault et Barthes obscurcissent
grandement les choses lorsqu'ils affectent de s'exprimer dans
un style pseudo-descriptif. On croirait parfois lire les
observations de naturalistes ou de géographes. Pourtant, les

descriptions proposées sont autant de négations : le récit n'est pas l'image de quelque chose, la littérature ne comporte pas l'opposition de la forme et du contenu.

Pour saisir le fort de l'école textualiste, il vaut mieux sans doute négliger ces prétentions à la force positive. Il convient plutôt d'entendre la réponse textualiste comme une tentative de saisir, non la forme stable de la littérature ou du récit, mais une inquiétude moderne de la littérature ou du roman. Inquiétude qui se manifesterait, dans quelques cas tenus pour exemplaires, par une aspiration *minimaliste*, une volonté de pureté « essentielle ». Et ce serait cette tendance qui apparenterait la littérature contemporaine « moderniste » aux arts plastiques du XXᵉ siècle. Chez Barthes et chez Foucault, les thèses textualistes sont présentées comme des données positives de l'observation. Mais c'est qu'elles ont été séparées du mouvement de pensée qui les portait chez Blanchot. Dans ce mouvement de pensée, qu'on peut dire *romantique*, ces mêmes thèses prennent une tout autre portée. Elles sont ouvertement présentées comme négatives. Elles appartiennent franchement à un essai de description négative ou voie *apophatique*. Comme dans toute recherche de l'absolu, la saisie authentique passe par la *via negationis* : l'absolu n'est ni ceci, ni cela, ni rien de relatif.

NOTE SUR LE ROMANTISME

Les idées de l'école textualiste ont fleuri sur le terreau romantique. Certes, nous ne croyons plus guère aujourd'hui au *génie* de l'artiste. Mais la notion s'est conservée jusqu'à nous d'une opposition entre les activités humaines ordinaires (« prosaïques ») et l'Art. La destination de l'Art serait de montrer ici et maintenant, dans l'œuvre et par le fait même de l'œuvre, qu'il y a autre chose que la Nature. On entend ici par Nature l'ensemble de *ce qui est* : tout ce qui a lieu hors de nous et sans que nous y soyons pour rien. Comme l'écrit Mallarmé : « La Nature a lieu, on n'y ajoutera pas ; que des cités, les voies ferrées et plusieurs inventions formant notre matériel. » (*La Musique et les Lettres*, p. 647). Les activités humaines *serviles* sont les opérations soumises à la prééminence de quelque chose qui se trouve là sans être de notre fait. Seul l'Art incarne la possibilité d'une *souveraineté* humaine. (Mais peut-être faut-il dire : *souveraineté inhumaine*, si l'humanité est définie comme une espèce naturelle, donc comme incluse dans le tout de ce qui est, dans ce qui a lieu sans nous.) L'Art a pour définition d'être autonome. L'Art a pour loi de ne reconnaître aucune autorité hors de soi. Une telle notion de l'Art n'a rien d'immédiat. La philosophie romantique de l'Art explique que l'Art a d'abord été confondu avec les beaux-arts. L'artiste classique croyait devoir imiter une Nature ou un ordre des natures. Cet artiste se méprenait sur le sujet de sa propre souveraineté, qu'il incarnait dans un *sacré* extérieur (tel la sainteté divine ou la majesté royale). L'artiste classique pouvait donc croire aux beaux-arts et aux genres littéraires. L'artiste moderne parvenu à la conscience de soi sait que l'*au-delà* du monde profane n'est rien de surnaturel ou de factuel. Au-delà de la Nature, au-delà de ce qui est, il n'y a strictement *rien*. L'homme servile prend le parti de *ce qui est*. L'artiste qui aspire à la souveraineté prend le parti du *rien*.

7. ONTOLOGIE DE L'ŒUVRE D'ART

L'objet du présent essai est la philosophie proustienne du roman, à distinguer soigneusement des « idées » de Proust sur la vie, sur l'amour ou sur le monde. Ou plutôt, ce sont les idées de Proust sur tous ces sujets, mais seulement par le côté où elles peuvent entrer dans une philosophie du roman. Les idées de Proust sur la vie sont les idées de Proust romancier dans la mesure où elles conduisent Proust à raconter la vie *comme un roman*. La question philosophique de la *Recherche* est ainsi, pour moi, celle des vertus d'une forme de présentation des choses, la forme appelée *roman*.

Les objections textualistes à cette approche ont un air faussement naïf. Présentation de quoi ? demande le critique textualiste. Après tout, la seule chose incontestable qu'on puisse dire de la *Recherche*, c'est qu'elle est un *texte*. Elle est une construction, qui reste à définir, mais en tout cas faite de mots. Combray, Balbec, les Guermantes, les Verdurin, rien de tout cela n'existe. Ce sont des noms. Que présente donc le texte ? Le texte présente des mots, des noms, du langage. Ces objections ne peuvent que nous interloquer, nous qui pensions que le roman pouvait présenter quelque chose de l'action ou de la vie humaines, et que cette présentation pouvait avoir quelque chose de « philosophique » (au sens où Aristote dit que la poésie tragique est plus « philosophique » que l'histoire, justement parce que la poésie tragique ne raconte pas ce qui est arrivé en fait, mais ce qui pourrait arriver ou ce qui ne pourrait manquer d'arriver dans certaines conditions, celles que fixe l'argument du drame).

Mais le critique textualiste n'est pas un naïf. Il invoque volontiers une conscience récente des conditions du langage, les progrès de la linguistique, etc. Ce n'est sans doute qu'une diversion. La lecture textualiste du roman, prise dans sa force, est une lecture romantique qui a dissimulé — ou peut-être oublié — ses sources spéculatives. Le lecteur textualiste est un lecteur romantique qui a préféré se déguiser en « positiviste heureux » pour pratiquer l'art de la critique *à la française*. Les objections sérieuses à ce qu'il y a d'« aristotélicien » dans mon propos viennent donc de la philosophie romantique du roman.

Or la critique romantique estime que la *Recherche du temps perdu* est un exemple incontestable d'œuvre moderne, si l'on entend par là une œuvre où s'accomplit l'essence du roman et de la littérature telle que cette critique la conçoit. En effet :

1. Le roman est un art du langage. Avant d'être observation, notation, il est l'art d'écrire des phrases. Mais c'est Proust lui-même qui condamne la littérature de notations et indique que toute son entreprise repose sur l'écriture de belles phrases.

2. Tandis que le roman vulgaire dissimule sa propre essence et cherche à se faire passer pour une chronique des temps, une psychologie des passions ou une exploration des mœurs, le roman devenu conscient de soi se réfléchit lui-même. Le livre manifeste qu'il est un livre. Ce faisant, il révèle l'essence de tous les livres. Il déclare alors son ambition de devenir le livre total, le livre de tous les livres. Mais c'est Proust lui-même qui observe que les œuvres supérieures du XIXe siècle tendent à l'unité par l'« auto-contemplation ». Et c'est Proust qui explique leur caractère définitivement inachevé par cette ambition d'une unité totale.

3) Aussi le roman, devenu recherche du seul Livre authentique, va bientôt avouer qu'il n'est pas encore lui-même ce livre total. On ne peut qu'annoncer la venue, plus tard, du livre qui accomplirait l'essence de la littérature. L'avènement du livre messianique est différé pour toujours. « En attendant », entre l'acte d'écrire d'aujourd'hui et la fausse promesse du livre à venir, s'ouvre pour nous l'espace littéraire d'une écriture indéfinie, écriture qui peut certes s'interrompre (par hasard, parce qu'on meurt), mais non se conclure. Mais c'est Proust lui-même qui, semble-t-il, écrit un livre pour raconter tout le temps qu'il a fallu à son héros Marcel pour commencer la rédaction de son livre, le vrai livre, traduction des impressions intérieures.

Or nous lisons l'œuvre démesurée de Proust, mais jamais le livre de Marcel.

Ainsi, la poétique du « Livre à venir » peut se conforter d'avoir de solides fondements textuels (au sens philologique du mot *textuel*, pas au sens « textualiste »). Mais ce n'est pas tout. Une bonne part de la séduction qu'elle exerce lui vient de ce qu'elle paraît capable d'interpréter les phénomènes de l'art moderne. Elle propose un sens de l'histoire de l'art. Elle reconduit les épisodes récents de cette histoire à une essence artistique de la modernité. A savoir, pour le dire dans les termes d'un commentaire que Blanchot donne aux livres de Malraux : l'art n'est plus aujourd'hui le « langage des dieux » ; il n'est même plus ce que le XIXᵉ siècle triomphant avait cru accomplir en lui, la « présence de l'homme à lui-même ». Au-delà du sacré et de l'humain, Blanchot assigne à l'art moderne l'initiative d'une position absolue de soi. Tout dans ce monde paraît d'abord limité et relatif. Mais, s'il y a œuvre d'art dans ce monde, elle ne doit sa présence qu'à elle-même, puisqu'elle n'y est pas présente pour autre chose qu'elle-même. L'art est cette position de soi (ce *Sichsetzen* par lequel les idéalistes définissent l'*absolu*). L'art se pose lui-même en répondant à un appel qui lui vient de sa propre essence :

> « Il lui faut devenir sa propre présence. Ce qu'il veut affirmer, c'est l'art. Ce qu'il cherche, ce qu'il essaie d'accomplir, c'est l'essence de l'art. » (*L'espace littéraire*, p. 228).

La modernité de l'art est ce qui manifeste dans chacun des arts cette recherche de l'essence de l'art.

Non seulement la poétique romantique peut se présenter comme une juste lecture du texte, mais elle nous propose un moyen de penser l'art moderne grâce à l'antithèse des *beaux-arts* de jadis (gouvernés par l'idéal d'une présentation du sacré ou d'une représentation de l'humain) et l'*Art* d'aujourd'hui (dont tout le souci serait de se manisfester soi-même, « à l'exception de tout »). C'est dire que cette poétique constitue une formidable machine de guerre qui veut recruter tout le mouvement de l'art moderne au service d'une philosophie de l'absolu. Le point ici en question pouvait d'abord sembler mineur. Il ne s'agissait que d'un problème de lecture :

Comment lire philosophiquement la *Recherche* ? Mais il apparaît maintenant que *toute la philosophie* est en cause dans cette question, en apparence spéciale, de poétique. Il ne s'agit de rien de moins que de décider si l'on peut défendre une conception non romantique des rapports entre philosophie et littérature. Or, pour en décider, il ne suffira pas de considérer la littérature et poser une fois de plus la vieille question : Qu'est-ce que la littérature ? Il faudra aussi considérer la philosophie pour se demander si la tâche d'une philosophie de la littérature est bien, comme le croit encore la poétique romantique, de chercher l'essence de la littérature. Nous avons à nous demander si tout ce langage de l'essence n'est pas égarant. Bref, une poétique non romantique de la littérature requiert une philosophie libérée de la question de l'*essence de toute littérature*. Mais, pour libérer la poétique de cette vieille question obsédante, il nous faut des éclaircissements philosophiques relatifs à nos véritables questions. Nous comprendrons que la question de l'essence de la littérature n'a pas, peut-être, la place qu'une tradition lui assigne dans nos interrogations si nous comprenons mieux quelles sont nos véritables questions en face des œuvres d'art.

Une autorité majeure de la poétique essentialiste est, on le sait, Mallarmé. Je crois pourtant qu'on l'invoque à tort. Il est vrai que Mallarmé oppose deux états de la parole, « brut ou immédiat ici, là essentiel » (« Crise de vers », p. 368). Mais, comme toujours chez Mallarmé, le mot d'allure spéculative doit être pris dans sa valeur de suggestion plutôt que dans sa signification philosophique formelle. L'*essentiel* mallarméen n'a rien à voir avec la forme (quiddité) qu'on oppose à la substance première, ni avec la nature comme principe des opérations d'une chose. L'essentiel de Mallarmé est le *pur*, le purifié, le résultat d'une distillation. Son essence est celle des droguistes et des pharmaciens, pas celle des métaphysiciens. En bonne doctrine mallarméenne, la question portant sur la littérature (Qu'est-ce ?) ne devrait pas être comprise dans le sens essentialiste : Quel est l'être essentiel de toute littérature ? Mais elle doit être prise dans un sens plus naturel à une doctrine poétique, à savoir : Qu'est-ce que la littérature pure ? Autrement dit : Que serait une littérature *purifiée* de tout élément non littéraire ?

On ne confondra pas l'art *pur* et l'art en quête d'une *présence essentielle*. Les questions de Mallarmé relatives, par exemple, à l'art de la peinture portent sur la possibilité d'une purification de la peinture. C'est une interrogation que Mallarmé a clairement exposée dans son article sur *le Jury de peinture pour 1874 et M. Manet* (*Œuvres complètes*, p. 695-700). Pourquoi Manet est-il jugé dangereux par l'Académie ? Parce que l'originalité de Manet est de subordonner la représentation aux *purs moyens* de l'art de peindre. Comme le dit Mallarmé du *Bal masqué à l'Opéra* :

> « Rien donc de désordonné et de scandaleux quant à la peinture, et qui veuille comme sortir de la toile : mais, au contraire, la noble tentative d'y faire tenir, par de purs moyens demandés à cet art, toute vision du monde contemporain. » (p. 698).

Ce qui est noble, c'est la volonté de soumettre une « vision du monde contemporain » aux conditions de la peinture. La peinture doit tenir dans la toile. Et c'est justement ce que les représentants de l'art officiel ont pu craindre :

> « La simplification apportée par un regard de voyant, tant il est positif ! à certains procédés de la peinture dont le tort principal est de voiler l'origine de cet art fait d'onguents et de couleurs, peut tenter les sots séduits par une apparence de facilité. » (p. 696).

Cela, c'est le danger du point de vue de l'*exécution* (que Mallarmé sépare des reproches que l'Académie fait à la *conception* des tableaux de Manet). Si les peintres allaient oublier les procédés de féérie par lesquels on change une toile maculée de couleurs en image précieuse ! Manet ne veut pas voiler l'origine matérielle de la peinture, ce qui lui attire le reproche de ne pas donner assez de *fini* à ses tableaux (« le tableau n'est pas assez poussé », p. 698). Cette proposition de Mallarmé est souvent invoquée par les critiques textualistes et romantiques, qui tirent l'*origine* du côté de l'*essence*. Ils veulent que ce qui se trouve à l'origine du tableau soit également constitutif de l'essence du tableau. Qu'est-ce au fond qu'un tableau ? C'est, disent-ils, une toile couverte de couleurs (ils omettent de préciser, avec Maurice Denis : « en un certain ordre assemblées »). Le support et les pigments sont les conditions sans lesquelles il n'y aurait pas de tableau. Les conditions de possibilité d'une chose définissent ce qui est essentiel à cette chose. C'est donc la cause matérielle du tableau qui en révèle l'essence.

Pourtant, Mallarmé est bien loin de confondre l'essence et la cause matérielle. Il est vrai que tous les tableaux du monde sont nés de l'acte de peindre (de même que tous les livres sont issus de l'acte d'écrire). Il ne s'ensuit pas que l'essence de la peinture soit donnée à saisir dans l'acte de peindre une toile (au sens où Foucault disait de l'essence littéraire qu'elle se laissait saisir dans l'acte singulier de déposer un mot sur une feuille de papier). La pensée de Mallarmé sur ce point est fort différente. J'ajouterai qu'elle est philosophiquement beaucoup plus intéressante. En effet, dans la suite de son article, Mallarmé pose la question de savoir qui, du jury ou du public, doit juger de la peinture. Or Mallarmé montre que la question ainsi posée est incomplète. Qui doit juger ? Encore faut-il préciser : *juger de quoi ?* Car il y a en fait deux décisions à prendre. On peut juger de l'*existence* du tableau : décision ontologique. Ou bien on peut juger de la *valeur* du tableau : décision esthétique. Selon Mallarmé, le jury de 1874 est sorti abusivement de ses attributions : il a frustré le public de l'un de ses droits, celui d'admirer et de railler les tableaux de Manet. Pour soutenir cette opinion, Mallarmé introduit une distinction capitale pour toute philosophie de la peinture (et plus généralement des arts) entre ce qui est *peinture* et ce qui est *tableau* :

> « Quel est, dans le double jugement rendu et par le jury et par le public sur la peinture de l'année, la tâche qui incombe au jury et celle qui relève de la foule ?
> Il résulte du seul fait de la mise en commun des talents notoires d'une époque, dont chacun possède nécessairement une originalité très différente, que l'accord susceptible entre eux porte non sur l'originalité, mais sur le talent même abstrait et exact, contenu dans l'œuvre à juger. (…) L'esprit dans lequel a été conçu un morceau d'art, rétrospectif ou moderne, et sa nature, succulente ou raréfiée, en un mot, tout ce qui touche aux instincts de la foule ou de la personne : c'est au public, qui paye en gloire et en billets, à décider si cela vaut son papier et ses paroles. Il est le maître à ce point, et peut exiger de voir

tout ce qu'il y a. Chargé par le vote indistinct des peintres de choisir entre les peintures présentées dans un cadre, ce qu'il existe véritablement de tableaux, pour nous les mettre sous les yeux, le jury n'a d'autre chose à dire que : ceci est un tableau, ou encore : voilà qui n'est point un tableau. Défense d'en cacher un : dès que certaines tendances, latentes jusqu'alors dans le public ont trouvé, chez un peintre, leur expression artistique, ou leur beauté, il faut que celui-là fasse connaissance de celui-ci ; et ne pas présenter l'un à l'autre est faire d'une maladresse un mensonge et une injustice. » (P. 699).

J'ai tenu à citer longuement cette page de Mallarmé parce qu'elle contient, je crois, toute la philosophie de l'art moderne dont nous avons ici besoin. Philosophie qui repose sur le principe d'une distinction, jadis inconnue, mais indispensable aux modernes que nous sommes, entre le point de vue de la poétique et le point de vue de l'esthétique. Mallarmé ne parle pas ici de la « poétique », mais il n'en isole pas moins la question portant sur la *facture* du tableau, ce qui revient au même (voir p. 697). Le point de vue de la facture (ou de la poétique) est celui qu'on adopte quand on doit décider de l'existence de quelque chose comme un tableau. Le point de vue de l'esthétique, celui des *instincts* ou des *tendances latentes* du public, correspond à l'assignation d'un prix *en gloire et en billets*. Dans une société démocratique, définie par le fait que le *public* y est la *foule* et non le *peuple*, les représentants de la profession des peintres ont le droit de trancher ontologiquement, mais doivent s'interdire toute appréciation esthétique.

Sur la différence entre « foule » et « peuple »

Mallarmé les distingue dans sa comparaison du *concert* et de la *messe* considérés comme des *offices*. La messe est un office religieux. Le concert manifeste une *religiosité* et pas seulement une esthétique. Certes, la foule qui compose le public du concert est « gardienne du mystère ! le sien ! » (« Plaisir sacré », p. 390). Mais ce public est une foule parce qu'il se compose de spectateurs ou d'amateurs et non de participants : en revanche, « la nef avec un peuple je ne parle pas d'assistants, bien d'élus (…). » (« De même », p. 396).

La poétique mallarméenne de la peinture ne pose nulle part la question : Quelle est l'essence de la peinture (ou du tableau) ? En revanche, elle nous apprend à séparer trois formes de description du même objet matériel, selon qu'on le considère : comme *peinture* appliquée à une toile, comme *tableau* ou comme *objet précieux*.

1. Qu'est-ce qu'une peinture ? (Notons bien que Mallarmé parle des « peintures présentées dans un cadre » et non de LA peinture.) A cette question il est possible de donner une réponse strictement physique, en termes purement matériels. C'est dire qu'on peut définir la peinture, indiquer comment elle doit en général se présenter. Cette définition pourrait être utilisée par un huissier rédigeant un inventaire ou par un déménageur proposant un devis. Ne disons pas que la description physique de la peinture s'en tient aux faits et fait abstraction des valeurs. La philosophie qui oppose les faits et les valeurs est trop courte. Car voici le point décisif : la description d'un objet comme peinture n'évite pas seulement le jugement esthétique, elle se tient délibérément en deçà de la décision ontologique relative à l'existence de tableaux parmi les peintures soumises au jury. Or toute peinture n'est pas un tableau.

(On peut transposer ces distinctions de la peinture à la littérature. Lorsque Proust abandonne le chantier du *Jean Santeuil*, n'est-ce pas parce que l'écrivain en lui reconnaît que tout ce *texte* ne fera jamais un *livre* ? Tout livre est un texte, mais tout texte n'est pas un livre.)

2. Qu'est-ce maintenant qu'un tableau ? Le point remarquable est que Mallarmé ne le dise pas. Il nous renvoie au jury des peintres. Autant dire qu'il n'y a pas de définition intéressante du tableau, que la sélection des tableaux parmi les peintures se fait sans définition. Les peintres savent reconnaître ce qui est tableau de ce qui ne l'est pas (sans qu'on puisse d'ailleurs exclure la possibilité, dans certains cas forcément rares, d'une controverse entre eux). La décision ontologique est prise sans qu'il soit nécessaire d'en expliciter les critères. Pour dire « ceci est un tableau », le jury n'a pas à confronter la peinture soumise à son jugement à une description du tableau archétypal ou à une formule des conditions de possiblité du tableau. Il y a un jury justement parce qu'il n'y a pas de critères généraux disponibles.

3. Dans l'institution moderne de la peinture, le public

apprend des peintres quels sont les tableaux actuellement présents dans le monde. Inversement, les peintres apprennent du public quelles sont les toiles promises à la gloire. Le public doit laisser la décision ontologique aux gens du métier, et les peintres la décision esthétique au public. La philosophie contemporaine, qui croit à un partage des faits et des valeurs, confond forcément le jugement « ceci est un tableau » et le jugement « ce tableau me dit quelque chose », à moins qu'elle ne réduise « ceci est un tableau » à « ceci est une peinture ». L'esthétique d'une telle philosophie reconnaît bien la différence entre des « peintures » et des « objets esthétiques », mais elle ne voit pas la raison d'être du jury. Elle tombe dans la même erreur que le jury de l'exposition de 1874, puisqu'elle se figure que le jury doit retenir les *meilleures des peintures*. Mais les tableaux véritables ne sont pas les peintures qui nous ont plu. Supposons un observateur intelligent et sensible venu de la planète Mars. S'il possède les organes des sens appropriés, il peut voir qu'il y a sur cette terre des peintures. Mais il ne peut pas savoir qu'il y a des tableaux. Cela ne l'empêche pas d'avoir une expérience esthétique relative à ces objets (comme nous pouvons nous-mêmes apprécier des peintures dont nous savons qu'elles ne sont pas des tableaux, par exemple certains peinturlurages d'enfants). Le spectateur *venu d'ailleurs*, entièrement étranger à la tradition qui soutient l'institution de la peinture comme art du tableau, peut bien visiter un grand musée : il y appréciera des « peintures présentées dans un cadre » et non des tableaux faits avec de la peinture.

Ontologie de l'œuvre d'art : ce jargon est le titre qu'on donne chez les philosophes à un examen des raisons qui permettent de choisir, par exemple entre les produits de l'activité de peindre, ceux de ces produits qui sont des tableaux. En quoi cet examen est-il ontologique ? En ce qu'il nous amène à expliquer ce que nous entendons par le prédicat « être un tableau ». Les propositions précédentes sont immédiatement généralisables aux arts comparables à la peinture, donc à la littérature. Comme la peinture, la littérature est un art individuel (du moins la « peinture de chevalet » telle que nous la connaissons). Le peintre et l'écrivain opèrent seuls. Le fait qu'il y ait une institution de la littérature conduit à distinguer les textes (suites de phrases écrites sur du papier), parmi les textes les livres (à propos desquels on peut parler de *facture*),

111

parmi les livres les « chefs-d'œuvre » ou « classiques » (les livres que le public a reconnus, en raison d'une connivence entre l'originalité de l'écrivain et « certaines tendances, latentes jusqu'alors »).

Mais, pour la plupart des philosophes, la question ontologique relative à l'œuvre d'art s'énonce : Quelle est l'essence originelle de toute œuvre d'art ? Comme si l'on devait se tourner vers un tableau ou un poème et pointer dans ces œuvres ce qui répond à une prétendue essence de l'œuvre d'art. Bien entendu, personne n'a jamais pu donner le signalement éidétique du tableau en soi. Quant à l'essence du livre, de *tout* livre, on remarque qu'elle est toujours décrite par défaut. Les ontologies essentialistes du livre sont toujours négatives, soit qu'elles disent l'essence du livre *présente* dans tous les livres (par un réalisme de l'*universale in rebus*), soit qu'elles la disent *présente en tant qu'absente*, c'est-à-dire rêvée, dans les livres effectivement écrits (en vertu cette fois d'un réalisme de l'*universale ante res*). Ce qui nous donne les deux écoles essentialistes :

1. école textualiste : l'essence est identifiée comme ce qui répond à une description *minimale* d'un livre indéterminé ; l'essence est ce sans quoi le livre ne serait pas un livre (réduction du *livre* au *texte*) ;

2. école romantique : l'essence est comprise comme ce qui répond à une description *maximale* d'un livre particulier qui reste à écrire ; l'essence du livre n'est vraiment présente que dans le *livre total* dont l'existence annulerait toute la littérature (assimilation des livres à des *textes* préparant un *chef-d'œuvre inconnu*).

La philosophie romantique annonce la fusion de l'art et de la philosophie sous le chef de la conscience de soi. C'est à coup sûr une thèse sur l'art moderne. Mais c'est tout autant une thèse sur la philosophie. On nous dit que l'œuvre moderne est devenue philosophique, non parce qu'elle équivaudrait à un traité de philosophie, mais parce qu'elle pose elle-même la question de sa propre essence. Ce qu'on entend alors par « philosophie », c'est manifestement la recherche des essences générales (ou *idées générales*). Le tableau moderne, paraît-il, serait moderne en ce qu'il interrogerait le lecteur : Suis-je encore un tableau alors que j'ai renoncé aux conventions de la tradition picturale (le fini, la perspective, l'anecdote, la figuration elle-même) ? De même, nous dit-on, la fiction moderne est essentiellement problématique et nous défie de répondre : Suis-je encore littérature, alors que je n'obéis plus aux conventions gouvernant l'intrigue, la vraisemblance, les personnages, la lisibilité, etc. ? Le livre moderne serait tout entier tourné vers l'*idée* du livre. Les philosophes qui parlent ainsi de l'art moderne ne doutent pas que la « question de l'essence » soit la plus sérieuse, la plus profonde, la plus exigeante des questions. L'essentiel est aussi le plus digne. Pourtant, nous voudrions être sûrs que cette question ait une place ailleurs que dans les traités de philosophie. Nous voudrions comprendre ce qui peut donner naissance à une question ontologique relative à l'art. Mais, chaque fois qu'on envisage une situation dans laquelle se pose en effet le problème ontologique (existe-t-il ici une œuvre d'art ?), on s'aperçoit que la réponse attendue n'est pas du tout la définition d'une essence générale ou d'une idée transcendante. Comment reconnaissons-nous qu'il y a des tableaux ? Nous n'appliquons pas un critère général. Nous n'invoquons aucune essence générale. Nous n'en avons pas moins un concept du tableau. Nous savons reconnaître les tableaux entre les peintures parce que nous appartenons nous-mêmes à un monde qui contient depuis longtemps des peintres pour peindre des tableaux, un public qui est prêt à payer pour les acquérir, des lieux d'exposition où les voir et les comparer, des écoles ou ateliers où s'initier aux techniques de la peinture. Nous avons un concept du tableau parce que nous venons d'une tradition qui cultive les arts. C'est en somme l'institution de la peinture qui répond à la question ontologique portant sur le tableau. Est un tableau ce qui possède la facture d'un tableau. Or le mot *facture* ne désigne pas une construction ou un ensemble de propriétés dont la présence dans une peinture justifierait le jugement ontologique : « Cette peinture est un tableau ». Le mot *facture* trouve son sens dans le vocabulaire des peintures et des critiques formalistes, dans ce que Mallarmé appelle l'*argot* des peintres. Tout tableau a une facture, mais tous les tableaux n'ont pas la même facture. Chacun a la sienne. C'est justement ce que le jury de 1874 a manqué à comprendre. Le peintre académique qui examine la toile de Manet n'a pas compris qu'il fallait juger séparément de la conception et de l'exécution. Il va se prononcer sur le tableau comme si Manet était un élève de son école et devait partager sa conception.

113

C'est pourquoi il va déguiser son rejet de la *conception* de Manet (de son « originalité très différente ») en condamnation de son *exécution*. Il dira : « le tableau n'est pas assez poussé » (comme si un Manet était un tableau académique *moins* le travail qu'il faudrait pour lui donner le « fini » convenable). A cela, Mallarmé répond :

> « Qu'est-ce qu'une œuvre ''pas assez poussée'' alors qu'il y a entre tous ses éléments un accord par quoi elle se tient et possède un charme facile à rompre par une touche ajoutée ? » (P. 698).

Mais alors, il n'y a pas de signalement général ou ontologique du tableau. La facture *de* tableau est toujours la facture de *ce* tableau. Elle correspond à ceci que l'œuvre, si elle existe comme tableau, *se tient* telle qu'elle est. Si on ajoutait une touche, elle deviendrait *autre chose*. Que deviendrait-elle ? Elle deviendrait un *autre tableau* si elle parvenait à un autre accord. Ou bien elle retomberait à l'état de simple peinture si le charme était rompu.

Nous concevons ce que c'est qu'un tableau parce que nous avons l'occasion de poser des questions telles que : Ce tableau est-il, tel qu'il est, assez « poussé » ? Est-il achevé ? Ce tableau peut-il être repris ? S'il est repris, est-ce le même tableau ? S'il est abîmé, peut-il être nettoyé ? Peut-on le restaurer ? Tout cela suggère que l'ontologie du tableau dont nous avons l'usage n'est pas une doctrine des essences, mais une doctrine des « critères d'identité » (pour parler comme les philosophies analytiques). La toile de Manet *les Hirondelles* serait-elle le même tableau si on lui ajoutait quoi que ce soit ? Elle serait à coup sûr la même peinture *plus* une addition. Mais le même tableau ? De façon générale, on pourrait dire que la facture d'un tableau est ce qu'on doit retrouver demain sur la toile (outre les composants matériels) pour que cette même toile, demain, soit le même tableau que celui dont nous reconnaissons l'existence aujourd'hui. Prise dans ce sens, la facture est plus qu'une simple forme. Elle est plutôt une forme individuée dans telle matière. Dans des arts plus intellectuels que la peinture (tels l'architecture ou l'art des jardins), on peut parfois conserver l'œuvre d'art tout en renouvelant périodiquement les matériaux de construction. Par exemple, la facture du temple japonais comporte qu'il soit construit en bois, mais n'interdit pas d'en remplacer les parties abîmées par des pièces de bois équivalentes, mais neuves. La facture de la plupart des tableaux paraît bien exiger que la matière utilisée par le peintre soit elle aussi conservée. Or la même toile peut être décrite comme peinture et comme tableau. Mais les critères d'identité de la peinture et du tableau ne coïncident pas toujours. Du point de vue des déplacements dans l'espace, le tableau et la peinture sont indiscernables. Chaque fois que le Louvre a prêté *la Joconde* à un pays étranger, il a fallu transporter la toile peinte qui constitue matériellement ce tableau. Du point de vue de la conservation dans le temps, les critères divergent. La même peinture, vieillie, noircie ou pâlie, est-elle toujours le même tableau ? Est-ce qu'on peut sauver le tableau en changeant la peinture ? (La réponse semble varier considérablement selon le type de peinture : restaurer une fresque, restaurer un panneau, restaurer un Rembrandt, restaurer une toile cubiste, restaurer un Pollock, etc.).

Que serait donc une philosophie des arts libérée des essences générales (c'est-à-dire du réalisme des universaux) ? Le point important n'est pas, bien sûr, le mot *essence* lui-même : c'est bien plutôt l'emploi que les philosophes font de ce mot. L'emploi pathologique se signale par les paradoxes qu'il engendre : le chef-d'œuvre absolu toujours à venir, le commentaire toujours interminable, le sens toujours différé, l'affirmation de soi toujours inséparable d'une annulation de toute chose, l'art authentique toujours plus dissocié de la fabrication des œuvres, etc. L'article de Mallarmé suggère que nos véritables questions au sujet de l'art sont plus spécifiques. Dans ces questions, le mot *essence* peut éventuellement figurer, mais ce sera pour introduire des questions telles que :

1. Quels sont les *moyens* propres à l'art considéré ?

2. Comment concevoir la *facture* propre à ce qui existe comme une œuvre de cet art ?

Ce détour par la poétique mallarméenne de la peinture nous a donc finalement donné la question poétique à poser devant l'œuvre littéraire. Cette question n'est pas : Quel est le livre exhibant dans son écriture l'essence de toute littérature ? Elle est plutôt : *Quels sont les moyens de la littérature ?* Depuis l'article de Kahnweiler sur « Mallarmé et la peinture », il est devenu courant de comparer la *libération de la poésie* chez

Mallarmé et la *libération de la peinture* chez les peintres, de Manet aux cubistes. Cette libération, la pensée romantique veut à toute force la comprendre comme une absolue position de soi au-delà de ce qui est. Il semble plus juste, pourtant, d'y trouver la volonté de purifier un art en le restreignant à ses *purs moyens*. Ce choix d'un art pur doit d'ailleurs être replacé dans le contexte de la concurrence des arts à l'âge de l'innovation technologique délibérée. Ainsi, c'est dans sa polémique contre l'expansion de la photographie que Baudelaire a prescrit le respect des moyens propres de chaque art (« Chercher à étonner par des moyens d'étonnement étrangers à l'art en question est la grande ressource des gens qui ne sont pas *naturellement* peintres. » *Le public moderne et la photographie*, *Œuvres*, p. 394). De même, ce que Kahnweiler a en tête lorsqu'il parle de la libération de la peinture chez Manet est une restriction :

> « Ce peintre innovait *en faisant de la peinture*. Je m'explique : chez lui, un blanc est un blanc *avant* d'être un linge. La joie de *peindre* l'emporte sur la joie d'*imiter*. Par là, Manet a beaucoup contribué à la *libération de la peinture* que nous avons vu opérer par des peintres qui, à sa suite, se sont souciés avant tout de dégager le caractère propre de leur art et de s'y conformer. » (*Confessions esthétiques*, p. 216).

(Kahnweiler pense peut-être ici au tableau de Manet *Les Anges au tombeau du Christ*, dont on a pu dire que c'était plus une nature morte qu'un tableau religieux : le grand linge blanc sur fond sombre y prend une importance qui est par là même soustraite au corps du Christ et aux deux anges.)

Mais, si la comparaison de Mallarmé et des peintres cubistes repose sur cette notion d'un art plus pur parce que *limité* à ses moyens propres, il devient inévitable de se demander ce que vaut l'idée si répandue d'une fusion de tous les genres dans l'unique Littérature ? L'art libéré, quel est-il ? Est-ce un art devenu « essentiel » par une illimitation ? Ou bien est-ce un art qui s'est purifié en se limitant ? Nous en arrivons ainsi à la question par laquelle devrait commencer toute philosophie de la littérature : Y a-t-il des *purs moyens* de la littérature ? A moins qu'on puisse indiquer quels sont ces purs moyens littéraires, la notion de littérature restera forcément celle d'une pluralité des genres littéraires. La critique textualiste veut que la littérature se fasse avec des mots écrits. Si l'écriture comme telle est le moyen de la littérature, il faudra en effet parler de littérature, et définir comme pure littérature celle qui s'en tient à l'écriture (la fameuse « écriture intransitive »). On retrouve la prémisse de la lecture romantique de la *Recherche*. Le roman est, lui aussi, un art du langage. Il n'y aurait donc aucune raison sérieuse de distinguer le roman et la poésie lyrique (à moins d'adopter le point de vue « impur » d'une fonction représentative des textes).

On cite souvent la réponse de Mallarmé à Degas : c'est avec des *mots*, pas avec des *idées*, qu'on fait un sonnet. L'art du sonnet est un art du langage. Mais tout écrit littéraire partage-t-il la condition de la parole isolée, c'est-à-dire du *vers* qui « de plusieurs vocables refait un mot total, neuf, étranger à la langue et comme incantatoire » (« Crise de vers », p. 368) ? C'était justement la thèse de Blanchot dans son article sur « Mallarmé et l'art du roman » (*Faux pas*). Il y déplorait un manque de rigueur chez la plupart des romanciers. Un roman plus artistique devrait, comme toute œuvre d'art, tenter d'abolir le hasard par la soumission la plus stricte à des règles purement linguistiques. Blanchot concluait, il est vrai, que ce roman plus essentiel était sans doute impossible. Mais, disait-il, « les livres ne valent que par le livre supérieur qu'ils nous permettent d'imaginer » (*op.cit.*, p. 220). Chose remarquable, ce n'est pas du tout l'avis de Mallarmé. Pour le poète, l'idée de réduire toute littérature à la condition du vers nous fait revenir à Victor Hugo, qui — parce qu'il était le vers en personne —, « dans sa tâche mystérieuse, rabattit toute la prose, philosophie, éloquence, histoire au vers » (« Crise de vers », p. 360). Mais Mallarmé n'oublie jamais que le poème dramatique se fait avec du *mythe* et le roman avec des *histoires* imitées de la vie :

> « Tenez que hors du récit fait à l'imitation de la vie confuse et vaste, il n'y a pas moyen de poser scéniquement une action, sauf à retrouver d'instinct et par élimination un de ces grands traits, ici non le moins pathétique, c'est l'éternel retour de l'exilé (...).
> Tant on n'échappe pas, sitôt entré dans l'art, sous quelque de ses cieux qu'il plaise de s'établir, à l'inéluctable Mythe (...). » (*Crayonné au théâtre*, p. 345).

PROUST

Quant à Proust, il a très simplement répondu à la question des
moyens de l'art qui était le sien. Une œuvre comme celle qu'il
écrit se fait, écrit-il, avec des « paperoles » (TR, III, p. 1034).
Sur ces *paperoles*, il note des « mots de conversation », des
« traits de caractère », des commentaires capitalissimes, des
regrets, des douleurs, bref, des *idées de roman*.

8. LE RÉGIME MODERNE DE L'ART

En quoi la *Recherche du temps perdu* est-elle une œuvre moderne ?

Ce que nous cherchons lorsque nous posons cette question, c'est un angle sous lequel comparer Proust et d'autres écrivains, d'autres artistes reconnus pour des modernes. L'interrogation : Qu'est-ce qu'une œuvre moderne ? ne serait pas intéressante si nous avions en tête de trouver quelque chose comme une pierre de touche du *moderne*, la formule de la modernité. Ainsi entendue, la question serait d'ailleurs irréelle. Car nous n'avons pas besoin d'une définition, ni d'un critère, pour reconnaître qu'une œuvre est moderne (au sens où la plupart d'entre nous ont besoin de critères pour être sûrs de ne pas confondre, par exemple, un chapiteau corinthien avec un chapiteau dorique). Mais notre question est plutôt : Qu'est-ce qu'une œuvre *typiquement* moderne ? Autrement dit : Pourquoi savons-nous immédiatement que telle ou telle œuvre, par exemple la *Recherche*, chef-d'œuvre incontesté d'un art moderne, n'est pas concevable à une autre époque que la nôtre ? Nous ne demandons pas qu'on nous précise un critère d'admission dans le club de l'art moderne : nous cherchons seulement à comprendre l'affinité de divers phénomènes tenus pour *modernes*, tels que la démocratie, le règne de l'innovation technique, le déclin de la religion publique, la « libération de la peinture », l'ésotérisme de la poésie, etc. (Mais que faut-il entendre par ces mots si souvent répétés : notre époque, l'époque moderne, la *modernité* ? Voir la note à la fin de ce chapitre.)

Les critiques textualistes ont le mérite de souligner les aspects

« typiquement modernes » de la *Recherche*. Sans doute leur interprétation de ces traits modernes n'est-elle pas très éclairante. Reste qu'il faut bien rendre compte de ces traits, à savoir : 1) la conscience d'un écart important entre le langage employé ordinairement et le langage tel qu'il est utilisé dans l'œuvre littéraire (de sorte que, même dans un roman, le souci du langage paraît l'emporter sur le souci du sujet) ; 2) le fait que l'œuvre comporte un essai d'« auto-contemplation », la tentative de raconter ce qui l'a rendu possible ; 3) la différence qu'il y a entre le livre dont l'écrivain nous parle (livre dont il n'est jamais question qu'au futur, comme *livre à venir*) et le livre que nous lisons. C'est en effet par des traits de ce genre que Proust nous paraît être le contemporain de Mallarmé, de Musil, de Joyce, etc.

Si nous cédions ici à la tentation essentialiste, nous irions de l'avant dans cette intégration de Proust à quelque chose comme la « modernité artistique » : Proust, le contemporain des romanciers modernes de la conscience introvertie, mais aussi du cubisme et de l'abstraction en peinture, de la dissonance en musique, leur contemporain du point de vue d'un style du XXᵉ siècle dont la formule reste à trouver. (On a essayé de nombreuses définitions, parmi lesquelles : l'autonomie de l'art, l'œuvre ouverte aux interprétations, la mosaïque non figurative, la négativité jamais satisfaite, etc.) Toutefois, nous nous souvenons que la comparaison doit se faire d'un artiste aux autres artistes, donc de Proust *romancier* à d'autres *romanciers* (et éventuellement des *peintres*, des *compositeurs*, etc.) Nous avons donc besoin de donner une transcription clairement romanesque des traits « typiquement modernes » qui viennent d'être relevés. Nous devons les retrouver dans la vie romanesque de Marcel, dans la vie d'un individu qui nous est présentée sous une forme romanesque. Ce qui veut dire : pas dans la vie intérieure de Marcel (celle qui est par définition fermée à autrui), ni dans sa seule vie intellectuelle (qu'on pourrait exprimer par des propositions théoriques), mais dans sa vie tout court, celle qu'il mène avec ses parents, ses amis, ses semblables. Nous devons nous intéresser moins aux *idées* de Marcel sur les églises, la peinture, la musique, la littérature qu'à tout cela — églises, tableaux, sonate, livres — en tant que Proust y trouve des *idées de roman*.

On sait que l'apprentissage du héros au cours du récit est à bien des égards une éducation aux arts et par les arts. Marcel lit des livres, visite des églises, assiste à des représentations théâtrales, écoute jouer de la musique. Proust, chaque fois qu'il le peut, s'arrange pour que ce soit la première fois : le premier roman, la première matinée théâtrale. Ce faisant, Marcel suit sagement dans son initiation l'ordre d'un sytème des beaux-arts. Comme l'a rappelé Anne Henry, Proust tire ici parti de ces systèmes inventés au XIXᵉ siècle par les professeurs de philosophie. Les commentateurs s'enchantent alors de trouver sous la plume autorisée de Proust toute une esthétique : non seulement une esthétique de la peinture ou de la musique, mais une esthétique générale. On admet que cette esthétique nous est livrée sous la forme d'un récit. Il est vrai que Proust a usé en tout ceci d'un procédé narratif assez simple (dont le côté didactique serait sans doute insupportable si les épisodes d'initiation esthétique n'étaient pas dispersés au long du récit d'ensemble). Ce procédé consiste à nous montrer Marcel avant sa découverte personnelle d'un art et Marcel après son expérience. *Avant*, Marcel ne sait rien de l'art qu'il désire tant connaître. Il en a entendu parler, en des termes toujours obscurs : la Berma dans *Phèdre* est « drame mycénien, symbole delphique, mythe solaire », l'église de Balbec est « une église presque persane ». Ne sachant pas ce qu'il doit voir, la tête encombrée d'une préconception naïvement tirée de la *lettre* des mots retenus, Marcel reste insensible, la première fois, à ce que l'œuvre avait à lui offrir. Dans la « collection de ses idées » préconçues, aucune ne correspond à l'« impression individuelle » que devrait lui procurer l'œuvre vraiment belle (CG, II, p. 49). *Après*, Marcel est devenu capable d'accueillir cette impression individuelle. Il a été opportunément déniaisé entre-temps par la vie ou par un mentor (Bergotte pour la Berma, Elstir pour Balbec). Il a appris à voir, à écouter, il est donc capable de discerner l'individualité de l'objet de son expérience esthétique.

Tout cela, c'est la leçon constante de Proust, professeur d'esthétique. Pour trouver l'*idée de roman*, nous devons peut-être aller plus loin. Lorsque Proust a choisi de nous montrer un personnage découvrant progressivement la réalité de l'Art, il a dû le *présenter* comme un personnage romanesque. Or cette présentation fait ressortir certaines particularités remarquables de l'éducation esthétique de Marcel. A y regarder de plus près, cette éducation est même des plus étranges.

De façon générale, l'éducation esthétique de Marcel répond à une « vocation » parce qu'elle vise à le rendre capable de ce pour quoi il est fait : accueillir et traduire une impression individuelle. Le moment où Marcel y parvient est le moment de la délivrance finale (ou *temps retrouvé*). Tout comme dans les doctrines antiques de sagesse, on retrouve dans la *Recherche* une « voie courte » et une « voie longue ». La *voie courte*, ou voie « mystique », est celle des *Mystères*, tandis que la *voie longue* est celle d'une pratique de la contemplation dans des méditations et des exercices (voir sur ce point l'article d'Edmond Ortigues, « Que veut dire *mystique* ? », p. 72). Les premiers lecteurs de Proust ont été frappés par la « voie courte » de la *Recherche*, c'est-à-dire par les réminiscences involontaires et par les illuminations. La délivrance se fait dans l'*instant* bienheureux, à l'occasion d'une sensation ressenti pour elle-même. En revanche, la « voie longue » de la *Recherche* est, comme chez les Anciens, « dialectique » : *elle prend du temps*. La purification de l'âme exige que le futur initié se soumette à des exercices de difficulté croissante, qu'il affronte des paradoxes et des contradictions dans différents ordres, et qu'il passe en somme par toutes les étapes d'une initiation, toutes les stations d'un itinéraire vers la Vérité, toutes les « figures de l'esprit ». Or c'est seulement à la fin que Marcel reçoit la faveur d'une illumination. Il semble donc que Proust fasse de la « voie courte » la récompense de ceux qui ont accepté de cheminer par la « voie longue ». Le passage par les différentes disciplines artistiques était nécessaire. Nous pouvons considérer les différents épisodes à thème esthétique du roman comme autant d'étapes sur le chemin que suit Marcel vers la délivrance. Or ces épisodes, si nous les comparons les uns aux autres comme les termes d'une série, racontent toujours la même histoire, une histoire dont voici le schéma : Marcel apprend qu'une authentique saisie esthétique passe par la mise en relief de la *partie* aux dépens du *tout*. Pour devenir un esthète accompli, Marcel doit être prêt à sacrifier le tout de l'œuvre ou du spectacle afin d'en mieux apprécier l'individualité. Celle ci ne brille que dans un *éclat individuel*.

Je commenterai ici les premières de ces scènes d'éducation esthétique.

I. *La lecture « infidèle » d'un roman de George Sand*
(CS, I, p. 41-42).

L'initiation aux arts commence dans le récit par la lecture des romans. A la suite du premier incident — le baiser maternel refusé, puis accordé — qui inaugure l'action du roman, la mère du narrateur lui fait la lecture dans sa chambre.

> « Maman s'assit à côté de mon lit ; elle avait pris *François le Champi* à qui sa couverture rougeâtre et son titre incompréhensible donnaient pour moi une personnalité distincte et un attrait mystérieux. Je n'avais jamais lu encore de vrais romans. J'avais entendu dire que George Sand était le type du romancier. Cela me disposait déjà à imaginer dans *François le Champi* quelque chose d'indéfinissable et de délicieux. » (CS, I, p. 41).

A cette époque, nous dit le narrateur, tout livre nouveau lui était comme une personne (« une personne unique, n'ayant de raison d'exister qu'en soi »). Selon le schème personnaliste qu'applique Marcel pour organiser son expérience, les êtres uniques, ce qui veut dire pour lui irremplaçables, sont des *personnes*, tandis que les êtres « interchangeables » sont des *choses*. (Il s'ensuit que les œuvres d'art sont des personnes et les jeunes filles aperçues en groupe des choses, ce qui ne va pas sans compliquer la vie du narrateur.) Or sa mère fait à Marcel une lecture édifiante. Elle saute toutes les scènes d'amour, ce qui rend l'histoire inintelligible. Tout le livre est alors chargé d'un « profond mystère » qui se fixe sur le nom *Champi*.

Le commentaire de Proust romancier est à chercher dans les raisons, très précisément expliquées, du paradoxe de tout cet épisode. A savoir, que le cadeau offert au narrateur pour sa fête — ce livre que sa mère lui lit — *doit être* un roman de George Sand plutôt qu'un livre d'enfant, et que ce même cadeau, étant une histoire d'amour, *ne peut pas* être lu à un enfant. Il faut donner un roman bien écrit plutôt qu'un livre compréhensible par un enfant : principe d'une distinction esthétique. Mais le cadeau ne doit surtout pas être utilisé.

Proust a distribué les facettes du côté maternel de la famille du héros en quatre figures. La figure centrale de l'éducation esthétique et morale de Marcel est sa grand-mère. Mais toutes les figures participent du même *idéalisme*. Les deux sœurs de la grand-mère, Céline et Flora, poussent l'idéalisme jusqu'à ne pas vouloir prendre connaissance des faits de la vie. Elles vivent dans une perpétuelle élévation de pensée. Elles ne sortent de leur distraction que si la conversation porte sur les « coopératives suédoises » ou l'art de tel grand acteur (CS, I, p. 25). Tout comme les Précieuses, elles préféreront toujours l'allusion délicate à la mention brutale d'un fait. Céline et Flora sont des personnages de comédie. Il n'en va pas de même pour la grand-mère et la mère, dont le narrateur parle toujours avec tendresse, même si c'est pour signaler, comme il le fait ici, le point faible de leur système d'éducation. La mère du narrateur reproduit la « nature ardemment idéaliste » de la grand-mère, mais tempérée par une certaine « sagesse pratique, réaliste comme on dirait aujourd'hui » (CS, I, p. 38). La grand-mère, elle, est dépourvue de tout sens pratique. Tout ce qu'elle tente d'organiser est promis à l'échec. Veut-elle envoyer Françoise en avance à Balbec, elle la met dans le mauvais train, de sorte que Françoise, au lieu d'avoir tout disposé pour leur arrivée, « filait à toute vitesse sur Nantes et se réveillerait peut-être à Bordeaux » (JF, I, p. 661). Dans la grande salle à manger de l'hôtel de Balbec, elle ne conçoit pas qu'on se prive du bon air de la mer : elle

> « ouvrit subrepticement un carreau et fit envoler du même coup, avec les menus, journaux, voiles et casquettes de toutes les personnes qui étaient en train de déjeuner ; elle-même, soutenue par le souffle céleste, restait calme et souriante comme Sainte Blandine, au milieu des invectives qui , augmentant mon impression d'isolement et de tristesse, réunissaient contre nous les touristes méprisants, dépeignés et furieux. » (JF, I, p. 675).

Pour la grand-mère, la plus haute valeur qui soit est la *distinction morale* (CS, I, P. 20), par quoi il faut comprendre des qualités personnelles telles que les bonnes manières, la délicatesse, la gentillesse, la sensibilité, etc. Ses principes idéalistes lui interdisent de faire un cadeau banal parce que *futile* (bonbons, pâtisseries, gâterie quelconque) ou même seulement *utile*. Le cadeau doit être *exemplaire*. (De même, lorsqu'il s'agit d'aller à Balbec pour les vacances, pas question pour elle d'y aller « tout bêtement » par le chemin le plus court : il faudrait que ce déplacement soit aussi un pélerinage littéraire sur les traces de la marquise de Sévigné ; ce que le père du narrateur, qui est l'incarnation familiale d'un robuste « réalisme », parvient à empêcher. Voir JF, I, p. 646)

L'éducation de Marcel lui inculque la notion d'une différence de catégorie entre les *objets matériels* (CS, I, p.146) et les objets dotés de *mérites esthétiques*, de *caractère artistique* (JF, I, p. 646). Les objets matériels sont interchangeables. Ils sont « bêtement » ce qu'ils sont, ne font pas en même temps allusion à autre chose, à quelque mystère voilé. Les objets matériels rendent des services, mais d'autres objets équivalents pourraient les remplacer : ils n'ont pas d'« essence particulière », de « personnalité distincte ».

En vertu de cette différence de principe, le cadeau fait à l'enfant sera un *livre illisible*. Proust enfonce son clou. Nous apprenons que la grand-mère avait d'abord choisi des livres encore moins indiqués pour un enfant (Musset, Rousseau, etc.). Le père du narrateur s'était interposé, « l'ayant presque traitée de folle » (CS, I, p. 39). Le résultat de cette éducation était prévisible. Le roman de George Sand, dans la lecture expurgée qu'en fait la mère, est incompréhensible *comme roman*, comme histoire racontée. Seuls brillent pour le narrateur le mystère du titre et le style sentimental de George Sand (ici soutenu par l'admirable voix maternelle). Ainsi, le roman est goûté non comme *sujet*, mais comme *style* : non comme récit d'une histoire, mais comme doux langage. Le narrateur indique plusieurs fois dans le récit qu'il faut être prêt à ruiner sa santé et sa vie pour l'Art. Ici, nous apprenons qu'il faut être prêt à sacrifier plus encore : le sens. S'il le faut, on renoncera jusqu'au sens du roman pour ne pas perdre le beau langage, la qualité littéraire. Le résultat de cette lecture expurgée est que *François le Champi* finit par acquérir — mais pour le seul Marcel, il est vrai — une valeur extraordinaire. Ce livre est unique, au moins dans la version maternelle. Car le roman qui porte ordinairement ce nom n'est quant à lui, qu'un simple « roman berrichon » (TR, III, p. 883).

Ainsi, la présentation romanesque de Proust signale le point faible de l'éducation du narrateur par ses mères. Le narrateur concède que la « distinction morale » est supérieure à tout dans la vie : pas de personnes plus admirables que sa mère et sa grand-mère. Pourtant, la littérature distinguée n'est pas la plus haute. George Sand n'est pas le « type du romancier ». Il faudra que Dostoïevski remplace la romancière berrichonne. La distinction morale, qui exige les coupures dans ce livre « bien écrit », ne sert à rien dans l'*intelligence de la vie*. Elle ne permet pas d'en discerner les vérités et les lois. Pour comprendre la vie, il faut lire tout le roman, y compris les scènes d'amour. Et il faut aussi lire, de préférence, d'autres romans, des récits plus forts, même s'ils sont moins « distingués » (c'est la querelle du narrateur et de sa mère, abondamment développée dans le *Contre Sainte-Beuve*, autour de Balzac), même si la plus haute valeur de leur univers n'est pas la pureté morale des intentions (Dostoïevski). Le monde vu dans la perspective morale (dans la perspective de la seule morale que reconnaisse Proust, la morale de l'attention à autrui) est un monde chaotique, décousu, lacunaire, incompréhensible. Pour atteindre l'*art du roman*, il faudra surmonter l'esthétique de type maternel, qu'on pourrait peut-être définir ainsi : le Beau est ce qui reste quand on a réussi à éliminer les parties choquantes du spectacle de la vie.

II. *La lecture morcelée des œuvres de Bergotte*
(CS, I, p. 94-95).

Lorsque Marcel est assez avancé pour lire par lui-même des livres de Bergotte, il pratique la même lecture discontinue dont la première scène de lecture a fixé le modèle. Ayant découvert ces livres qui lui ont été signalés par son camarade Bloch, lui-même averti par son « oracle » Leconte de Lisle, Marcel s'empresse d'isoler les passages qui lui semblent beaux. Désormais, les meilleures pages de Bergotte vaudront pour Bergotte. Ce sont, conformément à l'esprit de la poétique moderne depuis Edgar Poe, des morceaux relativement courts qu'il est possible de traiter comme des fragments indépendants. Autrement dit, des fragments qui, loin de souffrir d'avoir été détachés ou d'avoir perdu leur contexte, brillent de leur plus bel éclat dans cet état de morcellement. On retrouve alors la séparation du *sujet* et du *style*, du sens et du langage. Voici l'expérience de lecture que fait Marcel :

« Les premiers jours, comme un air de musique dont on raffolera, mais qu'on ne distingue pas encore, ce que je devais tant aimer dans son style ne m'apparut pas. Je ne pouvais pas quitter le roman que je lisais de lui, *mais je me croyais seulement intéressé par le sujet* (...). Puis je remarquais les expressions rares, presque archaïques, qu'il aimait employer à certains moments où un flot caché d'harmonie, un prélude intérieur soulevait son style (...). » (CS, I, p. 94 ; je souligne).

On remarque l'allusion à l'audition de la musique, laquelle se pratique chez Proust de la même façon : on isole dans la pièce musicale un morceau de choix. Pour Swann, la Sonate de Vinteuil est tout entière concentrée dans la *petite phrase*. Pourquoi la petite phrase ? Parce que c'est elle qui porte, par son *charme individuel*, tout le mérite esthétique de la Sonate. La phrase est individuelle ou unique. Elle est donc, en bonne logique proustienne, une sorte de personne, à l'égard de laquelle on peut éprouver des sentiments personnels d'amour et de gratitude.

> « Et elle [= la phrase de la sonate] était si particulière, elle avait un charme si individuel et qu'aucun autre n'aurait pu remplacer, que ce fut pour Swann comme s'il eût rencontré dans un salon ami une personne qu'il avait admirée dans la rue et désespérait de jamais retrouver. » (CS, I, p. 211-212).

Bientôt, la lecture de Bergotte par Marcel s'organise en récitation de morceaux choisis. Le principe du choix est d'isoler dans Bergotte ce qui est *du* Bergotte, ce qui est caractéristique du style individuel de Bergotte.

> « Un de ces passages de Bergotte, le troisième ou le quatrième que j'eusse isolé du reste, me donna une joie incomparable à celle que j'avais éprouvée au premier (...). C'est que (...) je n'eus plus l'impression d'être en présence d'un morceau particulier d'un certain livre de Bergotte, traçant à la surface de ma pensée une figure purement linéaire, mais plutôt du ''morceau idéal'' de Bergotte commun à tous ses livres et auquel tous les passages analogues qui venaient se confondre avec lui auraient donné une sorte d'épaisseur, de volume, dont mon esprit semblait agrandi. » (CS, I, p. 94).

Et Marcel préfère, nous dit-il, les moments où Bergotte *interrompt le récit* pour laisser échapper quelque parole inspirée : « une invocation, une apostrophe, une longue prière ».

« Ces morceaux auxquels il se complaisait étaient nos morceaux préférés. Pour moi, je les savais par cœur. J'étais déçu quand il reprenait le fil de son récit. » (CS, I, p. 95).

Comment interpréter cette manière de lire qui brise l'œuvre pour jouir de certains de ses fragments ? Voilà qui atteste en effet une poétique bien moderne. Or la présentation romanesque de ce mode si particulier de lecture suffit ici à nous donner l'interprétation du romancier. L'indifférence pour le sujet des romans de Bergotte, l'attention passionnée portée aux accents individuels de son style, tout cela traduit une *aliénation* momentanée de Marcel. Ces journées de lecture montrent que Marcel vit et pense *par* Bergotte et *en* Bergotte. Bergotte est la littérature en personne. Tout ce qu'écrit Marcel, parce que c'est seulement de Marcel, est sans valeur. (On voit à quel point le fait que Marcel n'écrive pas pendant les années du temps perdu signifie : il n'écrit rien de satisfaisant.) L'explication qu'en donne le narrateur est la suivante : il pense trop au sujet et pas assez à la qualité littéraire. Mais, de temps à autre, une phrase *de lui* se retrouve dans Bergotte. Il lui est alors permis d'en jouir comme d'une phrase littéraire, d'une phrase écrite. C'est le cas de dire : il aime ce qu'il écrit *en* Bergotte.

« Même plus tard, quand je commençai de composer un livre, certaines phrases dont la qualité ne suffit pas pour me décider à le continuer, j'en retrouvais l'équivalent dans Bergotte. Mais ce n'était qu'alors, quand je les lisais dans son œuvre, que je pouvais en jouir ; quand c'est moi qui les composais, préoccupé qu'elles reflétassent exactement ce que j'apercevais dans ma pensée, craignant de ne pas "faire ressemblant", j'avais bien le temps de me demander si ce que j'écrivais était agréable ! » (CS, I, p. 96).

Ici, on ne peut s'empêcher de se demander si Proust ne livre pas la clé des relations littéraires lorsqu'il parle de *faire ressemblant*. A première vue, il ne fait que reprendre la bonne vieille antithèse romantique : d'un côté, ceux qui écrivent pour *imiter* la nature et la reproduire fidèlement, de l'autre, ceux qui ont compris la vocation de l'art à l'autonomie et qui sont seulement occupés à *créer*. Oui, mais à quoi les phrases de Marcel doivent-elles ressembler ? Quel est le modèle auquel elles doivent s'ajuster ? Ces phrases doivent *refléter ce que j'apercevais dans ma pensée.* Or qu'aperçoit-il dans sa pensée, sinon Bergotte ? A cette époque, il s'agit pour lui, comme il le dit, de « vivre uniquement par la pensée de Bergotte » (CS, I, p. 97). Il est donc légitime de comprendre : craignant de ne pas « faire ressemblant », de ne pas écrire comme Bergotte.

Le paradoxe est maintenant complet. Le style de Bergotte s'est imposé de toute sa force au narrateur parce que c'est un style individuel, original, fait d'expressions rares propres à Bergotte et d'un certain accent de sa « voix » littéraire. Pourtant, le but que se fixe hardiment Marcel (ou plutôt qu'il reçoit sans sourciller des livres qu'il lit) n'est autre chose que ceci : *être original comme Bergotte.* La sanction qui frappe celui qui s'est laissé prendre à un tel paradoxe est l'impuissance à écrire. Sous-entendu : à écrire autre chose que du Bergotte. Mais est-ce la faute du narrateur s'il s'est mis dans un aussi mauvais pas ? Pas du tout ! Il ne peut en être autrement : Bergotte est *l'écrivain,* le maître incontesté de l'art d'écrire. Écrire aujourd'hui, c'est écrire du Bergotte. Mais le goût littéraire d'aujourd'hui exige que le style soit individuel. Bergotte est le maître d'un style original qui ne vaut que pour lui. C'est pourquoi écrire comme Bergotte n'est pas réussir à devenir un écrivain (alors que courir aussi vite qu'un champion de la course à pied, ce serait être devenu un champion soi-même). Ecrire comme Bergotte est *singer* Bergotte. C'est écrire du Bergotte, alors que Bergotte, puisqu'il est souverainement original, écrit sans penser à Bergotte.

> « (...) Quand on lisait une page de Bergotte, elle n'était jamais ce qu'aurait écrit n'importe lequel de ces plats imitateurs qui pourtant, dans le journal et dans le livre, ornaient leur prose de tant d'images et de pensées "à la Bergotte" (...). Il en est ainsi pour tous les grands écrivains, la beauté de leurs phrases est imprévisible, (...) elle est création puisqu'elle s'applique à un objet extérieur auxquels ils pensent — et non à soi — et qu'ils n'ont pas encore exprimé. » (JF, I, p. 550-551),

Voilà qui confirme l'interprétation de « faire ressemblant » proposée ci-dessus. En réalité, c'est le grand écrivain qui, sûr de sa force littéraire, ne pense qu'au sujet qu'il s'est donné (à l'« objet extérieur »), et c'est l'apprenti ou le plat imitateur qui, anxieux de « bien écrire », ne pense qu'à orner ses phrases.

Bergotte n'écrit pas du Bergotte. Ou plutôt, il en vient à produire du Bergotte le jour où ses forces l'abandonnent. S'il s'imitait lui-même, il ne serait qu'un habile ouvrier et non un artiste. Son style serait « technique » et non « vision ». Le doute saisit d'ailleurs le narrateur lorsqu'il voit Bergotte, dans le salon Swann, plus préoccupé de mondanités que de littérature.

> « Son œuvre ne me semblait plus aussi inévitable. Et alors je me demandais si l'originalité prouve vraiment que les grands écrivains soient des dieux régnant chacun dans un royaume qui n'est qu'à lui, ou bien s'il n'y a pas dans tout cela un peu de feinte, si les différences entre les œuvres ne seraient pas le résultat du travail, plutôt que de l'expression d'une différence radicale d'essence entre les diverses personnalités. » (JF, I, p. 549).

Qui parle ici ? C'est Proust lecteur de Leibniz, appliquant la monadologie aux monades artistes (et, semble-t-il, seulement à ces monades capables de s'exprimer). Il n'y a pas deux artistes semblables dans la nature. La beauté d'une œuvre est l'expression, dans un style, d'une « différence radicale d'essence » entre une personnalité et toutes les autres. Ce genre de texte confirme la lecture « romantique » ou mieux, « symboliste », de Proust, cette lecture qui veut que le but d'un véritable écrivain soit de *s'écrire soi-même* (comme dit R. de Gourmont). Le récit romanesque, quant à lui, nous donne une autre explication. Cette explication a le mérite d'expliquer clairement ce que les déclarations « symbolistes » de Proust indiquent obscurément. Le symbolisme littéraire n'a d'yeux que pour l'artiste en rapport avec soi-même, préoccupé de son *moi*. L'artiste se laissera-t-il influencer par les autres ou bien aura-t-il la force de s'exprimer authentiquement ? Il n'y aurait donc en jeu qu'une relation de l'artiste à l'artiste lui-même. Or le roman donne la priorité au jeu des personnages. Dire que Marcel se cherche lui-même veut dire qu'il doit vaincre sa fascination pour Bergotte, fascination sans laquelle il n'aurait d'ailleurs ni le désir, ni en fin de compte les ressources pour être un jour un écrivain. Pour être un écrivain, Marcel ne peut pas éviter de se mesurer au génie littéraire de sa génération. Les phrases de Marcel doivent d'abord être confirmées et comme authentifiées par Bergotte.

Sa vocation d'écrivain impose à Marcel d'entrer dans une sorte de *concours général* des talents littéraires. Un prétendant à la qualité d'écrivain doit prouver, non pas seulement qu'il peut *égaler* les maîtres (tel un apprenti réalisant son *chef-d'œuvre* parmi ses compagnons), mais qu'il peut trouver un style individuel d'expression dans un art dont les moyens restent fixés par la tradition. Le prétendant au titre d'écrivain ne peut s'appuyer sur rien. Il ne peut revendiquer les modèles anciens, ni puiser à des sources publiques d'inspiration. La règle du jeu est d'éviter soigneusement les choses que tout le monde pourrait dire. Reste alors à trouver en soi-même, au fond de sa propre sensibilité, les forces de l'écriture. Le sujet qui permettra au narrateur d'être écrivain est sa propre vie. Le livre qu'il devait écrire est déjà imprimé en lui.

A l'époque moderne, un grand écrivain donne à ses admirateurs l'impression qu'il s'est approprié la totalité des moyens de son art. Il a tout fait, il a tout essayé, il a tout exploré, il a poussé son art jusqu'aux limites. C'est pourquoi, *dans le roman*, Marcel a le choix entre deux carrières : l'une, mondaine, où Bergotte sera son allié et son patron ; l'autre, littéraire, où Bergotte lui est un *modèle à surmonter*, donc un rival en même temps qu'un exemple. Si Marcel veut progresser dans les salons, il peut se réclamer de Bergotte. L'écrivain fait la loi dans le salon d'Odette, il suscite la curiosité de la duchesse de Guermantes : il est un atout important dans le jeu de Marcel (et plus sûr que Charlus, plus prestigieux que Norpois). A d'autres époques, l'amitié de Bergotte aurait aussi facilité les progrès littéraires du narrateur. Il était alors possible d'apprendre auprès d'un maître les secrets de l'art. Aujourd'hui, il faut choisir. Plus Marcel voit dans Bergotte un écrivain exemplaire, plus il souffre de sentir que Bergotte accapare pour faire entendre sa propre musique l'ensemble des moyens de l'art d'écrire. On retrouve ici l'*effet mimétique* analysé par René Girard dans *Mensonge romantique et vérité romanesque*. Il y a bien, entre Marcel et Bergotte, une relation de disciple à maître, à un maître moderne réunissant dans sa personne les deux rôles opposés du *modèle* et de l'*obstacle*. L'institution littéraire moderne, et plus généralement les institutions des arts, forment un terrain propice aux phénomènes de « médiation interne ». L'apprenti-écrivain ne cherche pas ses modèles chez de lointains classiques (médiation

« externe »), mais dans sa propre société (médiation « interne »). Le maître qui indique au disciple ce qu'il faut faire n'est pas un sage dépositaire des secrets traditionnels. Ce maître est un individu qui jouit des privilèges de l'aîné. Il n'a d'autre légitimité que d'avoir réussi dans une entreprise personnelle qui fait rêver toute une génération.

Le remède proustien aux effets pathologiques de la relation mimétique est, on le sait, le *pastiche*. Au moment de la plus grande paralysie, l'apprenti voudrait bien être soi, mais n'arrive qu'à faire du Bergotte. Pour retrouver la liberté de ses mouvements, qu'il renonce à être soi et qu'il fasse, délibérément, du Bergotte. Le pastiche permet d'expulser le modèle obsédant. Qu'est-ce qu'écrire un pastiche, sinon présenter un *texte de soi* qui n'est absolument pas une *œuvre de soi* ? Le redoublement de l'imitation, jusqu'à la copie caricaturale, est ce qui libère de l'imitation. (Je ne dirais pourtant pas, comme le fait René Girard, que la « médiation interne » tende à gouverner *toutes* les relations entre les personnages de la *Recherche*. Si la relation de Marcel à Bergotte offre un exemple indiscutable de « médiation interne », c'est parce qu'il y a cette circonstance propre à la culture moderne : qu'une tâche soit assignée à celui qui veut « écrire » ou « peindre », celle de l'originalité. Autrement dit, il y aura réussite ou échec sans qu'il y ait des critères impersonnels de ce qui vaut pour une réussite. Bergotte n'est pas un artiste qui fait mieux ce que d'autres font moins bien, à savoir : de la littérature. *Bergotte est quelqu'un qui définit provisoirement la littérature comme le style de Bergotte.* De sorte que Marcel, lorsqu'il s'est appliqué à écrire une phrase « littéraire », ne peut pas dire si c'est du Bergotte ou du Marcel. Pour qu'il y ait « médiation interne », il faut donc qu'en un ordre donné d'activité le groupe ait cessé de contrôler le style, la façon dont les choses doivent être faites pour mériter les éloges du public.)

On peut alors résumer le sens romanesque de cet épisode de la façon que voici : dans ce récit, Marcel est menacé de paralysie dans ce qui lui tient le plus à cœur parce qu'il s'est senti une vocation d'écrivain à une époque où l'« existence littéraire » (P, III, p. 78) comporte une condition imposée, celle de l'*originalité*. Marcel, s'il veut être écrivain, doit faire la preuve de son originalité individuelle sur un terrain délimité par des maîtres qu'il s'agit d'égaler et de déloger. A l'époque moderne, la littérature a cessé d'être un art *collectif* dont les écrivains individuels pourraient se donner pour les interprètes. Sans doute Proust cherche-t-il parfois à entretenir la fiction d'un Poète unique (voir *Contre Sainte-Beuve*, p. 262) ou d'un unique intellect agent dont nous serions tous les « co-locataires » (JF, I, p. 568). Ce sont d'aimables idéalisations. En réalité, on attend aujourd'hui d'un écrivain qu'il s'approprie la totalité de son art.

III. *L'amour du théâtre* (CS, I, p. 73-75).

A cette époque, raconte le narrateur, j'avais l'amour du théâtre. Cette époque est celle où, enfant, il n'a jamais mis les pieds dans un théâtre et se représente mal les plaisirs qu'on y goûte. (Son oncle Adolphe, lui, fréquente non seulement les théâtres, mais les actrices et même les cocottes. Mais le jeune Marcel parvient à maintenir une cloison étanche entre son « amour platonique » du théâtre, amour purement esthétique, et un intérêt plus troublant pour les amies de son oncle.)

« Toutes mes conversations avec mes camarades portaient sur ces acteurs dont l'art, bien qu'il me fût encore inconnu, était la première forme, entre toutes celles qu'il revêt, sous laquelle se laissait pressentir par moi, l'Art. Entre la manière que l'un ou l'autre avait de débiter, de nuancer une tirade, les différences les plus minimes me semblaient avoir une importance incalculable. Et, d'après ce qu'on m'avait dit d'eux, je les classais par ordre de talent, dans des listes que je me récitais toute la journée, et qui avaient fini par durcir dans mon cerveau et par le gêner de leur inamovibilité. » (CS, I, p. 74).

La première question qui nous vient à la lecture de cette page : pourquoi le théâtre, et non la poésie, ce qui serait un objet d'attention passionnée plus vraisemblable pour des lycéens de cette époque ? Oui, mais le théâtre est une idée de roman plus puissante. D'abord, on le constate, Marcel ne s'occupe nullement de la littérature théâtrale. L'art qui le fascine est un art d'interprétation. A l'époque, le théâtre est le royaume des « monstres sacrés ». A la page suivante, Proust cite Sarah Bernhardt. Or le narrateur ne cesse de se livrer à une comparaison des talents. Son amour du théâtre s'exprime dans un classement maniaque. Un amateur de théâtre doit connaître tous les noms des acteurs qui « comptent », qui « existent ». Il doit être capable d'expliquer jusqu'à la dernière différence ce qui distingue la manière de l'un de la manière de l'autre. Enfin, l'amateur doit rendre un jugement esthétique, c'est-à-dire distribuer des prix : A qui la première place ? La seconde place ? la troisième, etc. (*Nota bene* : Dans les manuels d'esthétique, le jugement esthétique consiste à dire devant une œuvre d'art ou un spectacle : « Ceci est beau ». Proust voit plus juste quand il comprend l'*évaluation* comme une *comparaison des valeurs* : « Ceci vaut mieux que cela, ceci est plus précieux que cela ».) Le jeune fanatique qu'est Marcel ne se laisse fléchir par aucune considération accessoire lorsqu'il s'agit de rendre les résultats de ce concours général des talents d'interprétation théâtrale. Pas question d'envisager qu'un acteur pourrait être meilleur dans un certain type de rôle ou de pièce et moins bon dans d'autres. D'ailleurs — c'est l'addition comique qui fait rarement défaut chez Proust —, Marcel n'a jamais vu une seule pièce de théâtre et se saurait pas distinguer le Boulevard, la Comédie-Française, l'Opéra-Comique, etc. Ainsi, on peut être un critique de théâtre accompli sans savoir jamais vu une seule représentation. Il suffit que d'autres aient été au théâtre et vous en parlent. Lorsque Marcel sera enfin autorisé à aller voir le spectacle que donne la Berma, il appliquera scrupuleusement cette esthétique du théâtre. D'abord, il n'ira pas voir une pièce (un spectacle collectif), mais la Berma dans *Phèdre* (une actrice individuelle). Il en résulte aussitôt une fragmentation de la tragédie. La première fois, la Berma se produit dans les actes II et IV de *Phèdre*. La deuxième fois, elle en donne un acte seulement. Ensuite, Marcel n'accorde aucune attention à l'unité d'un drame représenté par une troupe d'acteurs. Pour lui, les acteurs ne jouent pas ensemble, chacun assumant l'un des rôles de l'action dramatique. Les acteurs sont plutôt comme des candidats au Concours du Conservatoire dont chacun est prié de briller pour son propre compte dans une tirade. Dans une représentation théâtrale telle qu'il la conçoit, il n'y a pas d'action collective, mais au contraire une appropriation individuelle de toute la pièce par un monstre sacré. La Berma a du génie parce qu'elle réussit à devenir, non pas seulement le personnage de Phèdre, mais *Phèdre*, la tragédie elle-même. Lorsque Marcel voit la Berma pour la seconde fois, il comprend qu'elle a su absorber en elle l'œuvre de Racine.

« Je compris alors que l'œuvre de l'écrivain n'était pour la tragédienne qu'une matière, à peu près indifférente en soi-même, pour la création de son chef-d'œuvre d'interprétation (…). » (CG, II, p. 51).

Le sens romanesque de l'épisode paraît donc assez clair. Pourquoi le théâtre et non la poésie, alors qu'il serait plus facile à des lycéens de réciter des poèmes que de parler d'actrices qu'ils n'ont pas vues ? C'est que, justement, ils ne les ont pas vues. Les conditions d'un amour platonique sont réunies. Le théâtre est plus difficile d'accès. Ce qui se passe dans le théâtre est empreint de mystère. La séparation de la manière de jouer et du jeu n'empêche pas d'aimer le théâtre. Proust ne pouvait pas aller plus loin dans la distinction du *style* et du *sujet*. Marcel sait tout sur la manière dont l'actrice récite une tirade sans avoir la moindre idée de ce qu'elle joue.

Après avoir vu la Berma à la soirée de gala donnée à l'Opéra, Marcel est ravi et nous livre son jugement esthétique dans des termes dignes d'être remarqués :

« Sans chercher à approfondir la joie que je venais d'éprouver et dont j'aurais peut-être pu faire un plus fécond usage, je me disais comme autrefois certain de mes camarades de collège : ''C'est vraiment la Berma que je mets en premier'', tout en sentant confusément que le génie de la Berma n'était peut-être pas traduit très exactement par cette affirmation de ma préférence et de cette place de ''première'' décernée, quelque calme d'ailleurs qu'elles m'apportassent. » (CG, II, p. 52).

Cette précision comique n'est-elle pas le commentaire romanesque que donne Proust de son esthétique théâtrale ? Cette esthétique, et sans doute toute esthétique, suit la même logique de l'ordre que le classement scolaire. On sait combien les Français sont attachés à l'institution scolaire en tant qu'elle incarne un idéal de justice distributive. Les individualités sont classées par rang. Le meilleur a le premier rang, le meilleur après le meilleur est classé second, etc. Proust suggère ici que la critique d'art applique sous une forme délicate et subtile une technique d'évaluation que le jeune Marcel utilise naïvement. Du même coup, Proust nous livre le secret de ce qu'il appelle lui-même la « hiérarchie des valeurs » dans la société où se forme le narrateur. Par *hiérarchie des valeurs*, il faut entendre un ordre assigné à des critères de jugement en vue d'un classement par rangs des individus. L'école fournit un modèle familier de cette technique de classement dans laquelle il est permis de chercher l'*esprit* de nos institutions. La « hiérarchie des valeurs » est ce qui explique que les « forts en thème » ou les « forts en mathématiques » soient mieux classés que les « forts en gymnastique ». Bien entendu, ce mode d'évaluation peut jouer n'importe où. Partout où il y a lieu d'évaluer des individualités ou de sélectionner les meilleurs éléments, on appliquera une « hiérarchie des valeurs ». Ainsi, l'admission dans le salon de la duchesse de Guermantes s'obtient par une procédure comparable. Marcel découvre un jour avec surprise qu'Oriane trouve Bergotte *plus spirituel* que M. de Bréauté. Si seulement il l'avait su plus tôt ! C'est là un « jugement subversif » de la part d'Oriane, qui dessine « les premiers linéaments de la hiérarchie des valeurs telle que l'établira la génération suivante au lieu de s'en tenir éternellement à l'ancienne » (CG, II, p. 212). Comment ce jugement est-il obtenu ? Bergottte, étant un artiste moderne, présente maintes « particularités ». La duchesse de Guermantes note par exemple qu'il a omis de dire « Monseigneur » à une altesse. Dans un vide social, les singularités d'un individu seraient justement cela, de simples particularités. C'est ainsi que s'exprime d'ailleurs l'individu imbu d'une idéologie moderne, par exemple « symboliste » : Je veux seulement être moi-même, j'ai le droit de déployer mes singularités dans un style individuel. Mais, dans un *milieu* social qui obéit à la logique du classement individuel, les particularités ne peuvent rester de simples particularités. Elles donnent lieu à une évaluation. Ce qui surprend Marcel est qu'Oriane ne compte pas les particularités de Bergotte parmi ses *défauts*, mais parmi ses *mérites*. Elle ne lui reproche pas, comme il s'y serait attendu, une *excentricité*. Elle fait l'éloge de son *originalité* (une originalité qu'elle comprend bien sûr de façon étrange, en dame du Faubourg Saint-Germain).

En vertu de cette compréhension de la *valeur humaine* comme valeur individuelle, les amateurs proustiens de l'Art ne peuvent évaluer que des performances individuelles. Ils n'ont pas d'yeux ni d'oreilles pour la force d'un spectacle considéré comme une action collective. Le seul ordre qu'ils connaissent est un ordre entre des individus distingués par leurs mérites.

Telle est la raison dernière de la nécessité où ils sont de fragmenter l'œuvre (le tout) pour apprécier l'individualité de ses fragments (les éléments). Ici s'opposent deux concepts d'ordre qu'on pourra dire, en reprenant ces concepts tels que les a redéfinis Louis Dumont, *individualiste* et *holiste*. Dans un ordre holiste des rangs, le classement n'est pas appliqué à des individus humains, mais à des fonctions définies dans un tout. Soit le cas du théâtre : il y aura dans une pièce des rôles majeurs et des rôles mineurs, mais la représentation exige que tous les rôles soient assignés à des acteurs. Tous les rôles sont nécessaires dans la pièce, chacun d'eux est justifié à sa place. La différence de valeur entre le premier rôle (par exemple, celui de Phèdre) et un rôle mineur (celui de la suivante) ne vient pas de ce que l'un réussit là où l'autre échoue. La différence des rangs s'explique par l'économie générale du tout, ici du drame, économie en vertu de laquelle il faut qu'il y ait une reine, un prince, une suivante, etc. Si on considère qu'une œuvre d'art doit présenter un ordre de type holiste, on cherchera à justifier la présence de *tous* les détails par leur contribution à l'effet d'ensemble. Des parties qui seraient jugées inférieures ou défectueuses si on les considérait isolément seront alors justifiées par la théodicée de l'œuvre. (C'est ainsi, par exemple, que Baudelaire raisonne à propos de Delacroix dans ce texte : « Un tableau est une machine dont tous les systèmes sont intelligibles pour un œil exercé ; où tout a sa raison d'être, si le tableau est bon ; où un ton est toujours destiné à en faire valoir un autre ; où une faute occasionnelle de dessin est quelquefois nécessaire pour ne pas sacrifier quelque chose de plus important. » *Salon de 1846*, p. 234-235.)

En revanche, un ordre individualiste des mérites est un classement par rangs individuels. Ce classement ne correspond pas à une totalité (comme peut l'être une tragédie), mais à une simple liste d'individus (par exemple, la liste des noms des acteurs, à ne pas confondre avec une énumération « holiste » des rôles à pourvoir dans la représentation de la tragédie). L'ordre transcrit les résultats d'un concours des individus pour le *prix d'excellence*. Le but de cet ordre n'est pas de justifier l'existence par la fonction, la variété des éléments inégaux par la diversité des fonctions à remplir. Elle est de rendre justice à l'individualité. Il est juste que le meilleur ait la première place. Quant à la deuxième place, elle n'est pas une place

PROUST

correspondant à une fonction subordonnée dans l'économie du tout. La deuxième place revient à l'individu qui se montre le meilleur à l'exception du premier (on dirait en anglais : *the second best*).

IV. *Bergotte et le petit pan de mur jaune* (P, III, p. 186-188).
J'ai commenté dans un certain détail les premières scènes d'esthétique du roman. Il suffira maintenant d'en mentionner quelques autres. La plus fameuse est celle de la fin de Bergotte. Un critique a écrit, à l'occasion d'une exposition de peinture hollandaise, que dans la *Vue de Delft* de Ver Meer, « un petit pan de mur jaune (...) était si bien peint qu'il était, *si on le regardait seul*, comme une précieuse œuvre d'art chinoise, *d'une beauté qui se suffirait à elle-même* » (P, III, p. 186-187 je souligne). Bergotte se rend alors à l'exposition et s'aperçoit qu'en effet le tableau de Ver Meer est « plus différent de tout ce qu'il connaissait ». Pour la première fois, il remarque le petit pan de mur jaune. Pour comprendre que la *différence* du tableau est une originalité supérieure, il faut décomposer le tableau en morceaux qui sont, si on les regarde isolément, autant d'œuvres d'art. (On note alors la régression à l'infini qui menace l'esthétique individualiste du fragment. Si le petit pan de mur jaune est une œuvre d'art, ne faudra-t-il pas isoler dans ce morceau le détail individuel qui, à lui seul, assure la différence ultime de l'œuvre ?)

V. *Le quatuor de Vinteuil* (P, III, p. 248 et suivantes).
Chez les Verdurin, le narrateur a pour la première fois l'occasion d'entendre le Septuor de Vinteuil. La Sonate lui est familière. Comment deux œuvres différentes peuvent-elles avoir été composées par le même artiste, alors qu'il est entendu, dans la doctrine esthétique professée par le narrateur, que chaque œuvre doit exprimer la même essence individuelle de l'artiste ? Il faut donc que les deux œuvres soient profondément semblables sous leur différence apparente. Le style individuel ne doit plus être cherché maintenant à l'échelle de la phrase. Lorsque la petite phrase réapparaît dans le Septuor, ce ne peut être qu'une allusion charmante (III, p. 249). Le mélomane doit descendre d'un degré, passer de la syntaxe musicale des phrases à une morphologie des éléments de ces phrases. « Et pourtant, ces phrases si différentes étaient faites des mêmes éléments »

(III, p. 255). Ayant réussi cette opération, le mélomane est alors en mesure de trouver dans les deux œuvres l'expression de la même personnalité artistique. Mais cela revient, en raison de l'individualisme du mode d'appréhension esthétique ici pratiqué, à traiter les œuvres, non comme des œuvres, mais comme des morceaux choisis ou des fragments prélevés dans une totalité absente. Les œuvres de Vinteuil sont « les fragments disjoints, les éclats aux cassures écarlates » d'une « fête inconnue » (III, p. 375), tout comme les tableaux d'Elstir sont « les fragments de ce monde aux couleurs inconnues qui n'était que la projection de la manière de voir particulière à ce grand peintre » (CG, II, p. 419).

La préférence pour le *fragment* ou le morceau éclaté, une plus grande attention donnée au *langage* qui peut aller jusqu'à sacrifier le *sujet*, l'ambition démesurée d'épuiser dans une seule *œuvre totale* toutes les possibilités de son art, voici autant de traits qui passent à bon droit pour « typiquement modernes ». Mais il ne suffit pas de mentionner les idées de Proust sur ces différents points. J'ai cherché la version romanesque de ces aspects modernes de Proust. La leçon, je crois, est maintenant claire. Impossible de considérer la forme fragmentaire, la séparation de la forme et du sujet, le mythe du livre total comme des éléments formels qui définiraient un *style du XXᵉ siècle* ou de la modernité. Il n'y a pas de style moderne dans le sens où il y a un style gothique et même un style baroque. Ces différents traits modernes peuvent d'autant moins entrer dans une définition du style moderne qu'ils nous renvoient tous à une même condition : l'exigence de l'originalité individuelle dans l'art. Le roman lui-même commente ou met en perspective les préférences esthétiques d'un individu moderne. Il les commente dans un sens politique ou, si l'on préfère, sociologique. Le roman esquisse une politique de l'art, une sociologie de la forme de l'œuvre. Je m'explique : il ne s'agit nullement de présenter une hypothèse explicative sur une relation (de type causal) entre les tendances de l'art moderne et des données sociales et politiques de l'époque. Il s'agit plutôt de déchiffrer dans une œuvre la présence de facteurs tels que l'assertion d'un droit à l'égalité, l'institution d'un concours général des talents, l'exigence d'une individualité, etc. La seule sociologie utile est ici celle qui s'esquisse dans la description de la forme des œuvres. Le roman ne nous dit pas les *causes* de phénomènes tels que la préférence pour une approche fragmentaire ou de l'obsession d'un livre absolu. Mais le roman nous montre, par exemple, des lycéens qui parlent tout naturellement le langage du lycée, le langage du classement individuel, pour exprimer leurs jugements esthétiques. Ce langage consiste à appliquer la logique de l'*égalité* pour résoudre le problème de la justice distributive (à savoir : Quelles sortes de différences peut-on et doit-on faire entre les gens ?). La solution du lycée est égalitaire parce qu'elle part d'une *liste* des candidats. Or une liste se définit comme une énumération sans ordre de noms : l'ordre dans lequel les noms sont cités n'a pas de signification pour le résultat (il est, par exemple, alphabétique). Le principe de la différenciation entre ces candidats, traités comme de simples individus, est donc à chercher dans leurs seules performances. Tous doivent passer par les mêmes épreuves. Au vu de leurs résultats, on transforme la liste en *palmarès*. Le roman nous montre comment la même activité d'évaluation s'exerce dans le jugement du critique d'art, lequel ne fait que raffiner sur le thème : « C'est vraiment la Berma que je mets en premier ». Mais c'est encore cette même technique de distinction des mérites qui va être appliquée aux œuvres. Lorsqu'il s'agit de décrire une œuvre et d'en signaler les beautés, l'amateur d'art va décomposer l'œuvre de façon à obtenir une liste de candidats, puis leur faire subir une épreuve de façon à produire un palmarès. Le jeune Marcel peut dire : C'est vraiment ce morceau que je mets en premier dans Bergotte. Swann dira de même : C'est vraiment la petite phrase que je mets en premier dans la Sonate. Et Bergotte : C'est vraiment le petit pan de mur jaune que je mets en premier dans la *Vue de Delft*. Il est alors permis de parler de « sociologie » pour désigner le fait suivant : la façon dont les membres d'un groupe trouvent naturel ou légitime de se comporter les uns à l'égard des autres, la façon dont ils établissent entre eux des différences fondées en justice, cette façon se retrouve dans la forme même des œuvres qu'ils aiment et dans leur manière d'utiliser ces œuvres. Ce n'est pas dire qu'un facteur, les relations sociales, en produise un autre, les formes artistiques. La correspondance dont il s'agit ici n'est pas causale, mais purement « structurale ». Nous ne cherchons pas dans les rapports humains un mécanisme occulte qui produirait les formes. Nous ne cherchons pas non plus à lire entre les lignes ou entre les notes de musique un sens caché de l'art. En réalité, rien n'est caché : le sens cherché est celui des lignes écrites. Car le facteur commun que nous retrouvons, par exemple, dans les classements scolaires et dans les classements esthétiques, c'est un langage. Les personnages de Proust, lorsqu'ils parlent de l'art, trouvent tout naturel d'en parler dans un certain langage. Or le modèle le plus familier de ce langage est politique.

Ici, nous pouvons nous aider de certaines réflexions des meilleurs critiques de l'art moderne au moment des premières ruptures. Ces critiques sont Baudelaire et Mallarmé. Dans un texte dont Pierre Pachet a bien montré la profondeur (voir *Le Premier venu*, p. 146-152), Baudelaire décrit le combat de l'artiste avec la forme en termes politiques : *anarchie* ou *despotisme*.

> « Un artiste ayant le sentiment parfait de la forme, mais accoutumé à exercer surtout sa mémoire et son imagination, se trouve alors comme assailli par une *émeute de détails*, qui tous demandent *justice* avec la furie d'une *foule amoureuse d'égalité absolue*. Toute *justice* se trouve forcément violée ; toute *harmonie* détruite, sacrifiée ; mainte *trivialité* devient énorme ; mainte petitesse, *usurpatrice*. Plus l'artiste se penche avec impartialité vers le détail, plus l'*anarchie* augmente. Qu'il soit myope ou presbyte, toute *hiérarchie* et toute *subordination* disparaissent. » (*Le peintre de la vie moderne*, ch. 5, « L'art mnémonique », p. 555 ; j'ai souligné les mots du vocabulaire politique).

Anarchie, si l'individualité de chacun des détails est respectée. La justice distributive d'un régime démocratique, selon Baudelaire, ne permet pas à un ordre (social ou artistique) de s'établir. Car tous les détails veulent avoir une présence dans le tableau. Du point de vue de ces détails plus forts que les autres qui voudraient imposer leur ordre, on parlera d'une usurpation, d'une tyrannie exercée par la faiblesse ou la petitesse sur la force et la grandeur. On ne peut accorder l'égalité absolue à tous les détails qu'en brimant ceux d'entre eux qui pouvaient faire ressortir une silhouette, donner au tableau une « couleur générale » ou une « arabesque du contour » (*ibid.*). Mais despotisme également si les détails forts parviennent à se subordonner les détails faibles. Despotisme, puisqu'alors on ne respecte pas le droit de tous les détails à une égalité de

141

traitement dans le tableau. Bien entendu, Baudelaire s'exprime ici comme un *réactionnaire*. Or, comme l'écrit Pachet, « on ne peut négliger le fait que cette conception politique classiquement réactionnaire soit ici exposée pour soutenir un mouvement esthétique d'avant-garde » (*op.cit.* p. 150). Baudelaire parle en réactionnaire, puisqu'il affecte de déplorer que les choses en soient venues au point où elles en sont. Il lui arrive même de parler d'un déclin des arts, qui serait dû à la « glorification de l'individu » (*Salon de 1846*, p. 259). Or cette humeur réactionnaire qui inspire parfois Baudelaire l'incite à mettre alors l'accent sur le côté sombre d'un régime individualiste des arts. Pour le plus grand nombre, la « glorification de l'individu » ne voudra pas dire : émancipation, autonomie, réalisation de soi. Elle signifiera le contraire : le « doute », la « pauvreté d'invention », le « chaos d'une liberté épuisante et stérile » (*ibid.*). Baudelaire voit donc au moins ceci, qu'il est plus difficile d'être un artiste heureux aujourd'hui qu'hier.

> « Comparez l'époque présente aux époques passées ; au sortir du Salon ou d'une église nouvellement décorée, allez reposer vos yeux dans un musée ancien, et analysez les différences. » (*Ibid.*, p. 258).

A quoi répond l'opposition d'hier et d'aujourd'hui ? Autrefois, il y avait un style collectif, ce qui veut dire un style qui est la propriété d'un groupe (d'une « école » et par-delà les écoles, d'une société). Baudelaire appelle « foi » l'existence d'un tel style qui s'impose à tous avec évidence. Dans un tel régime de l'art, les individus moins originaux trouvent leur « juste » place dans une fonction seconde : « obéissant à la règle d'un chef puissant et l'aidant dans tous ses travaux » (*ibid.*). Personne n'est en effet tenu de se montrer original. Nous avons entre-temps changé de régime. Dans le régime post-révolutionnaire de l'art, le style collectif est non seulement absent de fait, mais exclu par principe. Il ne doit surtout pas y avoir un même style pour tous. Tout programme d'un « retour à l'ordre » — fût-ce un ordre nouveau ou un ordre futuriste — est aussitôt repéré, et fort justement, comme une usurpation tyrannique. Au nom de quoi certains individus imposeraient-ils leurs préférences stylistiques à d'autres individus ? Au nom de quoi déclare-t-on close l'époque des expérimentations et des inventions ? Or

Baudelaire nous demande de considérer l'autre face de la modernité, le prix à payer pour que soit glorifié l'individu. « L'individualité — cette petite propriété — a mangé l'originalité collective. » (*Ibid.*, p. 259). Dans un régime holiste de l'art, l'originalité des solutions trouvées aux problèmes artistiques est *collective*. Dans un régime individualiste, chacun est tenu d'offrir une solution inédite à des problèmes toujours plus difficiles en raison de « la division infinie du territoire de l'art » (*ibid.*). Baudelaire voit que la glorification de l'individu engendre, pour le plus grand nombre, le « doute », la « pauvreté d'invention ». La plupart des gens sont en fait incapables de faire preuve d'une originalité personnelle. Il leur faut alors se contenter d'une originalité empruntée. En l'absence d'un puissant style collectif, le destin de la plupart des artistes sera l'imitation impuissante. Ils seront les « singes de l'art ». Au lieu de subir la domination légitime d'un maître dans une école, les singes de l'art subissent la domination révoltante d'une personnalité plus puissante. « Un maître, aujourd'hui que chacun est abandonné à soi-même, a beaucoup d'élèves inconnus dont il n'est pas responsable, et sa domination, sourde et involontaire, s'étend bien au-delà de son atelier, jusqu'en des régions où sa pensée ne peut être comprise. » (*Ibid.*).

Ces pages polémiques de Baudelaire font ressortir certaines difficultés propres au régime moderne de l'art que Proust a, lui aussi, reconnues. Dans la *Recherche*, le personnage de Swann entre assez bien dans l'espèce des « douteurs ». Swann affecte de douter de l'Art, de la « *hiérarchie* des arts » (CS, I, P. 98). Il prétend trouver autant de satisfactions *artistiques* dans la vie que dans l'art. Il veut s'en tenir à des petits faits tangibles. Mais, au fond, Swann doute surtout de ses propres forces. Quant à la figure du « singe artistique », elle trouve son représentant dans Bloch, que Proust afflige d'un sabir néo-hellénique emprunté à Leconte de Lisle (JF, I, p. 770). Le narrateur, lui, est trop fin pour devenir un « singe d'art ». Trop scrupuleux pour imiter, il est plutôt menacé d'un échec à la façon de Swann. Toute son épreuve, dramatisée à l'ouverture du *Temps retrouvé*, est de choisir entre le destin d'un « douteur » et celui d'un homme de « foi » (ces mots, on le sait, appartiennent aussi au vocabulaire de Proust).

Mallarmé donne une explication semblable des crises

artistiques auxquelles il assiste et prend part. Pour lui, la *crise de vers* est un phénomène politique plus profond que les changements de gouvernement (« On a touché au vers. / Les gouvernements changent : toujours la prosodie reste intacte [...]. » *La Musique et les lettres*, p. 643). Lorsque l'alexandrin tend à être délaissé au profit du vers libre et du poème en prose, il y a crise. Mallarmé parle ici en termes politiques. Car l'alexandrin est l'« instrument héréditaire », « la cadence nationale ; dont l'emploi, ainsi que celui du drapeau, doit demeurer exceptionnel » (« Crise de vers », p. 362). L'alexandrin, « que personne n'a inventé et qui a jailli tout seul de l'instrument de la langue » (« Sur l'évolution littéraire », p. 868), est une forme collective de poésie (ce qui ne veut pas dire, bien sûr, une forme de poésie collective). L'alexandrin est le bien de tous. La crise contemporaine du vers poétique tient à ce que le poète entend aujourd'hui, « avec son jeu et son ouïe individuels », « se composer un instrument » au lieu d'en passer par ces « grandes orgues générales et séculaires » que fixait la prosodie classique (« Crise de vers », p. 363). Bref, la crise est le « reflet direct » d'un « inexpliqué besoin d'individualité » (inexpliqué, mais non pas, on s'en doute, inexplicable) qui naît lui-même de notre « organisation sociale inachevée » (« Sur l'évolution littéraire », p. 867).

Mallarmé explique la crise de la peinture dans les mêmes termes, comme il ressort de ses articles sur Manet, celui dont nous n'avons plus aujourd'hui qu'une traduction en anglais (« Les impressionnistes et Edouard Manet ») et celui, déjà cité au précédent chapitre, sur l'exposition de 1874. Pourquoi le jury a-t-il refusé deux des trois envois de Manet ? Mallarmé donne une explication politique. Le jury a voulu « régenter le goût de la foule » (« Le jury de peinture pour 1874 et M.Manet », p. 695). Or cette sorte d'abus n'est convenable que là où il y a, comme chez nous, une distinction inscrite dans la pratique même des peintres entre la *conception* et l'*exécution*. Dans une société traditionnelle ou dans une société absolutiste, le jugement d'un éventuel jury ne porterait que sur la seule exécution. En effet, la conception est censée avoir été fixée d'avance, que ce soit par les prémisses implicites de la tradition culturelle ou par les instructions détaillées d'un canon des beaux-arts. Dans une telle société, un artiste dont les conceptions seraient originales s'empresserait de prouver qu'il respecte la véritable tradition. L'invention s'y présente comme renaissance, réforme, retour aux sources ou révolution, au sens étymologique du mot. En revanche, la société moderne soumet ses artistes à l'épreuve d'un double concours, à savoir : 1) un concours des *talents* pour obtenir la « notoriété », et 2) un concours des *originalités* pour décider qui rejoint les « tendances latentes » dans le public. C'est pourquoi il y a maintenant deux jugements à porter, l'un sur la « valeur artistique », l'autre sur le prix que le public est disposé à payer « en gloire et en billets », autrement dit sur la valeur esthétique. Mallarmé précise qu'on peut arriver à un accord sur « le talent même abstrait et exact, contenu dans l'œuvre à juger », mais non sur l'originalité de ce talent. Tous les artistes sont capables d'avoir un « sentiment neutre » de la valeur artistique d'une œuvre. La neutralité est ici de faire abstraction de l'esthétique, de l'« esprit dans lequel a été conçu un morceau d'art ». Mallarmé paraît donc être d'un avis opposé à celui de Kant. Ce qui caractérise le jugement esthétique n'est pas, comme pour Kant, sa prétention à valoir pour tous. L'esthétique n'est pas la sphère où l'on peut espérer arriver à un accord, ou *consensus*, alors même qu'on n'y dispose pas de critères, ni de mesures objectives de ce qui doit plaire à tous. L'esthétique est plutôt, selon Mallarmé, la sphère où il serait vain de chercher un consensus. Kant, il est vrai, ignore la distinction de Mallarmé entre le jugement du jury (« ceci est un tableau ») et le jugement du public (« ceci vaut mon papier et mes paroles »). Les esthétiques d'inspiration kantienne font bien la différence entre l'*objet matériel* et l'*objet esthétique*. Mallarmé, lui, aperçoit que nous avons besoin aujourd'hui de trois catégories. Le *tableau*, au sens où le jury doit rendre une décision ontologique sur l'existence de quelque chose comme tableau, n'est ni l'objet matériel (la « peinture »), ni l'objet esthétique (à savoir l'objet qui, non seulement est doté d'une valeur artistique, mais arrive à exprimer les tendances latentes de quelqu'un ou « touche aux instincts »). Cette distinction, qui reproduit celle du talent et de l'originalité, n'est pas facile à faire. Si un peintre ne tenait pas compte des autres peintres et des autres « conceptions » qui seront présentes à l'exposition, il n'aurait qu'une chose à se poser : Est-ce que ma peinture vaut quelque chose ? Le « sentiment neutre de la valeur artistique » se précise, écrit Mallarmé, au contact des autres peintres. Pour

qu'on ait lieu de distinguer le talent abstrait et l'originalité (ou
« talent concret » ?), il faut une condition institutionnelle : la
« mise en commun des talents notoires d'une époque », par
exemple dans des expositions. Il en va ici comme de la
distinction entre la valeur d'échange et la valeur d'usage d'un
produit, qui suppose l'existence de quelque chose comme un
marché. La « valeur artistique » est abstraite et ressemble, de
ce point de vue, à la valeur d'échange. On peut imaginer que
le directeur d'un musée de peinture nouvellement créé affecte
une partie du budget à l'acquisition d'une œuvre de grande
valeur artistique, sans qu'il ait à préciser si le tableau doit être
classique, baroque, post-impressionniste, etc.

Dans une société moderne, animée par des idéaux individualistes, le *consensus* n'est pas toujours un but évident, un état
de choses normal ou souhaitable. Une société moderne tolère,
et même organise, des zones livrées au « différend » (Voir les
analyses de Jean-François Lyotard dans *le Différend*). Les
institutions de l'art dans la société moderne sont l'exemple
même d'une zone ouverte à un perpétuel *différend*, au sens où
Lyotard prend ce terme. On a la situation dite de différend si :
1) Il y a lieu de juger, de décider, de trancher entre deux parties
ou plus ; 2) il n'existe pas de critères, acceptables par les deux
parties, qui permettraient de juger. Les parties qui ont un
différend réclament un jugement. Elles ont, chacune pour elle-
même, des moyens de juger. Mais les raisons qui passent pour
valides ou décisives dans l'idiome parlé par l'une des parties
sont intraduisibles, ou dérisoires une fois traduites, dans
l'idiome de l'autre partie. On pourrait dire que les sociétés
traditionnelles se protègent contre l'apparition du différend par
diverses procédures, les unes d'expulsion ou de réconciliations
magiques, les autres de prévention. Toutes les sphères d'activités
doivent être maintenues dans un état où ce qu'on y fait reste
commensurable à ce qui se fait ailleurs. Ces sociétés ne
rencontrent l'incommensurable qu'à leurs frontières. Les sociétés
modernes procèdent à l'inverse : elles aménagent des zones
quasiment autonomes en leur propre sein. On en a un modèle
dans le fonctionnement d'une Exposition dont le jury serait
juste, au sens de Mallarmé. Le jury ne doit juger que du droit
d'accès à l'exposition. Il doit, en quelque sorte, aménager une
zone de *libre différend* pour l'affrontement des esthétiques
rivales. De son côté, le public a un « droit d'admiration ou de

raillerie ». Mais la partie du public qui admire la peinture de Manet ne peut pas espérer convaincre l'autre partie du public qui préfère l'« Art idéal et sublime » (*op. cit.*, p. 696). Le jury n'a d'autre fonction que d'enregistrer ce qui existe en fait de talents ou de forces. Ensuite, que le meilleur gagne. Les prix seront décidés dans l'opinion ou sur le marché. Cet état de choses est évidemment favorable aux arts individuels, ou à forte composante individuelle, comme la peinture ou la littérature. Il est moins favorable aux arts dont l'exécution ou la destination sont collectives, comme l'architecture ou le drame, à moins que ces arts ne procurent une arène pour un concours des individualités (on pense au triomphe des *divas* dans l'opéra du XIXᵉ siècle, à la surenchère moderniste dans l'urbanisme des métropoles modernes).

Le sujet de la *Recherche* est en effet « réflexif ». Non pourtant dans le sens des philosophes, comme s'il s'agissait d'assurer une présence sensible à la conscience de soi existant par elle-même et pour elle-même. Le roman figure plutôt le problème suivant : *Comment passe-t-on de l'esthète à l'artiste ?* Comment transformer l'originalité de la sensibilité (ou *aisthésis*) en originalité d'un talent artistique ? L'individualité des impressions — pour parler comme Proust — est en effet une condition nécessaire pour être un artiste à l'âge moderne. Mais ce n'est manifestement pas une condition suffisante. L'originalité esthétique est seulement ce que Baudelaire appelle dans le *Poème du Haschisch* « la forme banale de l'originalité ». Il entend par là le fait de rassembler en sa personne « les éléments généraux les plus communs de l'homme sensible moderne » (*op. cit.*, p. 579). L'individu banalement original est trop sensible, trop fin pour se contenter d'être un *bourgeois* (Baudelaire) ou un *mondain* (Proust). Mais il n'a pas trouvé le moyen d'être autre chose. D'où sa définition par l'oxymoron : *la forme banale de l'originalité !* Cet individu qui s'estime unique et seul de son espèce (tel un *ange*) est bêtement un homme de son temps, dont il partage les goûts, les travers et les vertus. Baudelaire nous le décrit comme un individu *menacé*. Il est le génie sans œuvre, le héros sans hauts faits, l'homme suprêmement vertueux quelle qu'ait été sa vie.

Tout se passe comme si Proust reprenait le problème là où Baudelaire l'avait laissé. Le sujet de la *Recherche* est la vie d'un

individu original, mais banalement original. Marcel a tous les
« éléments de l'homme sensible moderne ». Il en a le
« tempérament moitié nerveux, moitié bilieux », l'« esprit
cultivé », le « cœur tendre », le souvenir des « fautes
anciennes », le « regret du temps profané et mal rempli », ainsi
que le « goût de la métaphysique », l'amour d'une vertu
« abstraite » (que Proust appelle plutôt *perfection*, CG, II,
p. 46), la « grande finesse de sens » (Baudelaire, *ibid.*). La
Recherche raconte la transformation de cet homme sensible en
écrivain. Cela ne veut nullement dire que la *Recherche* vienne
vérifier une définition de la littérature comme « langage du
langage ». Plutôt ceci : Proust applique un *traitement
romanesque*, c'est-à-dire partiellement comique, à un malaise
qui est en effet « typiquement moderne » et qu'on pourrait
peut-être décrire ainsi : un individu souffre et présente tous les
symptômes de la *forme banale de l'originalité* ; il doit trouver
le salut en cherchant son originalité dans la banalité même de
son cas.

La *Recherche* n'est pas seulement un récit dont le personnage
principal émet des idées sur l'art qui nous frappent par leur
« modernité ». C'est un roman qui présente ce personnage alors
qu'il s'*exerce* à professer ces idées. Ce mode de présentation
nous apprend quelque chose sur la signification des idées en
question. La présentation de Marcel lisant Bergotte en dit plus
que ne le font de simples thèses (privées d'ailleurs du contexte
argumentatif qu'elles auraient dans un livre de philosophie).
Un simple compte rendu de ce que Marcel pense du théâtre —
qui vaut, on s'en souvient, pour l'Art comme tel — ne suffit
pas à donner la pensée du roman. Ce que le récit ajoute à la
doctrine esthétique proprement dite n'est pas tant le
« concret », la « mise en scène » ou les vertus temporalisantes
de la « narrativité » que l'*éclaircissement romanesque*. Le récit
de Marcel apprenant à écrire comme Bergotte ou s'exerçant à
composer un feuilleton de critique théâtral offre une analyse,
de type romanesque, des idées esthétiques avancées. Tant que
nous en restons aux formules doctrinales, nous ne sortons pas
d'un idiome philosophique d'ailleurs assez daté. Du point de
vue de cette doctrine, les scènes d'apprentissage du héros font
sens dans le langage d'une psychologie infra-personnelle : les
agents mentionnés sont en effet les facultés de l'esprit (la
mémoire, la sensation, l'intelligence, etc). Par exemple, Marcel

est déçu par la Berma parce que son intelligence ne trouve pas,
dans la collection des « idées » qu'elle possède, un concept qui
réponde à « une impression individuelle » (CG, II, p. 49). La
scène de l'action est donc l'esprit de Marcel. Nous sommes dans
une psychagogie et non dans un roman. Or le roman est un
genre fondé sur l'extraversion. Dans un récit romanesque, les
agents doivent être des personnages, pas des facultés de l'esprit.
Du point de vue du roman, les idées de Marcel sont moins les
propositions d'un corps de doctrine que les termes d'un échange
d'idées entre lui et d'autres personnages au cours de son
apprentissage. Derrière la technique de lecture qui isole les
prouesses stylistiques au détriment des parties narratives d'un
roman de Bergotte, il y a la pédagogie idéaliste des mères du
narrateur. Derrière ses propres exercices sur le texte de Bergotte,
il y a l'apprentissage du métier d'écrivain dans les conditions
contemporaines de l'existence littéraire. A savoir : l'apprenti
écrivain doit lire et relire son maître jusqu'au point où il cessera
de l'imiter involontairement. Le commentaire qu'ajoute le
roman à l'exposé qu'on aurait pu trouver dans un *essai* sur la
littérature (comme le *Contre Sainte-Beuve*) est alors le suivant :
dans le monde moderne, il n'y a pas de style collectif. Les
sources d'inspiration sont aujourd'hui privées. Le grand écrivain
n'est pas un écrivain qui parvient à la grandeur dans le style
de tous. Le grand écrivain n'use pas de ce que Mallarmé appelle
l'« instrument héréditaire ». L'apprenti écrivain doit apprendre
que le style de Bergotte n'est pas le style de toute littérature.
Rien n'est moins naturel ou spontané que ce qu'on appelle un
style « personnel » ou « original ». Bergotte lui-même doit
craindre d'écrire comme Bergotte, de faire du Bergotte.
   Certaines parties du récit nous rapportent des méditations :
Marcel s'examine pour savoir s'il admire la Berma, Bergotte
s'interroge sur la beauté de la *Vue de Delft*, Marcel médite sur
l'art de Vinteuil. Ces parties sont rédigées dans un idiome
psychologique : à chaque fois, on cherche à isoler une
impression particulière responsable de l'expérience esthétique.
D'autres parties du récit nous rapportent des conversations :
ainsi, les lycéens amateurs d'art établissent un palmarès des
actrices. Ils usent d'un idiome institutionnel, appliquant à leur
problème esthétique le mode de penser de l'institution à
laquelle ils appartiennent. L'école est d'ailleurs, dans la France
de cette époque, le paradigme d'une juste organisation des

choses. Il est tout naturel qu'un lycéen, dans cet âge glorieux de la IIIe République, s'essaie à penser le monde à l'aide d'un classement par rangs. L'institution scolaire est porteuse d'un mode de penser collectif. Sa « hiérarchie des valeurs » obéit à une logique de l'égalité. Tous les élèves sont égaux en tant que candidats, chacun d'eux est individualisé en tant que lauréat. L'inégalité des résultats est juste parce qu'elle reflète la seule différence des performances, c'est-à-dire ce que Proust appelle « une différence radicale d'essence entre les diverses personnalités » ou ce que Mallarmé apelle « une originalité très différente ». (L'examen scolaire *typique* auquel il faut penser ici n'est pas, bien sûr, l'épreuve d'arithmétique ou de course à pied, mais ces épreuves dans lesquelles les critères d'une supériorité ne peuvent être donnés sous une forme impersonnelle : la « composition de français », la « dissertation philosophique », l'épreuve de « version latine », etc.) Or ce mode de penser, on le retrouve dans les méditations solitaires des esthètes les plus accomplis de la *Recherche*. Pour juger équitablement d'une œuvre globale, il faut d'abord la décomposer en contributions individuelles. L'œuvre n'a pas pour analogue scolaire la copie du candidat, mais, par exemple, une classe entière. Chacune de ces contributions est examinée pour elle-même, comme si elle était à elle seule une œuvre d'art, ayant une beauté « qui se suffirait à elle-même ». L'originalité du tout (la représentation de *Phèdre*, la *Vue de Delft*, le Septuor) s'explique par l'originalité, à chaque fois individuelle, de telle ou telle partie.

NOTE SUR LES CONCEPTS DE LA MODERNITÉ

On parle de *modernité*, de *modernisme*, *du moderne*. Tous ces termes existent en français, mais proviennent de débats indépendants qu'on gagne à distinguer.

Les auteurs allemands parlent plus volontiers des *Temps modernes (die Neuzeit)*. Par exemple, la philosophie moderne (*die Philosophie der Neuzeit*) est pour eux la philosophie depuis Descartes. Lorsque les auteurs allemands sont entrés récemment dans le débat sur le « post-moderne », ils ont tout naturellement compris que *le moderne*, c'était l'alliance passée entre la science naturelle et le projet d'émancipation humaine, sous le chef des Lumières (*Aufklärung*). Quant au *post-moderne*, il correspond pour eux à un déclin des idéaux modernes. On remarque que la signification donnée ici aux Temps modernes s'exprime de préférence en termes philosophiques. L'époque moderne sera souvent définie comme l'époque de la subjectivité émancipée, ou encore de l'affirmation des *droits* de la subjectivité, lisible dans divers phénomènes tels que les déclarations des droits de l'homme, la revendication de la liberté de conscience et de recherche, l'autonomie de l'art moderne, etc.

Qui parle de *modernisme* ? En français, le mot n'avait pas cours au début du siècle, sinon dans le vocabulaire des théologiens catholiques du *Syllabus* (pour qui le « modernisme » était la tentative de reformuler des dogmes en vue de les rendre compatibles avec ce qu'on appelait la « mentalité » moderne ; Proust se moque du mot « mentalité », CG, II, p. 237). Aujourd'hui, ce sont d'abord les professeurs de littérature anglo-américaine qui ont besoin du mot *modernisme*. Ils définissent un Canon de la poésie moderniste, qui inclut Eliot et Pound. Pour le roman, Joyce, Virginia Woolf. Dans cet usage anglo-saxon, le mot suggère une attitude que rend bien l'injonction de Rimbaud : *il faut être absolument moderne*. Le modernisme et un état d'esprit (une « mentalité », dira désormais le duc de Guermantes) qui se déclare d'abord dans les lettres et dans les arts. Est moderniste l'artiste qui ressent l'exigence de bouleverser les formes d'art telles que la tradition les a transmises. Ainsi, les auteurs qui parlent de modernisme pensent moins aux « idées modernes » qu'au style. Y a-t-il un *style moderne* ? Le mot *modernisme*, en raison de sa terminaison en *-isme*, suggère une adhésion militante à quelque programme ou dogme : ce qui donnerait à penser qu'il y a en effet un style moderne, dont les partisans seraient des « modernistes ». Pourtant, le modernisme ayant été défini par une volonté inépuisable de rupture (dans l'ordre des formes), il paraît difficile de lui attribuer un engagement en faveur d'un style particulier. En fait, les critiques qui traitent du modernisme ne sont jamais aussi à leur aise que dans ces épisodes de l'histoire littéraire et artistique où s'opposent clairement un camp du conservatisme et un camp de l'invention. En peinture, les hauts lieux d'un pèlerinage moderniste seront le Salon des refusés (Paris, 1863), les expositions indépendantes des Impressionnistes (Paris, 1874, 1876, 1877), l'exposition post-impressionniste organisée à Londres par Roger Fry (1910), l'Armory Show (New York, 1913), etc.

Les critiques américains qui ont tenté de préciser le sens du modernisme grâce à une doctrine « formaliste » ont retrouvé, en fait, l'inspiration de Mallarmé. Clement Greenberg a défini la tendance moderniste en art comme une tentative de purification : « Ce qu'il fallait montrer et rendre explicite, c'était ce qu'il y avait d'unique et d'irréductible, non seulement dans l'art en général, mais dans chaque art en particulier. Chaque art eut à déterminer, par référence aux opérations qui étaient les siennes, quels effets lui étaient propres et n'appartenaient qu'à lui (...). Il apparut vite que l'unique domaine propre de compétence de chaque art coïncidait avec ce qu'il y avait d'unique dans la nature de son medium. » (« Modernist painting », p. 102). Michael Fried a heureusement corrigé ce qu'il entrait d'essentialiste dans la position formaliste, ce qui l'a conduit à insister sur l'importance d'un élément agonistique, d'un défi, dans le mouvement moderniste : « Ce que le peintre moderniste découvre dans son œuvre — ce qui lui est révélé en elle — ne doit pas être décrit comme l'essence irréductible de *toute* peinture, mais plutôt comme ce qui, au moment présent de l'histoire de la peinture, est capable de le convaincre que cette œuvre soutient la comparaison avec la peinture du passé moderniste aussi bien que du passé pré-moderniste, celle dont la valeur lui paraît au-delà de toute contestation. » (« Shape as Form », p. 422).

La *modernité* dont parle Baudelaire s'oppose à l'*antiquité*. Elle n'est pas d'abord la modernité des formes d'art (comme pour le moderniste), mais la modernité des formes de vie. Baudelaire a écrit *Le peintre de la vie moderne*. Mais il ne parle pas du peintre moderne de la vie. Qu'est-ce qui est moderne, au sens de la modernité ? Ce sont, dirions-nous peut-être, les conditions de vie. Alors que les « formalistes » semblent surtout capables de commenter les variations de style, les critiques d'inspiration hégélienne ou marxiste sont volontiers intéressés par la « modernité » baudelairienne, parce qu'ils y voient une chance de prouver que l'art a un « contenu ». La modernité serait alors le titre sous lequel réunir des phénomènes tels que : la grande ville, les transports rapides, l'industrie de masse, l'information etc. Baudelaire parle, en effet, de « la fréquentation des villes énormes » (*Petits poèmes en prose*, p. 146). Pourtant, en bon lecteur de Stendhal (*Histoire de la peinture en Italie*), Baudelaire pense plus volontiers aux *idéaux* de la vie moderne, c'est-à-dire à ce qui permet de définir un *héroïsme*. L'antithèse est alors la suivante : sous l'antiquité, les sources d'inspiration que la vie offre aux artistes sont les « sujets publics et officiels » (guerres, fastes religieux, pompes) ; sous la modernité, ces sources sont des « sujets privés » (*Salon de 1846*, p. 260).

Valéry définit plutôt la modernité, au sens de Baudelaire, que le « moderne » des Allemands ou le « modernisme » des poètes américains lorsqu'il écrit : « Une époque, peut-être, se sent ''moderne'' quand elle trouve en soi, également admises, coexistantes et agissantes dans les mêmes individus, quantité de doctrines, de tendances, de ''vérités'' fort différentes, sinon tout à fait contradictoires. Ces époques paraissent donc plus compréhensives, ou plus ''éveillées'' que celles où ne domine guère qu'un seul idéal, une seule foi, un seul style. » (*Triomphe de Manet*, dans : *Œuvres*, II,

p. 1327). Ce texte de Valéry donne le principe d'une distinction. Une époque *se sent* moderne : la « modernité » est une question de sensibilité ou de sentiment, donc une question directement esthétique. Mais, si on peut se sentir moderne, on peut aussi *penser* selon la façon des modernes, la *via moderna* : c'est « le moderne » au sens des Allemands, question de représentation et de principes théoriques. Enfin, on peut se fixer le moderne comme un but : on peut *vouloir* être moderne, ce qui définit le « modernisme ».

Les débats sur le post-moderne seraient sans doute plus clairs si l'on distinguait de même : 1) le *post-moderne*, ou remise en question des fondements théoriques de toute l'orientation moderne de la pensée ; 2) le *post-modernisme*, ou le fait que certains puissent douter de la valeur libératoire du modernisme ; 3) la *post-modernité*, ou déclin de l'« héroïsme de la vie moderne ».

Proust est-il moderne ? La question doit être précisée. Il n'est pas un auteur « moderne » au sens des Lumières. Bien qu'il reste fidèle à l'idéal d'une émancipation de la subjectivité, il n'attend de celle-ci aucune libération historique. De ce point de vue, Proust serait donc déjà un « post-moderne », puisqu'il ne donne aucune signification morale à l'évolution historique. Si être moderne est une question de *style*, Proust peut être considéré, à certains égards, comme un « moderniste ». Il partage en effet cette conviction moderniste qu'un artiste veut se mesurer, comme individu, à toute la tradition de son art incarnée dans des styles à chaque fois individuels. Son modernisme, toutefois, reste profondément individuel. Dès qu'on commence à parler d'*avant-garde*, de *programme*, on se retrouve avec le « clan » Verdurin ou en compagnie de Mme de Cambremer-Legrandin. Reste enfin la question de la *modernité* : Proust est-il un écrivain de la vie moderne aux sens de Baudelaire ? Si la modernité consiste dans cette révolution poétique par laquelle les sources de l'inspiration artistique (les idéaux héroïques) cessent d'être publics pour devenir privés, alors Proust doit être certainement tenu pour l'un des plus purs écrivains de la modernité. Car la *Recherche* élimine systématiquement les faits publics en tant qu'ils sont une source d'exaltation ou de désespoir. L'Affaire Dreyfus n'y est qu'un sujet de conversation, ainsi que l'occasion d'une leçon de scepticisme historique. La Grande Guerre n'a par elle-même aucun sens. Si elle en avait un, ce serait d'être l'effet d'une accumulation de malentendus. En revanche, la *Recherche* puise à des sources privées d'inspiration comme on ne l'avait jamais encore fait dans une œuvre de cette ampleur. Chez Balzac, auquel se réfère Baudelaire dans sa page sur l'héroïsme de la vie moderne, les sujets privés qui fournissent des idées de roman sont des drames de la vie privée au sens d'une vie restreinte à l'espace domestique ou social. La vie privée signifie : mariage, carrière, réussite sociale. Proust déplace la poésie de la vie privée pour la circonscrire dans les limites d'une individualité. Ce n'est pas la *vie* de Marcel qui offre un motif d'exaltation, mais son *expérience*.

9. MARCEL DEVIENT ÉCRIVAIN

En quoi consiste la forme romanesque d'un récit ?

Nous avons maintenant besoin d'une notion plus claire de la forme romanesque considérée comme une forme véridique de présentation d'une vie. En bonne théorie poétique, il nous faut donc demander : Quels sont les moyens propres au roman ? Ou encore : Pourquoi lisons-nous une phrase comme une phrase *de roman* ? Voici par exemple le texte de la phrase la plus connue de Proust : « Longtemps, je me suis couché de bonne heure ». Pourquoi est-ce une phrase de roman ?

Si nous posons la question à un critique littéraire, il nous répondra sans doute : 1) ce pourrait être la première phrase d'une autobiographie, du récit que quelqu'un fait de sa propre vie ; 2) nous savons par ailleurs que cette phrase n'appartient pas à une autobiographie de Proust, qu'elle est la première phrase du récit d'une histoire largement inventée. Ainsi, la notion la plus immédiate du roman est celle d'un *récit de fiction*. Dans un roman, l'écrivain fait comme s'il racontait l'histoire de la vie de quelqu'un ou d'un épisode remarquable de cette vie. « Longtemps, je me suis couché de bonne heure » est une phrase narrative. Rien dans la phrase, bien sûr, n'indique que le fait rapporté soit fictif. Par définition, le récit de fiction est exactement semblable à ce que serait un récit véridique, authentiquement historique, si les faits racontés n'avaient pas été inventés. Le roman imite l'histoire. Tout cela nous donne une notion triviale du roman, laquelle se réduit au fond à celle d'un *récit* qui, en raison de certaines conventions extérieures à la substance de la phrase, est traité par le lecteur comme *de fiction*.

Or, de cette façon, nous ne pouvons jamais délimiter quelque chose comme une *forme romanesque*, à moins d'assimiler tout simplement la forme du roman à la forme du récit. La forme du roman tiendrait alors dans certaines exigences propres à toute narration : le récit doit commencer quelque part, le récit doit se terminer quelque part, le récit doit progresser du début à la fin en suivant un certain *fil* grâce à des relations de causalité ou de motivation assurant la continuité. Ainsi, la forme que cherche la théorie poétique du roman ne serait plus le romanesque, ce serait la « narrativité ». On donne aujourd'hui le nom de *narratologie* au projet d'étudier les propriétés constitutives du récit comme tel, de tous les récits. Le récit, écrit Roland Barthes dans un texte programmatique, se réalise sous de multiples formes. Il cite : « le mythe, la légende, la fable, le conte, la nouvelle, l'épopée, l'histoire, la tragédie, le drame, la comédie, la pantomime, la tableau peint (que l'on pense à la Sainte-Ursule de Carpaccio), le vitrail, le cinéma, les comics, le fait divers, la conversation » (« Introduction à l'analyse structurale des récits », p. 1). Tout cela est en effet récit. Il serait donc permis, selon Barthes, de chercher une « structure du récit » que l'analyse pourrait dégager dans n'importe laquelle de ces formes narratives. Si nous considérons ce qu'il y a de commun à toutes les espèces de récit mentionnées, nous trouvons ceci : un agencement de signes possédant la propriété de « narrativité » (ou, si l'on préfère, la « structure narrative »). Il faudrait donc, continue Barthes, fixer d'abord ce que tous les récits ont en commun, avant de chercher les propriétés spécifiques des différentes formes narratives. Et, puisque tous les récits sont des récits en vertu de leur structure narrative, il sera plus facile d'analyser une simple phrase narrative qu'un long discours. La narratologie travaillera donc sur le modèle réduit[i] de la phrase narrative. « Le récit — écrit Barthes — est une grande phrase, tout comme la phrase constative est, d'une certaine manière, l'ébauche d'un petit récit. » (*Ibid.*, p. 4).

Dans un essai brillant et qui a eu beaucoup d'influence, Genette a tenté de montrer comment une théorie générale du récit pouvait être développée. Il adopte des prémisses voisines de celles de Barthes : la narratologie sera une manière d'extension de la linguistique de la phrase. Cette idée est aussitôt essayée sur la *Recherche du temps perdu*. Or la question qu'on a envie de poser à Genette est celle-ci : Y a-t-il quelque chose comme le récit sans plus ? En d'autres termes, le récit est-il un objet possible de description ? Les difficultés que rencontre aussitôt l'essai de Genette me semblent prouver l'inanité de la notion d'un pur récit.

L'observation suivante lance l'entreprise narratologique :

> « Puisque tout récit — fût-il aussi étendu et complexe que la *Recherche du temps perdu* — est une production linguistique assumant la relation d'un ou plusieurs événement(s), il est peut-être légitime de le traiter comme le développement, aussi monstrueux qu'on voudra, donné à une forme *verbale*, au sens grammatical du terme : l'expansion d'un verbe. *Je marche, Pierre est venu* sont pour moi des formes minimales de récit, et inversement l'*Odyssée* ou la *Recherche* ne font d'une certaine manière qu'amplifier (au sens rhétorique) des énoncés tels que *Ulysse rentre à Ithaque* ou *Marcel devient écrivain*. » (*Discours du récit*, p. 75.)

Genette en conclut qu'on va pouvoir décrire les propriétés du récit (du récit en général) au moyen des concepts qui servent à comparer les formes verbales. Il y aura le *temps* du récit, le *mode* du récit et la *voix* du récit (comme il y a le temps, le mode et la voix du verbe). L'hypothèse initiale est donc qu'il y ait quelque chose de commun (la narrativité) entre un « petit récit » comme *Je marche* et un grand récit comme l'*Odyssée* ou la *Recherche*. Pourtant, quelle sorte de récit obtient-on en amplifiant la phrase simple initiale, laquelle n'est composée que d'un nom propre et d'un prédicat ? La seule façon d'amplifier la donnée de départ semble bien être d'ajouter indéfiniment des « propositions subordonnées » (qu'on pourra ensuite détacher pour en faire des « propositions principales », lesquelles, convenablement agencées entre elles, seront le « grand récit »). La donnée initiale est par exemple : *Ulysse rentre à Ithaque*. L'amplification sera d'ajouter nombre de circonstancielles : *tandis que..., après que..., en même temps que..., parce que..., afin que..., en dépit du fait que...*, etc. On passera alors d'une phrase simple à un long discours en fixant un point de départ (*Ulysse veut rentrer à Ithaque*) et un point d'arrivée (*Ulysse est rentré à Ithaque*). Entre les deux on introduit autant de précisions qu'on voudra sur la façon dont s'est accompli le changement rapporté par la phrase simple.

Oui, mais alors la narratologie n'est plus la théorie générale du récit qu'elle voulait être. La narratologie est, dans cette hypothèse, construite selon le schème d'une espèce particulière de récit : celui qui raconte une carrière, un parcours, une course d'obstacles, un *cursus honorum*. Le paradigme n'est plus l'*Odyssée*, c'est le jeu de l'Oie ou le roman-feuilleton à épisodes. Entre une ligne de départ et une ligne d'arrivée, différentes étapes ont été disposées de façon à retarder ou *suspendre* le résultat. Cette forme de récit se retrouve dans le roman d'aventures, lequel se caractérise justement par le supsens, c'est-à-dire par une amplification habile de la phrase qui résumerait l'histoire. On la retrouve aussi dans les histoires à épisodes dont l'action principale n'est pas le véritable sujet, comme par exemple *les Nuits attiques, les Voyages de Gulliver, M. Pickwick*. Appliquée aux *Mille et une nuits*, une telle analyse narratologique donnerait seulement : *Shéhérazade retarde l'heure de sa mort*. En fait, l'objet narratologique par excellence pourrait bien être, plutôt que le roman de Proust, *le Tour du monde en quatre-vingts jours*.

La forme pure du récit dont nous parle la narratologie ressemble trop à ce que nous trouvons dans une espèce très particulière de récits. S'il en est ainsi, c'est qu'on est parti de l'hypothèse d'une équivalence entre un grand récit (l'œuvre à analyser) et un petit récit fait d'une phrase élémentaire, avec le nom d'un personnage et le verbe d'une unique action. La narratologie devrait, semble-t-il, se poser plus sérieusement la question de savoir comment peut s'opérer l'« amplification » du petit récit en grand récit. C'était peut-être une erreur de considérer qu'une phrase narrative simple soit, telle quelle, l'argument dont on va tirer le « grand récit ». Il est éclairant de confronter ici deux types d'analyse du même « grand récit » : l'*Odyssée*. Lorsque la narratologie réduit le poème à son contenu narratif minimal, elle trouve, comme on a vu : *Ulysse rentre à Ithaque*. Dans sa *Poétique*, Aristote offre une description tout autrement disposée de ce dont il s'agit dans le poème :

> « Ainsi le sujet *(logos)* de l'Odyssée n'est pas long ; un homme erre loin de son pays durant de nombreuses années, surveillé de près par Poséïdon, totalement isolé. Chez lui, les choses vont de telle sorte que sa fortune est dilapidée par les prétendants, son fils exposé à leurs complots. Maltraité par les

tempêtes, il arrive, se fait reconnaître de quelques amis, puis il attaque : il est sauvé et écrase ses ennemis. Voilà le schéma propre (*to idion* = *to katholou*) au poème, le reste, ce sont les épisodes. » (Ch. 17, 1455 b 16-23, trad. Dupont-Roc et Lallot.)

C'est tout cela qui constitue ce qu'Aristote appelle un *logos* et dont il dit qu'il n'est pas long. Pas question, on le voit, de traduire ici *logos* par *phrase*. Le *logos* d'un poème en est bien la « proposition », mais non une proposition simple formée d'un nom propre et d'un verbe. Il est plutôt, comme on traduisait autrefois, l'*argument*. Le poème ne se réduit pas à un *logos*, mais il y a un *logos* pour chaque poème. Ce *logos*, ou argument, a les parties que requiert le *télos* de l'œuvre poétique. Dans le cas du poème épique ou dramatique, le *télos* est l'action racontée par le mythe. Or « action » ne signifie pas ici l'entreprise ou l'aventure d'un personnage individuel. L'action de l'*Odyssée* n'est certainement pas le déplacement d'Ulysse de Troie à Ithaque. L'action est ce que raconte le *muthos* (« fable » ou « histoire »), à savoir : la composition des faits et gestes de toutes les forces engagées dans l'événement qui est raconté (la *sunthésis tōn pragmatōn*, ch. 6, 1450 a 5). L'action d'un poème épique est, comme celle d'un poème tragique, dramatique. Le logos d'un tel poème a donc deux parties, la *désis* et la *lusis*, ce que les vieux poéticiens français traduisaient par les *nœuds* et le *dénouement* (ch. 8). La première partie de l'argument du poème (qui ne doit pas être confondue avec la première partie du poème) fait état des « nœuds », d'une situation tendue qui requiert de la part des différents personnages une décision ou une initiative, en même temps qu'elle les prive grandement de leur liberté d'agir. La deuxième partie de l'argument donne l'issue, la façon dont la situation paralysante est dénouée. Voilà pourquoi l'analyse qu'Aristote donne de l'*Odyssée* s'exprime par un *logos* qui, pour n'être pas très long au regard du poème lui-même, n'en est pas moins complexe. Cet argument a, comme il se doit, deux parties :

I. Les « nœuds », c'est qu'*un homme* (qui n'a pas besoin d'être nommé, puisque nous en sommes ici au « schéma général », à l'idée poétique) *erre loin de chez lui, ayant contre lui le dieu Neptune* (le dieu, qui est une force du monde au même titre que le vent ou le feu, doit être nommé), *alors que*

*sa présence serait nécessaire dans sa maison, pour la défendre
contre les prétendants à sa succession ;*

II. le « dénouement », c'est qu'il *réussit à rentrer chez lui,
en dépit des obstacles, en combinant la ruse et la valeur
personnelle.*

L'argument du poème ne peut pas tenir dans une phrase
élémentaire parce que le sens de l'argument est de donner le
schéma général d'une action épique, par conséquent d'indiquer
les grandes lignes d'une situation difficile et d'une résolution.
Comme le dit Aristote dans le même chapitre 17, les noms et
les épisodes viendront ensuite. On voit alors la différence entre
l'analyse narratologique et l'analyse poétique. La narratologie
transforme l'*Odyssée* en une aventure d'Ulysse. Elle en fait une
histoire dont l'unité serait à chercher dans le personnage
principal (*sed contra : Poétique*, ch. 8, 1451 a 16-19). La
narratologie fait abstraction de ce qui était le plus important
pour Aristote : la forme épique du poème. Elle considère que
la forme, épique ou autre, d'un récit, n'est qu'une façon de
développer un argument initial qui serait, sous sa forme
minimale de fait relatif à quelqu'un, déjà complet. De même,
la narratologie réduit la *Recherche* à un changement affectant
Marcel. *Marcel devient écrivain.* Une telle réduction nous prive
de la forme romanesque du « grand récit », puisqu'elle ne nous
dit pas comment la retrouver une fois que nous en avons fait
abstraction.

Le concept de récit est-il aussi clair que paraissent le penser
ceux qui trouvent du récit partout (le rêve est un récit, les
Évangiles sont des récits, la philosophie idéaliste est un récit,
nos vies sont racontées en même temps qu'elles sont vécues,
etc.) ? Impossible de contester la définition narratologique du
récit : discours organisé de façon à assumer la relation d'un ou
de plusieurs événements. Oui, mais le concept d'*événement*
n'est pas indépendant de celui de *récit*. Le concept d'événement
n'est pas définissable comme l'est, par exemple, celui de *fleur*.
Pour dire ce que c'est qu'une fleur, on n'en est pas réduit à
déclarer qu'une fleur est le genre de chose qu'on peut acheter
chez les fleuristes. En revanche, pour dire ce que c'est qu'un
événement, on n'a pas d'autre voie d'accès à cette notion que
celle du langage : est un événement ce dont parle le discours
qu'on appelle « narratif » parce qu'il rapporte un changement

dans le monde. Il y a eu un événement s'il est arrivé quelque chose dans le monde, si les choses n'étaient plus après comme elles étaient avant. Si l'on veut préciser ce qui est arrivé, quelle sorte d'événement, il faut décrire un monde et dire ce qui a changé dans ce monde. Mais alors les *circonstances* dans lesquelles se fait le retour d'Ulysse à Ithaque font partie de l'événement du retour d'Ulysse à Ithaque. La phrase *Ulysse rentre à Ithaque* n'est pas seulement un récit succinct, elle est un récit abstrait ou incomplet. Elle ne dit pas dans quelle sorte de monde s'est opéré le retour d'Ulysse à Ithaque. En revanche, l'argument poétique de l'*Odyssée* nous rappelle que l'action ne se produit pas dans le vide. Ulysse rentre à Ithaque parce qu'il a trouvé un bateau pour le transporter, des vents pour gonfler ses voiles, etc., c'est-à-dire des circonstances favorables. Mais Ulysse a failli plusieurs fois ne jamais rentrer à Ithaque parce qu'il avait contre lui les dangers de la route, les séductions du lointain, de nombreux ennemis, etc. L'événement à rapporter sous une forme ramassée n'est donc pas : Ulysse rentre à Ithaque. C'est : un homme réussit à rentrer chez lui en dépit de tous les obstacles qui rendaient ce retour improbable. Le « petit récit » dont on doit partir mentionnera donc une situation initiale du héros, l'ensemble des circonstances dans lesquelles il se trouve placé au début, et la façon dont a pu se produire le renversement de situation qui constitue l'événement raconté.

L'ensemble des circonstances d'une action peut être désigné comme le *monde* de cette action : le monde dans lequel l'agent réussit ou non à accomplir quelque chose. Par exemple, le retour d'Ulysse a lieu dans un monde qui contient de nombreux dangers et de nombreuses ressources. Parmi ces dangers, il y a les puissances hostiles. Parmi ces ressources, les puissances protectrices. Dès que nous cherchons à décrire le monde dans lequel Ulysse rentre à Ithaque, nous devons mentionner des éléments naturels, des êtres humains observant certaines coutumes, et des puissances divines. Le monde de l'*Odyssée* est un monde épique. Dans un tel monde, comme l'indique brièvement l'argument énoncé par Aristote, le héros a des devoirs liés à son statut de chef de maison. Parce qu'il est le roi d'Ithaque, Ulysse a dû partir loin de chez lui (avec ses alliés). Mais, parce qu'il est le roi, il doit revenir chez lui. Dans toutes ces entreprises, il doit compter avec diverses forces. Tout cela doit être indiqué ou esquissé dans le « petit récit ». Bref, *le petit récit équivalent au grand récit épique doit lui-même être un récit épique*. Et, de même, le petit récit équivalent à la *Recherche* doit être un petit récit romanesque. La narratologie ne peut donc pas renvoyer à plus tard la question de la forme littéraire, épique ou romanesque, du récit.

On le voit, la bonne question à poser n'était pas : Quelle est la propriété de narrativité commune à tous les récits ? Elle était plutôt : Est-ce que la phrase *Ulysse rentre à Ithaque* et le poème de l'*Odyssée* racontent la même chose ? Est-ce qu'on peut considérer la première comme un « petit récit » qui résumerait ce que raconte en détails le « grand récit » du second ? Et de même : Est-ce la phrase *Marcel devient écrivain* qui donne l'argument de la *Recherche* ? La phrase est-elle le même récit, mais succinct, que le roman ? Dans les deux cas, la réponse est négative. En réalité, les deux phrases données en exemple par Genette ne racontent encore aucune histoire. Ces phrases rapportent seulement des faits. Ce ne sont pas du tout des « petits récits », mais des propositions qui nous communiquent des faits isolés, suspendus dans le vide. Le monde dans lequel ces faits se sont produits est resté indéterminé. Il en est de ces phrases comme des titres que nous lisons dans les journaux en première page. Nous comprenons ces grands titres parce que nous savons en quoi les faits rapportés sont des *nouvelles*. Lorsque nous lisons notre quotidien du soir *le Monde*, nous savons d'avance que les faits mentionnés sont des nouvelles. Nous ne savons pas toujours pourquoi, faute d'avoir suivi les événements des semaines précédentes. Il peut arriver que le sens d'actualité d'un titre nous échappe. Par exemple, nous ne pourrions pas dire en quoi le fait qu'un certain M. Smith se rende à Moscou est une grande nouvelle. Mais nous ne doutons pas qu'il y ait une raison, laquelle est sans doute rappelée dans l'article annoncé par le titre. Comprendre qu'un fait est une nouvelle revient à comprendre ce que ce fait va changer dans notre monde, les suites possibles de l'événement, les développements auxquels on pensait hier encore et qui sont désormais impossibles, les situations hier inimaginables et qui entrent dès aujourd'hui dans l'ordre du possible. Autrement dit, nous comprenons des faits comme des nouvelles parce que nous comprenons qu'elles arrivent dans notre monde, dans un monde qui nous est connu, un monde qui a sa consistance et ses lois. Par conséquent, la définition d'un genre narratif ne peut pas être purement linguistique et n'invoquer que le mode d'agencement des signes (comme s'il s'agissait de distinguer le sonnet, la ballade, le madrigal et l'ode). La définition doit plutôt être *cosmologique* et invoquer les traits principaux du monde dans lequel l'histoire se passe. (On distinguera, bien entendu, le monde dans lequel les événements se produisent en fait selon le récit et le monde dans lequel certains des personnages *croient* qu'ils se produisent. On sait que cet écart entre le monde et la « vision du monde » est au principe de plusieurs chefs-d'œuvre romanesques.)

Il y a quelque chose comme une forme romanesque du récit s'il y a un type romanesque de monde. Ici, nous ne pouvons mieux faire que saisir le romancier en train d'inventer une *idée de roman*. Car une idée de roman, en termes narratologiques, c'est la découverte d'un moyen d'amplifier un petit récit (l'argument initial) en grand récit (le roman achevé). Le romancier s'aperçoit qu'un fait, qui peut être banal ou bien au contraire extraordinaire, pourrait être *raconté comme un roman* à condition de comprendre qu'il se produit dans certaines circonstances. L'amplification consistera seulement à préciser ces circonstances (à ajouter, dirait Aristote, les noms propres et les épisodes). Or Proust nous a lui-même donné le modèle d'une « amplification romanesque » à la fin de *la Fugitive*.

Dans le train qu'ils ont pris pour rentrer de Venise, le narrateur et sa mère ouvrent des lettres qui sont arrivées à leur hôtel de Venise au moment de leur départ. Ces lettres leur apportent des nouvelles étonnantes :

1. *Robert de Saint-Loup épouse Gilberte Swann*,
2. *le « petit Cambremer » épouse Mlle d'Oloron*.

Avec le libellé de ces deux phrases, nous n'en sommes encore qu'à l'étage narratologique de la proposition simple qui rapporte ce qui est arrivé à quelqu'un (nom propre + prédicat). Ce niveau est celui du *Faire-part*, de l'*Avis*, du *Communiqué*. Il n'y a encore aucun récit proprement dit. Mais, pour nous qui avons lu le récit de Proust depuis le début, le fait que Saint-Loup épouse Gilberte est en effet une nouvelle, un événement qui fait sens dans le contexte de tout ce qui nous a déjà été raconté. Il en va autrement de la nouvelle d'un mariage entre Léonor de Cambremer et Mlle d'Oloron. Cette nouvelle, qui figurait dans la lettre reçue par la mère de Marcel, n'en est pas une pour celui-ci. Le « petit Cambremer » se marie. « Tiens ! dis-je avec indifférence, avec qui ? » (F, III, p. 657). Or ce mariage est en effet une nouvelle sensationnelle si l'on sait que Léonor de Cambremer est le fils de Mme de Cambremer-Legrandin, celle qui était si fière d'être entrée dans une famille aristocratique, et qui paraît accomplir ici le plus vieux rêve de sa vie : une alliance avec la famille de Guermantes, à qui appartient le titre d'Oloron. Jusque-là, pourtant, ce n'est qu'un écho mondain. Tout s'éclaire dès qu'on ajoute que Mlle d'Oloron est la nièce de Jupien, cette jeune fille que la grand-mère avait trouvée si distinguée, plus noble que le duc de Guermantes, quand elle était entrée pour la première fois dans l'hôtel de Guermantes (voir : CS, I, p. 20 ; CG, II, p. 20-21 ; F, III, p. 659, p. 674). La nièce du giletier Jupien s'appelle maintenant Mlle d'Oloron parce que Charlus l'a adoptée comme sa fille et lui a donné ce titre (on se souvient que Jupien est l'entremetteur attitré de Charlus, l'ordonnateur de ses plaisirs interdits). Quand on sait que Mlle d'Oloron est la nièce de Jupien, on comprend qu'il y a ici une histoire à raconter : une histoire qu'on pourrait raconter comme un roman.

Ce n'est pas pour rien, on s'en doute, que Proust a ménagé cette coïncidence des nouvelles de ces deux mariages, lors d'une conversation enre le narrateur et sa mère (la dernière dans le récit), à la fin du dernier volume du Temps perdu. Pourquoi ces deux mariages ? Proust utilise le premier mariage, celui de Robert et de Gilberte, pour faire ressortir la construction de son récit. Quant au second de ces mariages, il s'en sert pour esquisser une théorie du mariage romanesque. S'il y a un point dans la *Recherche* qui ait une fonction « réflexive », c'est bien cette fin de *la Fugitive*. La réflexion du roman sur le roman n'est ni dans les dissertations sur la métaphore, ni dans les considérations sur la Littérature, mais ici. Le mariage du jeune Cambremer et de la nièce de Jupien redouble celui de Robert et de Gilberte. Cette coïncidence est inutile du point de vue de l'histoire racontée, mais précieuse pour la réflexion sur ce qui se passe dans cette histoire. Le second mariage est un miroir dans lequel nous discernons mieux les traits du premier.

Le narrateur nous le dit lui-même : lorsqu'il apprend ces mariages, ce sont « deux parties de (son) existence passée » qui s'éloignent. Curieusement, il se fait cette réflexion à l'occasion des deux mariages. Quel rapport le mariage Cambremer-Oloron a-t-il avec les parties de son existence ? C'est justement ce qui reste à voir. Mais on comprend sa réaction au mariage de son ami Saint-Loup et de Gilberte, le premier de ses amours. Proust a trouvé ici une idée de construction : le côté de chez Swann et le côté de Guermantes, d'abord séparés pour le narrateur, ont fini par se rejoindre. Le *Temps retrouvé* commencera par la ruine de la distinction des « côtés » (III, p. 693). La fusion sera aussi complète que possible lorsque Marcel sera présenté à Mlle de Saint-Loup, la fille de Robert et de Gilberte, unissant dans sa personne les deux « côtés ». Pourtant, tant qu'on s'en tient à ce repérage des allusions et des symétries, on ne dégage qu'une correspondance purement formelle. Il reste à en trouver la signification romanesque.

Cette signification romanesque, on la cherchera dans les réactions des différentes parties intéressées à ces nouvelles : Qu'en dit-on à Combray ? Qu'en dit-on dans le Faubourg Saint-Germain ? Qu'en pense-t-on dans la famille du narrateur ? Le mariage Cambremer-Oloron n'a aucune place particulière dans l'histoire racontée. Son importance est de donner lieu à une bien intéressante conversation entre le narrateur et sa mère. A cette occasion, Proust fait remarquer que les explications proposées de ce mariage si surprenant correspondent à des styles romanesques différents. Qu'est-ce qui fait de ce mariage un *sujet de roman* ? C'est la distance qui sépare les positions sociales des deux fiancés. La mère du narrateur énonce cela clairement :

> « Le fils de Mme de Cambremer pour qui [son frère] Legrandin craignant tant d'avoir à nous donner une recommandation parce qu'il ne nous trouvait pas assez chic, épousant la nièce d'un homme qui n'aurait jamais osé monter chez nous que par l'escalier de service ! » (F, III, p. 659.)

Ce mariage suggère une *idée de roman* parce qu'il se présente d'abord comme un événement impossible, inconcevable, ou, si l'on préfère, *féérique*. « Moi, cela me fait l'effet d'un mariage au temps où les rois épousaient les bergères », dit la mère de Marcel (F, III, p. 658). De telles choses ne se produisent plus aujourd'hui, elles ne peuvent avoir lieu que dans un monde comme celui du conte de fées ou du roman précieux. Dans un roman, l'auteur ne peut pas expliquer la levée merveilleuse des obstacles sociaux au mariage par des forces magiques, telles que philtres d'amour, enchantements, etc. Ce qui aurait dû être impossible est devenu possible à la suite d'un « enchaînement de circonstances » naturel. L'idée de roman est l'idée d'un cours normal des choses par lequel expliquer l'événement inconcevable. Voici maintenant les deux idées de roman concurrentes qui surgissent dans la conversation entre le narrateur et sa mère :

« " — La nièce de Jupien ! Ce n'est pas possible ! — C'est la récompense de la vertu. C'est un mariage à la fin d'un roman de Mme Sand", dit ma mère. "C'est le prix du vice, c'est un mariage à la fin d'un roman de Balzac", pensai-je. » (F, III, p. 658.)

A la mère du narrateur, ce mariage inspire l'idée d'un roman sentimental, idéaliste, dans le genre des romans qu'offrait la grand-mère à son petit-fils. Du reste, dit-elle, ce mariage « eût stupéfié ta grand'mère et ne lui eût pas déplu » *(ibid.).* Le narrateur, mieux informé sur l'association de Jupien et de Charlus, a aussitôt l'idée d'un roman réaliste, à la Balzac.

Ainsi, le mariage Cambremer-Oloron peut être intégré à deux types de « schéma général » (le *katholou* de la *Poétique* d'Aristote). Dans le schéma idéaliste, ce fait illustrerait une loi morale du monde : la vertu est finalement récompensée, l'amour est plus fort que la société. Justement, la grand-mère avait dit, il y a longtemps déjà, que ces deux jeunes filles étaient charmantes, comme sa mère le rappelle à Marcel :

« "Pauvre mère, tu te rappelles ? elle disait du père : Si j'avais une autre fille, je la lui donnerais et sa fille est encore mieux que lui. Et la petite Swann ! Elle disait : Je dis qu'elle est charmante, vous verrez qu'elle fera un beau mariage." » (F, III, p. 674.)

Le giletier est *distingué* : il est tout à fait l'homme à qui la grand-mère aurait donné sa fille. Quant à sa nièce, que le manuscrit de Proust appelle parfois, comme ici, sa fille, elle est encore mieux. C'est à se demander pourquoi Marcel n'a pas songé à la demander en mariage. Gilberte, elle aussi, est charmante. La grand-mère voudrait que les jeunes filles soient épousées parce qu'elles sont charmantes. Pour le lecteur qui connaît le dessous des cartes et qui sait à quelle « combinaison » (F, III, p. 664) le mariage est dû, il y a une cruelle ironie dans ce rappel de l'aveuglement propre à la grand-mère. Sans savoir qu'elle parle par antiphrase, sa fille conclut : « Pauvre mère, si elle pouvait voir cela, comme elle a deviné juste ! ». Car c'est l'autre schéma qui est ici le bon, le schéma d'un roman réaliste à la Balzac. Cette scène finale dans le train de Venise représente la victoire de Balzac sur George Sand, et du même coup la victoire finale du narrateur sur le côté maternel de son éducation et de sa pensée. L'idéalisme est de vouloir comprendre ce qui arrive à l'aide d'un schéma à la George Sand, dans une perspective morale. Proust tient la morale pour synonyme d'une attitude de désintéressement personnel et d'attention respectueuse aux personnes. Dans la perspective morale, on devrait aimer les jeunes filles qui ont des mérites personnels. Or la bonne explication des deux mariages fait appel à un schéma opposé : ce ne sont plus les sentiments élevés ou l'amour qui font les mariages, ce sont les « combinaisons », mélanges de haute politique et de secrets familiaux. La perspective balzacienne, c'est qu'il y a toujours un « envers de l'histoire contemporaine ». Le public ne voit qu'une partie des choses, il ignore la face cachée des transactions, tout un passé d'affaires crapuleuses, de crimes inexpiables, tout un trafic des fortunes et de la chair humaine.

Mais en quoi le mariage Cambremer-Oloron éclaire-t-il le mariage de Robert et de Gilberte ? On trouve dans les deux cas la disproportion sociale des fiancés, ainsi que la « tare secrète », tare dont la mère de Marcel ne veut rien savoir (à la fin de la *Fugitive*, elle en est toujours à ignorer qu'Odette ait été la « dame en rose » de l'oncle Adolphe ; voir : F, III, p. 659). Mais il y a plus. Dans le texte de Proust, tout se passe comme si les deux mariages en venaient à fusionner. Lorsque l'infortunée Mlle d'Oloron meurt quelques semaines plus tard, le faire-part qui annonce son décès rassemble tous les noms des membres de la famille de Germantes, mais aussi le baron et la baronne de Forcheville (= Odette). Proust nous apprend alors que Jupien est le cousin germain d'Odette, de sorte que Gilberte et Mlle d'Oloron sont maintenant apparentées. Les deux mariages tendent aussi à se confondre dans la réflexion du narrateur :

« De ces deux mariages, je ne pensais rien, mais j'éprouvais une immense tristesse, comme quand deux parties de votre existence passée, amarrées auprès de vous, *et sur lesquelles on fonde, peut-être paresseusement au jour le jour, quelque espoir inavoué,* s'éloignent définitivement (...). » (F, III, p. 663 ; je souligne.)

Quelque espoir inavoué ! Ainsi, Marcel a peut-être désiré réussir lui aussi un grand mariage. S'il avait su s'y prendre à temps, il aurait pu devancer Saint-Loup et demander la main de Gilberte, devenue Mlle de Forcheville. C'est lui qui aurait mis la main sur le « gros sac » (cf. CG, II, p. 403). Du reste, la fille de Gilberte et de Robert épousera un « homme de lettres obscur » (TR, III, p. 1028). Mais il y a plus : l'*espoir inavoué* paraît ici flotter autour des deux mariages. Dans la réflexion du narrateur, ces deux alliances « romanesques » ne font qu'un seul événement (un seul sujet de roman), à savoir : le personnage bourgeois parvient à s'allier à la famille la plus aristocratique de France. Dans la *Recherche*, bien des gens finissent par entrer dans la famille des puissants Guermantes. Swann, s'il s'est déclassé lui-même en épousant Odette, y entre — seulement après sa mort, il est vrai — par sa fille. C'était son plus vieux rêve : présenter Gilberte à la duchesse de Guermantes. Legrandin y entre par son neveu. Mme Verdurin fait mieux que tout le monde puisqu'elle y entre en personne. Tout se passe comme si Proust suggérait ici une ligne de développement possible de son roman. Comme s'il attirait l'attention sur la présence en pointillé d'un scénario balzacien de la *Recherche*. Qu'est-ce que la vie de Marcel racontée comme un roman réaliste ? Marcel apparaît alors comme un arriviste qui finit par perdre la course au gros sac parce qu'il se montre trop *paresseux*, trop *nerveux*. C'est l'histoire d'un jeune homme de bonne bourgeoisie qui a les appétits, mais non l'énergie — la « volonté », dit Proust — des jeunes gens de sa classe. Il va sans dire que la construction de la *Recherche* n'est pas, telle quelle, balzacienne (on n'y voit pas assez la destruction de la famille de Marcel par les menées du héros névropathe). Pourtant, l'œuvre de Proust inclut en elle la possibilité d'un impeccable roman balzacien, en ce sens qu'on pourrait réduire, par élimination des complications proprement proustiennes, l'histoire de Marcel à une idée balzacienne de roman. Si le narrateur avait eu la force de volonté d'un héros balzacien, il aurait au moins tenté d'épouser une demoiselle de Guermantes.

Que le roman de Proust contienne cette ligne balzacienne de développement serait une simple interprétation de ma part si nous ne nous souvenions pas d'avoir lu, dans la *Fugitive*, un passage qui semble bien n'avoir d'autre raison d'être que de préparer la conclusion sur les deux mariages. Albertine vient de quitter Marcel. Le narrateur nous décrit son état de panique :

> « Je ne dirai pas la lettre de déclaration que je reçus à ce moment-là d'une nièce de Mme de Guermantes, qui passait pour la plus jolie jeune fille de Paris, et la démarche que fit auprès de moi le duc de Guermantes de la part des parents résignés pour le bonheur de leur fille à l'inégalité du parti, à une semblable mésalliance. » (F, III, p. 449.)

Si nous devions réduire la *Recherche*, œuvre complexe, à un roman pur, c'est-à-dire à un récit qui n'utiliserait que les ressources du roman classique, l'histoire en serait : un jeune homme, après un brillant début dans la vie dû à la protection de quelques grandes dames, manque son établissement dans le monde parce qu'il se montre indécis. (Pour être purement romanesque, ce récit devrait commencer avec les *Jeunes filles en fleurs* et se terminer avec la *Fugitive*. Il ne devrait contenir ni souvenirs d'enfance ni illuminations finales.) Dans une *Recherche* ainsi privée de sa complexité, Marcel incarne un type romanesque dont les autres exemplaires sont : Swann, Legrandin, Bloch. C'est Proust lui-même qui le fait remarquer dans une page où il oppose deux points de vue, la vue « du dedans » qui est celle de la personne vivant une certaine aventure, et la vue « à vol d'oiseau » qui est celle de l'observateur extérieur, du « statisticien ». Chose rare chez Proust, la vue du dedans est ici donnée pour plus bornée que la vue du dehors.

> « D'ailleurs, le cas qui s'était présenté pour moi d'être admis dans la société des Guermantes m'avait paru quelque chose d'exceptionnel. Mais si je sortais de moi et du milieu qui m'entourait immédiatement, je voyais que ce phénomène social n'était pas aussi isolé qu'il m'avait paru d'abord (...). Sans doute, les circonstances ayant toujours quelque chose de particulier et les caractères d'individuel, c'était d'une façon

toute différente que Legrandin (par l'étrange mariage de son neveu) à son tour avait pénétré dans ce milieu, que la fille d'Odette s'y était apparentée, que Swann lui-même, et moi enfin y étions venus. » (TR, III, p. 968-969.)

Qu'est-ce alors que la forme romanesque de présentation de la vie de Marcel ? Chez Proust, c'est la présentation de cette vie en référence constante à la carrière de Swann le précurseur. De sorte que cette vie est présentée sous deux jours différents : tantôt comme une suite de circonstances fortuites, de rencontres décisives, d'enchaînements singuliers, donc comme une aventure exceptionnelle, tantôt comme un échantillon du phénomène social de l'introduction des bourgeois brillants dans le grand monde.

« Pour moi qui avais passé enfermé dans ma vie et la voyant du dedans, celle de Legrandin me semblait n'avoir aucun rapport et avoir suivi des chemins opposés (…). Mais à vol d'oiseau, comme fait le statisticien (…), on voyait que plusieurs personnes parties d'un même milieu, dont la peinture a occupé le début de ce récit, étaient parvenues dans un autre tout différent, et il est probable que (…) tout autre milieu bourgeois cultivé et riche eût fourni une proportion à peu près égale de gens comme Swann, comme Legrandin, comme moi et Bloch, qu'on retrouvait se jetant dans l'océan du ''grand monde''. » (TR, III, p. 969.)

Cette réflexion du narrateur nous livre la théorie proustienne du roman. Pour écrire un roman, il faut d'abord choisir un de ces sujets inusables qui ont fait leur preuve. Ce sont ces sujets que paraissent désigner, par-delà leur histoire particulière, les grands titres classiques, comme Proust le remarque dans le *Contre Sainte-Beuve*. Le sujet de la *Recherche* lue comme un récit classique, ce pourrait être : Illusions perdues, Un début dans la vie, une Éducation sentimentale, etc. Ensuite, il faut transposer l'histoire banale en histoire exceptionnelle. Ce qui arrive au personnage principal est commun, c'est un phénomène social. Mais l'histoire sera racontée comme le héros la vit, c'est-à-dire comme une aventure incomparable. La transposition du « phénomène social » en « circonstances individuelles » nous donne le sujet d'un roman psychologique. Le genre du roman psychologique est celui dans lequel il s'agit de faire entendre la version de l'intéressé, ce qu'il a à dire au sujet de ce qui lui est arrivé. Enfin, et c'est là le pas que fait Proust au-delà du roman psychologique conventionnel, il faut dramatiser le conflit de la version « du dedans », celle du héros, et de la version « à vol d'oiseau », celle de l'observateur indifférent. La véritable aventure racontée dans le récit n'est plus sociale ou mondaine, mais intellectuelle. Le conflit est moins entre les personnages qu'entre les visions. Ne s'attachant qu'à la particularité des circonstances et à l'individualité des caractères, Marcel se figure vivre une aventure exceptionnelle, une aventure qu'on ne peut expliquer en des termes applicables à d'autres que lui. Son succès mondain aurait quelque chose d'unique et devrait donc être expliqué par quelque chose d'unique. Ayant reçu une brillante invitation, Marcel se figure avoir été invité pour lui-même, en raison d'une essence singulière par laquelle il est Marcel et non pas seulement un jeune homme de bonne famille. Qui suis-je pour que je sois invité chez les Guermantes ? D'où sa surprise lorsqu'il ne parvient pas à discerner, au cours de la conversation, cet intérêt pour Marcel en tant qu'il est Marcel, en tant qu'il n'existe au monde qu'un seul Marcel. Mais c'est une erreur. Le grand monde ne s'intéresse pas aux individualités. Le narrateur, s'il veut comprendre ses succès dans le monde, doit regarder sa vie du dehors, comme s'il s'agissait d'un autre. Il devrait assimiler son cas à celui de Bloch. Et, dès qu'il s'agit de son bon camarade Bloch, le narrateur n'a aucune peine à discerner le « phénomène social » dans l'épisode individuel. Lorsque Bloch annonce chez lui qu'il amènera un ami à dîner, et que cet ami n'est autre que « le marquis de Saint-Loup-en-Bray », le père Bloch est frappé d'un tel *résultat indiscutable*. Il s'écrie franchement : « Le marquis de Saint-Loup-en-Bray ! Ah ! Bougre ! » (JF, I, p. 747.) Lorsque c'est Bloch qui entre en rapport avec les Guermantes, le narrateur n'hésite pas à parler le langage du résultat, langage qu'il attribue aux Bloch. Mais du point de vue « statistique », ce langage est le bon. D'ailleurs, Bloch est si bien le double romanesque de Marcel qu'ils finissent par se confondre. On les prend l'un pour l'autre : « Quelquefois, (...) en disant Bloch c'était moi qu'on voulait dire. » (TR, III, p. 974.) Inutile de préciser que la confusion est le fait d'observateurs extérieurs. Pour Marcel, il y a un abîme entre sa personnalité et celle de son camarade. Les gens ne perçoivent pas cette différence aussi clairement.

Je puis maintenant revenir à cette question de la forme romanesque de la *Recherche*. Si Proust avait écrit un roman réaliste, un roman à la manière de Balzac, il aurait suivi l'idée de roman qu'il nous a lui-même indiquée : divers jeunes gens issus d'un même milieu réussissent à se faire admettre dans le grand monde ; certains d'entre eux consolident ce succès en s'y faisant de solides positions ; le « héros » mène une vie inutile et ne parvient à rien dans ce monde parce qu'il est « paresseux », parce qu'il se laisse distraire. Nous savons toutefois que la *Recherche* n'est pas un pur roman dans la manière de Balzac. Certes, Balzac a supplanté George Sand. Mais c'est finalement Dostoïevski que citera le narrateur comme *le romancier*. L'argument énoncé ci-dessus ne rend compte que d'une partie du récit. Proust a comme absorbé son aventure réaliste dans un ensemble plus complexe, dont l'argument est bel et bien : une vie racontée comme une vocation littéraire (TR, III, p. 899). Mais, en même temps, une vie racontée comme un roman, de sorte qu'il faut chercher dans le monde romanesque de Proust la réponse à ces questions :

1. Pourquoi Marcel, qui voudrait écrire, ne trouve-t-il pas de sujet ? Où sont, dans le monde qu'il habite, les obstacles à sa vocation littéraire ?

2. Comment Marcel surmonte-t-il l'obstacle ? Où trouve-t-il, dans le monde qu'il habite, les forces qui lui manquaient d'abord ? Ce monde de la *Recherche* est défini, ainsi que Proust le rappelle dans le texte cité tout à l'heure, par le contraste de deux milieux : celui de Combray et celui des Guermantes.

10. LA PHILOSOPHIE DE COMBRAY

« Chez moi, qu'elle dit ! C'est seulement pas son pays, c'est des gens qui l'ont recueillie, et ça dit chez moi comme si c'était vraiment chez elle. Pauvre petite ! quelle misère qu'elle peut bien avoir pour qu'elle ne connaisse pas ce que c'est que d'avoir un chez soi. » (JF, I, p. 693.)

D'où sort Marcel ! De quel milieu ?
Proust a-t-il une sociologie ?
Marcel est issu d'une famille de Combray, petite ville de province. Son père est un haut fonctionnaire. Marcel, encore jeune homme, réussit à se faire inviter à dîner chez la duchesse de Guermantes. Plus tard, il reçoit même une invitation chez la princesse de Guermantes. La chose lui paraît si incroyable qu'il craint une mystification.

Mais cela suffit-il à donner une épaisseur sociologique au récit ? On sait que Proust n'aime pas la sociologie, dont il condamne l'attitude platonicienne. « Les niais, écrit-il, s'imaginent que les grosses dimensions des phénomènes sociaux sont une excellente occasion de pénétrer plus avant dans l'âme humaine ; ils devraient au contraire comprendre que c'est en descendant en profondeur dans une individualité qu'ils auraient une chance de comprendre ces phénomènes. » (CG, II, p. 330.) Marcel, lors de son séjour à Doncières, professe une sociologie *idéaliste*. « L'influence qu'on prête au milieu est surtout vraie du milieu intellectuel » (CG, II, p. 106). Les matérialistes croient pouvoir expliquer l'homme par son milieu d'origine (Où est-il né ? Que faisaient ses parents ? D'où tire-t-il ses revenus ?, etc.). Mais souvent un être humain pense et parle comme on le fait dans son milieu d'adoption, comme les gens dont il adopte les vues. Ainsi, le duc de Guermantes s'exprime comme les gens de sa « classe mentale », non comme ceux de sa « caste d'origine » (CG, II, p. 236). Il parle comme un petit bourgeois, tandis que des bougeois élégants comme Swann ou Legrandin s'expriment en termes choisis.

La théorie proustienne affirme un vigoureux individualisme. Si les personnages romanesques de Proust étaient construits selon les principes de cette théorie, la *Recherche* serait le premier roman existentialiste du XXᵉ siècle. Dans un tel roman, il est de règle que les personnages soient décrits comme de purs individus. Sans doute, le personnage existentialiste est né quelque part, exerce un métier, reçoit des nouvelles de sa famille, etc. On dira qu'il découvre la condition humaine en comprenant qu'il a été originellement doté d'une *situation*. Mais la réalité du personnage n'est pas du côté de cette « situation ». Elle est dans sa conscience d'avoir à décider du « sens » qu'il donnera souverainement à l'ensemble des faits contingents qui définissent sa situation. Le roman existentialiste montre comment chacun, qu'il le veuille ou non, choisit librement ses valeurs et retrouve dans les lignes de son destin le projet fondamental de sa propre liberté. Ce projet assigne souverainement à toute chose une signification et une valeur. C'est pourquoi les auteurs existentialistes avaient conçu la littérature comme une « métaphysique concrète ». Si nous prenons au sérieux cette thèse, qu'anticipe la théorie sociale idéaliste de Proust, nous devrions attribuer une métaphysique à tous les personnages. Le narrateur doit avoir sa métaphysique, ce qu'on admet volontiers. Mais il doit y avoir aussi une métaphysique de la grand-mère, une métaphysique de Swann, une métaphysique de Charlus, et ainsi de suite. Peut-être dira-t-on plus volontiers, conformément à l'inspiration monadologique des théories de Proust : une *vision du monde*.

Un des personnages le plus obstinément présents dans la *Recherche* est Françoise. La vieille cuisinière n'est jamais très loin du narrateur. De tous les personnages, Françoise est celle qui lui est la plus proche dans l'ordre de la vie, au moment même où elle est la plus étrangère à ses goûts et à ses idées. Quelle sera donc la métaphysique ou la vision du monde de Françoise ? Il est remarquable que Proust, justement, lui en reconnaisse une. Mais il est encore plus remarquable qu'il l'appelle la *philosophie de Combray*. La philosophie de Françoise n'est pas une vision propre à Françoise. Elle est la façon dont on pense à Combray.

> « Elle [= Françoise] était surtout exaspérée par les biscottes de pain grillé que mangeait mon père. Elle était persuadée qu'il en usait pour faire des manières et la faire « valser » (...). "Oui, oui, grommelait le maître d'hôtel, mais tout cela pourrait bien changer, les ouvriers doivent faire une grève au Canada et le ministre a dit l'autre soir à Monsieur qu'il a touché pour ça deux cent mille francs." (...) Mais la *philosophie de Combray* empêchait que Françoise pût espérer que les grèves du Canada eussent une répercussion sur l'usage des biscottes : *"Tant que le monde sera monde, voyez-vous,* disait-elle, *il y aura des maîtres pour nous faire trotter et des domestiques pour faire leurs caprices."* » (CG, II, p. 27 ; je souligne.)

Une fois de plus, Proust romancier est plus hardi que Proust théoricien. Tout être humain a sa vision du monde. Françoise a donc elle aussi, par force, sa vision. Mais cette « philosophie » n'est justement pas la sienne et se réduit à « la théorie de cette trotte perpétuelle » *(ibid.)*. En un sens, cette philosophie de Combray est en effet une philosophie. Elle consiste dans une thèse sur l'ensemble des choses (« tant que le monde sera monde »). Elle peut donner lieu à différentes variations, par exemple à des renversements dans les rapports du maître et du serviteur. Et nous attendons justement d'une philosophie : 1) qu'elle soit une thèse sur le monde, sur ce qui appartient au monde en tant qu'il est le monde (une thèse sur l'« essence du monde », dirait un lecteur de Schopenhauer) ; 2) qu'elle déclare un partage du nécessaire et du contingent, une distinction de ce qui est vrai dans tous les états possibles du monde et de ce qui n'arrive qu'ici ou là, ou bien pour un temps seulement, ou bien seulement dans tel ou tel cas de figure. La « philosophie de Combray » permet à Françoise de savoir d'avance (a priori) ce qui fait que le monde est monde. Reste que cette philosophie inspire plutôt à Françoise un *dicton* de sagesse commune. Il serait absurde de chercher dans ce dicton une proposition métaphysique. Il manque à ce dicton la dimension de la réflexion. Le dicton ne dit pas ce qu'il y a d'inconcevable, d'a priori impossible dans la pensée d'un *monde renversé* (monde dans lequel les domestiques feraient trotter les maîtres) ou dans le pensée d'un *monde innocent* (monde dans lequel il n'y aurait plus ni maître ni serviteur). La philosophie telle que nous la comprenons ne va pas sans un effort pour fixer les limites du monde ailleurs qu'au point où s'arrête le sens commun. Ou bien, si c'est pour les tracer au même endroit, un effort de les y fixer pour des raisons inconnues du sens commun. C'est pourquoi la « philosophie de Combray » n'est pas sérieusement une philosophie. Elle est ce qui sert de philosophie à des gens qui n'éprouvent pas le besoin de se faire une philosophie. Ou bien encore, pour le dire autrement, la « philosophie de Combray » est une philosophie seulement par anticipation. Françoise, la tante Léonie, Eulalie ne sont pas les théoriciennes d'une école de Combray (comme on dit : *l'école de Francfort*). Et pourtant, nous pouvons concevoir une philosophie s'édifiant avec les matériaux que fournit Combray. Il faudrait alors que Combray soit moins heureux. Le bonheur fragile du Combray que Proust a dépeint est qu'on y vit encore dans une « société fermée » (CS, I, p. 110). Combray ignore le monde extérieur, un monde qui pourtant le cerne et va bientôt l'anéantir pendant la Grande Guerre. Combray n'éprouve pas le besoin de se justifier d'être Combray. A Combray, on ne parle pas du *droit à la différence* ni de la *crise d'identité*. Il n'y a en ville ni parti avancé ni parti intégriste. L'air public n'est pas troublé par l'*idéologie*. Les besoins de Combray sont nuls en matière d'*idées*. La vie de l'esprit, à Combray, ne passe pas par les controverses, la dialectique ou les manifestations d'un art révolutionnaire. On s'y satisfait des cérémonies et de la liturgie : la grand-messe, les défilés militaires. Pourtant, si Combray était aspiré par la modernité, par le « vent qui soufflera demain » (Baudelaire), il connaîtrait la dissension. Les traditions du vrai Combray seraient mises en question. Le besoin se ferait alors sentir d'une doctrine pour défendre les « valeurs » ou les « principes sacrés » de Combray. Quelqu'un, un idéologue, devrait articuler les vues ancestrales de Léonie, Françoise, etc., en une vision du monde.

Il n'est pas indifférent que les vues de Françoise sur la marche du monde soient produites à l'occasion d'une récrimination qui porte sur l'usage des biscottes. Qu'on mange des biscottes est précisément le genre de choses qui frappe l'esprit à Combray ou à Saint-André-des-Champs. C'est pour rendre compte de ce genre de phénomènes qu'il existe une sagesse de Combray, alors que des pensées plus savantes auraient peut-être du mal à commenter des faits aussi menus. Pour Françoise, le bon pain est le pain tel qu'il sort du four du boulanger. Exiger qu'on le fasse griller, c'est demander qu'on le dénature, par une fantaisie inexplicable et perverse d'où il résulte pour elle un surcroît de besogne. Derrière les biscottes, il y a le pouvoir des maîtres sur les domestiques. Si tout le monde réclamait des biscottes, le monde ne serait plus le monde. Dans le monde comme il va, les uns pourront se passer leurs envies en commandant, tandis que les autres devront *trotter*.

Le dicton et la proposition philosophique sont des formes littéraires différentes. Il est important que la pensée de Combray vienne à s'exprimer dans un propos d'allure gnomique. La « vision du monde » tient alors dans une phrase qui dit le tout sur le tout, phrase définitive parce qu'ouvertement arbitraire. Le proverbe, le dicton, l'apophtegme sont *sans réplique* parce qu'indifférents à tout ce qui serait raison des effets, ordre du divers, loi des phénomènes. Le dicton prononce : *Il en est ainsi, c'est comme ça.* Tant que le monde sera monde, il y aura des maîtres et des serviteurs, des hommes et des femmes, des vieux et des jeunes, des vivants et des morts, et. Il n'y a rien à redire à cela parce qu'il n'y a non plus rien d'autre à en dire. L'emploi de la sagesse gnomique n'est pas de répondre aux questions. Il est de prévenir les rêveries oiseuses, les vains désirs, par une claire définition de qui toujours a été, est et sera. Il est essentiel à la « philosophie de Combray » de se livrer sous une forme décousue, ponctuelle. On la dénaturerait si on voulait l'articuler selon les formes de l'exposition philosophique, en distinguant ce qui est hypothèse, ce qui est principe, ce qui est donnée de fait, ce qui est inférence, etc. La fonction du dicton proverbial est de bloquer le développement indésirable des questions inutiles et des revendications chimériques. Le sens du dicton est de marquer une impasse, d'enfermer l'esprit dans une *aporie* en renvoyant la personne à ses limites et à ses devoirs. A l'inverse, la fonction de la proposition philosophique est d'ouvrir un chemin à la pensée, de lever l'aporie, de rendre sa mobilité à l'esprit de celui qui s'était laissé paralyser dans tel paradoxe du monde.

Françoise émet moins de proverbes que d'autres serviteurs de la littérature européenne, tel Sancho Pança, mais plus que les autres personnages de la *Recherche*. (A propos de la fille de cuisine : *Qui du cul d'un chien s'amourose, / Il lui paraît une rose*, CS, I, p. 123 ; à propos d'Albertine : *Mangeons mon pain. — Je le veux bien. — Mangeons le tien. — Je n'ai plus faim.* SG, II, p. 737.) Comment faire la différence entre une *conscience collective* (ou façon de penser commune dans un groupe, par exemple la « philosophie de Combray ») , une *idéologie* (à savoir, l'articulation par un penseur individuel de la pensée collective d'un groupe, articulation qui donne à cette pensée diffuse la forme explicite d'un *système du monde* propre à guider l'action) et une *philosophie* (à savoir, l'articulation par un individu de ses propres pensées, donc de ce que lui-même pense de ce qu'on dit dans le monde auquel il appartient) ? Pour préciser ces notions, on peut tirer parti du contraste entre ces deux extrêmes : le dicton proverbial et la proposition philosophique. Deux différences sont à remarquer :

1. *Qui parle ?* En philosophie, toujours un penseur individuel. Il n'y a pas de philosophie collective, même s'il peut arriver qu'un philosophe choisisse de se faire l'idéologue d'un groupe, c'est-à-dire d'utiliser les ressources conceptuelles d'une philosophie pour articuler une pensée collective. En revanche, lorsqu'un proverbe est cité, c'est toujours le groupe qui parle. Le dicton proverbial n'est pas, comme la maxime ou la sentence, un mot célèbre attribué à quelqu'un, c'est une parole, certes individuelle à l'origine, qui est *passée en proverbe*, devenant ainsi sagesse anonyme.

2. Comment pense-t-on ? En philosophie, toujours avec une suite dans les idées, donc de façon continue : la philosophie est, entre autres choses, l'essai d'une pensée conséquente. Dans le cas d'une pensée par proverbes, de façon discontinue : car le dicton est là pour fixer la pensée sur un réel qui doit être accepté tel qu'il est, sans qu'on ait le droit de s'en étonner.

Pour éviter de confondre une pensée essentiellement collective (comme la « philosophie de Combray ») et une pensée essentiellement individuelle (comme celle du philosophe ou du romancier), on peut parler dans le premier cas d'une *cosmologie*. Une cosmologie, prise ici dans le sens où les anthropologues parlent de la cosmologie d'un groupe, est une théorie collective du monde. C'est le groupe qui possède ces notions de ce qu'il se trouve dans le monde en fait de forces, de ressources, de dangers, ainsi que de la façon dont toutes ces choses sont disposées entre elles et à notre égard.

Proust parle ironiquement de la « philosophie de Combray », mais nous devons parler littéralement de la « cosmologie de Combray ». En effet, les idées de Françoise ne sont pas ses idées, celles qu'elle s'est formées. Ce sont les idées qu'on a chez elle. Françoise est chez elle à Combray. Or c'est là une grande question, non seulement de la *Recherche*, mais de tout roman : Où le personnage est-il chez lui ? La question porte moins sur un territoire géographique que sur un territoire rhétorique (en prenant le mot *rhétorique* dans le sens classique, sens défini par des *actes rhétoriques* tels que le plaidoyer, l'accusation, l'éloge, la censure, la recommandation, la mise en garde, etc.). Le personnage est chez lui lorsqu'il est à son aise dans la rhétorique des gens dont il partage la vie. Le signe qu'on est chez soi, c'est qu'on parvient à se faire comprendre sans trop de problèmes, et qu'en même temps on réussit à entrer dans les raisons de ses interlocuteurs sans avoir besoin de longues explications. Le pays rhétorique d'un personnage s'arrête là où ses interlocuteurs ne comprennent plus les raisons qu'il donne de ses faits et gestes, ni les griefs qu'il formule ou les admirations qu'il manifeste. Un trouble de communication rhétorique manifeste le passage d'une frontière, qu'il faut bien sûr se représenter comme une zone frontière, une *marche*, plutôt que comme une ligne bien tracée.

Marcel et Françoise ne se comprennent pas toujours. Proust a accentué les aspects provinciaux, villageois, de Françoise, de façon à obtenir un contraste plus saisissant entre ses vues et celles de Marcel, pour qui Combray n'est plus qu'un pays de vacances. Les idées de Françoise sont les idées de Combray. Tant que Combray reste égal à lui-même, les idées collectives ne prennent jamais la forme d'un système articulé dans un livre canonique. C'est pourquoi le romancier doit procéder comme un ethnographe et recueillir les principes cosmologiques de Combray à deux sources : la conversation et le « coutumier » (F, III, p. 481). La conversation englobe tous les échanges verbaux pourvu qu'y soient échangées, non des informations purement factuelles, mais des opinions : les palabres, les commentaires sur l'actualité, la critique des voisins, les propos sur le temps qu'il fait, etc. Quant au « coutumier », il englobe tous les comportements socialement prescrits (ou *religieux*, au

179

sens de Durkheim), qu'ils se présentent comme simples usages, bonnes manières, ou bien comme coutumes rituelles. Ces gestes coutumiers se distinguent nettement dans la conduite de quelqu'un de ses gestes individuels. L'individu n'est pas libre de les accomplir ou de s'en abstenir, et il n'est pas libre non plus d'en modifier les formes à sa guise.

Proust évoque plusieurs fois le rituel du deuil des gens de Combray. Il y trouve même l'occasion de mettre en scène Françoise et Marcel s'opposant, dans un différend rhétorique, sur nos devoirs à l'égard des morts. Dans le monde de Françoise — ce qui veut dire : à Combray —, un rituel prescrit certaines marques de deuil dans le cas de la mort d'un parent ou d'un proche : le port de vêtements noirs, la réunion familiale, etc. Alors que sa tante Léonie vient de mourir, le jeune Marcel n'entend pas renoncer à des promenades qu'il aime faire à la campagne enveloppé dans un grand plaid

> « que je jetais d'autant plus volontiers sur mes épaules que je sentais que ses rayures écossaises scandalisaient Françoise, dans l'esprit de qui ont n'aurait pu faire entrer l'idée que la couleur des vêtements n'a rien à faire avec le deuil et à qui d'ailleurs le chagrin que nous avions de la mort de ma tante plaisait peu, parce que nous n'avions pas donné le grand repas funèbre (…) ». (CS, I, p. 153-154.)

C'est que, dans le monde de Marcel, le mot *deuil* ne désigne pas cet ensemble de marques publiques d'affliction et de respect qu'on doit à un parent mort. Le deuil est d'abord un chagrin, un état d'âme qu'on éprouve en soi-même, et qu'il serait peu convenable de manifester trop bruyamment. Ressentir un chagrin sincère fait obstacle aux épanchements. Poussant d'ailleurs cette conception individualiste du deuil jusqu'au sophisme, le jeune Marcel cherche à démontrer à François qu'on doit pleurer la tante Léonie « parce que c'était une bonne femme, malgré ses ridicules » et non parce qu'elle était une parente *(ibid.)*. Son chagrin serait purement personnel et n'aurait rien de familial (étrange propos de la part de celui qui se trouve être le principal héritier de sa tante). En somme, le deuil de Marcel serait d'autant plus pur que son rapport personnel à la femme qu'était sa tante Léonie l'emporterait sur le rapport d'un neveu à sa tante. (Proust note lui-même à quel point les propos de Marcel sont ineptes.)

La conception qu'on a du deuil chez les Guermantes ressemble plus à celle de Combray qu'à celle de la famille du narrateur. Françoise la paysanne et les seigneurs de Combray incarnent ici l'ancienne France. La famille bourgeoise de Marcel est plus moderne. Pour les Guermantes, les *formalités* sont obligatoires en cas de deuil et doivent être accomplies scrupuleusement. Mais on n'a pas à se demander si elles sont sincères. Dans la famille de Marcel, les signes de deuils doivent être produits sincèrement et engager la personne. Peu après la mort de sa gand-mère, Marcel désire aller voir jouer une pièce chez la marquise de Villeparisis. Sa mère désapprouve cette sortie, mais ne saurait l'interdire au nom des convenances : « ma mère, dans les scrupules de son respect pour le souvenir de ma grand'mère, voulait que les marques de regret qui lui étaient données le fussent librement, sincèrement » (CG, II, p. 347).

Autre contraste entre l'ancienne société et la nouvelle : la façon dont le deuil va se manifester. A Combray ou dans la famille des Guermantes, le groupe se rassemble et réaffirme sa présence par des symboles communs. Proust décrit la mort propre aux Guermantes en termes presque hégéliens : une fois l'individu mort, l'Universel affirme sa prééminence en réduisant le membre défunt de la famille en pur Guermantes. A sa mort, un Guermantes

> « n'était plus qu'un Guermantes, avec une privation d'individualité et de prénoms qu'attestait sur les grandes tentures noires le seul G de pourpre, surmonté de la couronne ducale (...) ». (CG, III, p. 450 ; cf.TR, III, p. 851.)

Dans la cosmologie de l'ancienne France, le deuil est une affaire collective : c'est la famille qui est frappée par cette mort et qui porte le deuil. Les manifestations doivent être non seulement extérieures, publiques, mais conformes aux coutumes. Les membres du groupe puisent dans le symbolisme collectif pour marquer qu'ils portent le deuil de leur parent. Dans la cosmologie d'une société plus moderne, comme celle qui fournit au narrateur son sens des convenances et des devoirs, le deuil est un chagrin personnel dont les manifestations doivent être, elles aussi, personnelles. Le rassemblement familial n'est plus aussi important. Ce sont des individus qui manifestent leur sympathie (CG, II, p. 325). Les deux vieilles tantes poussent un peu trop loin le principe individualiste d'un deuil personnel. Averties par télégramme de la fin prochaine de leur sœur, elles se gardent bien de quitter Combray pour une réunion trop matérielle avec le reste de la famille.

> « Elles avaient découvert un artiste qui leur donnait des séances d'excellente musique de chambre, dans l'audition de laquelle elles pensaient trouver, mieux qu'au chevet de la malade, un recueillement, une élévation douloureuse, desquels la forme ne laissa pas de paraître insolite. » *(Ibid.).*

Faute d'institutions du deuil, Marcel est livré à lui-même lors de la mort de sa grand-mère. Il n'opère pas le travail du deuil avec d'autres. Nous-mêmes, qui participons de la même cosmologie que Marcel, disons d'ailleurs *travail du deuil* pour désigner une opération psychologique de l'individu. En d'autres temps, le « travail du deuil » aurait été effectué par la cérémonie collective grâce à laquelle le parent disparu aurait reçu le statut d'*ancêtre mort*. C'est plus tard, seul dans sa chambre de l'hôtel de Balbec, à son heure, par lui-même, que Marcel change l'absence de sa grand-mère en présence protectrice (SG, II, p. 755-760).

Il y a, on le voit, un contraste extrême entre la cosmologie des braves gens de Combray et la cosmologie de la vie parisienne (voir en fin de chapitre la note sur la comparaison des cosmologies). Proust l'a voulu ainsi. Il n'a pas cherché à équilibrer ses scènes de la vie parisienne par des scènes de la vie provinciale. Il a délibérément exclu de son tableau idyllique de Combray tout ce qui aurait pu faire événement. A Combray, rien ne se passe : nous sommes encore en deçà de la possibilité du *roman*, dans tous les sens de ce terme. A Combray, tout est clair : aussi bien la *frontière* entre Combray et le monde extérieur (on sait qui est de Combray) que le *rang* dont jouit chacun en vertu du statut qu'a toujours eu sa famille. Les deux différences qu'articule une cosmologie, la différence externe (citoyenneté) et la différence interne (rang), sont clairement présentées par Proust dans ce passage :

> « (...) A Combray, une personne "qu'on ne connaissait point" était un être aussi peu croyable qu'un dieu de la

mythologie, et de fait on ne se souvenait pas que, chaque fois que s'était produite, dans la rue du Saint-Esprit ou sur la place, une de ces apparitions stupéfiantes, des recherches bien conduites n'eussent pas fini par réduire le personnage fabuleux aux proportions d'une ''personne qu'on connaissait'', soit personnellement, soit abstraitement, dans son état civil, en tant qu'ayant tel degré de parenté avec des gens de Combray. » (CS, I, p. 57.)

Proust ajoute malicieusement que cette connaissance de Combray par Combray va si loin qu'on s'y inquiète même d'avoir cru voir un chien qu'on ne connaissait point. Le narrateur raconte plus loin qu'il lui est arrivé une fois dans sa vie de ne pas pouvoir identifier quelqu'un à Combray (CS, I, p. 167). Ainsi, Combray est un monde fermé qui contient la totalité de ses affaires. Tant que Combray reste lui-même, les événements qui affectent la vie de Combray se passent à Combray même. Les moyens intellectuels de Combray, supérieurement représentés dans la tante Léonie, suffisent à rendre raison de tout ce qui arrive. Les gens de Combray savent toujours *qui est qui*. D'une part, il n'y a quasiment jamais d'inconnus, seulement des visiteurs, des hôtes. D'autre part, les habitants de Combray possèdent parfaitement leur système de parenté et savent déterminer l'exacte position de chacun dans les lignées de Combray. Ayant insisté sur le sens que Combray a de sa frontière, Proust revient à plusieurs reprises sur l'autre principe cosmologique de Combray : le « principe des castes » (CS, I, p. 16 ; voir TR, III, p. 955). C'est en vertu de ce principe des castes que la famille de Marcel est incapable de seulement concevoir le fait que Swann puisse mener à Paris une vie élégante, lui qui n'est à Combray que le « fils Swann » (CS, I, p. 16 ; cf. p. 310). Ce principe veut que

> « chacun, dès sa naissance, se trouvait placé dans le rang qu'occupaient ses parents et d'où rien, à moins des hasards d'une carrière exceptionnelle ou d'un mariage inespéré, ne pouvait vous tirer pour vous faire pénétrer dans une caste supérieure » (CS, I, p. 16).

Proust désigne ici en passant les deux ressorts du romanesque dans sa version primitive, naïve. Dans un roman, un aventurier essaie de se faire reconnaître un rang que sa condition d'origine ne lui permettait ni de revendiquer comme une chose due, ni d'espérer comme un avenir possible. Les deux moyens sont le mariage hypergamique et les hauts faits. Dans la littérature populaire et enfantine, l'*amour* rend possible le mariage improbable, tandis que l'*héroïsme* explique la carrière exceptionnelle. Le roman réaliste classique tempère tout cela. L'amour et la vigueur ne suffisent pas, il faut aussi, et peut-être surtout, l'habileté dans les intrigues, la connaissance du monde et la bonne fortune.

En même temps, Proust nous fait savoir ici pourquoi Combray n'est pas encore un monde romanesque (voir René Girard, *op. cit.*, ch. IX). Nul n'est un héros romanesque en son pays, si ce pays est semblable à Combray. Car ceux-là mêmes qui réussissent les mariages inespérés ou les carrières exceptionnelles sont sévèrement jugés à Combray. La démonstration de Proust est ici limpide. Les deux précurseurs de Marcel dans la carrière mondaine sont Swann et Legrandin. Swann nous est présenté au sommet de sa carrière, qui a été des plus brillantes. Or tous ses succès passent inaperçus à Combray, où l'on ne connaît que le *fils Swann* et non *Charles*, l'ami des ducs, le familier du comte de Paris. Et le jour où un journal évoque les brillantes relations de Swann, on en conclut à Combray (non sans raison) que Swann est un aventurier. L'autre carriériste mondain est Legrandin. Il nous est montré dans les débuts de son ascension, alors qu'il fait ses premières tentatives pour sortir du milieu obscur d'où il est issu. A Combray, tous ses efforts pour mener une vie élégante sont aussitôt censurés sous le chef du *snobisme*. Combray sait, pour toujours, qui est Legrandin. Son jeu ne trompe personne. Legrandin fait rire. Legrandin n'est pas un personnage romanesque, mais simplement comique, parce que nous le jugeons toujours du dehors, selon la rhétorique de Combray, et jamais du dedans. Si les raisons que Legrandin donne lui-même de sa conduite sont mentionnées, c'est pour souligner le ridicule du personnage, le divorce des pensées et des actes. Combray ne s'y laisse pas prendre. Bien entendu, lorsque Legrandin s'examine lui-même, il ne découvre aucun snobisme dans les raisons qui le font chercher la compagnie des duchesses : seulement un sens plus vif de ce qui est délicat, noble, poétique.

« Jamais le snobisme de Legrandin ne lui conseillait d'aller voir souvent une duchesse. Il chargeait l'imagination de Legrandin de lui faire apparaître cette duchesse comme parée de toutes les grâces. Legrandin se rapprochait de la duchesse, s'estimant de céder à cet attrait de l'esprit et de la vertu qu'ignorent les infâmes snobs. Seuls les autres savaient qu'il en était un ; car, *grâce à l'incapacité où ils étaient de comprendre le travail intermédiaire de son imagination*, ils voyaient en face l'une de l'autre l'activité mondaine de Legrandin et sa cause première. » (cs, I, p. 129 ; je souligne.)

L'activité mondaine de Legrandin fournit à Proust une scène de comédie et non une idée de roman tant qu'elle se déroule à Combray. En effet, Combray ne permet pas que le *travail de l'imagination* s'exerce sur le thème d'un possible remaniement des rapports qu'entretiennent entre eux ses habitants. Si l'imagination de quelqu'un fait mine de travailler dans ce sens, l'opinion publique le condamne et se moque de lui. Aussi la *vie inconnue* qui suscite les rêves et les fantaisies n'est-elle pas la vie des voisins ou des passants. Un être imaginatif comme Marcel, tant qu'il est à Combray, ne conçoit pas des scénarios. Le thème constant de son rêve est le paysage. Son imagination s'exerce sur les aubépines, les arbres du bois, les reflets du soleil, les toits des maisons, les clochers des églises. Le seul texte de lui qui soit cité dans la *Recherche* est un poème en prose. Mais non un poème en prose à la manière de Baudelaire, fixant un instant de fusion dans la promiscuité de la foule. Les thèmes poétiques du narrateur sont plutôt des sujets de *devoirs de vacances* : raconter une promenade, une belle matinée, le retour du beau temps, etc. Par ailleurs, la ville de Combray est dans le reste de la *Recherche* un thème élégiaque, aussi bien pour le narrateur que pour Françoise, qui parfois déclame ses *regrets* (« Ah ! Combray, quand est-ce que je te reverrai, pauvre terre !, etc. », cg, II, p. 18).

Pourtant, Marcel qui ne trouve pas un seul sujet de roman tant qu'il est à Combray, est le seul qui y réussisse une véritable action romanesque. Action minime, en apparence, dont les conséquences ne se feront sentir qu'ensuite, loin de Combray. Marcel parvient, par un acte de rebellion, à extorquer le baiser du soir qui lui avait été d'abord refusé en raison de la visite de Swann. Or le narrateur, dans son récit de l'épisode, insiste sur une discordance affectant le système d'éducation auquel il est soumis. Qui est responsable de la privation de baiser du soir ? C'est le père. D'abord le grand-père a estimé que Marcel était fatigué et devrait se coucher. « Et mon père, qui ne gardait pas aussi scrupuleusement qua ma grand'mère et que ma mère la foi des traités, dit : ''Oui, allons, va te coucher.'' » (CS, I, p. 27). Mais c'est encore grâce au père que le baiser refusé sera finalement accordé contre tout espoir. Le père s'est laissé attendrir par les démonstrations de désespoir de Marcel. « Mon père me refusait constamment des permissions qui m'avaient été consenties dans les pactes plus larges octroyés par ma mère et ma grand'mère, parce qu'il ne se souciait pas des ''principes'' et qu'il n'y avait pas avec lui de ''Droit des gens''. » (CS, I, p. 36.) Cette même absence de principes lui permet d'être indulgent. On voit comment le jeune Marcel exploite habilement la discordance entre ses parents, exigeant certains privilèges au nom des conventions passées avec sa mère, mais bénéficiant aussi des bontés de son père. Il est remarquable que Proust, par deux fois, fasse référence au droit international. Le « Droit des gens » *(jus gentium)* est le droit qui s'applique à des *puissances souveraines*, en l'absence de toutes lois ou de toute subordination entre elles. Ce droit se déduit de quelques principes tels que : *Pacta sunt servanda*, on doit respecter les traités. Voilà précisément ce que Proust a en tête : le respect des conventions passées entre des puissances autonomes.

Du côté paternel, l'éducation du jeune Marcel suit les principes de Combray. Il n'y a pas de place, dans la « philosophie de Combray », pour des *relations de droit* entre un père et son fils. Le père a certes, à l'égard de son fils, les *devoirs* de l'état paternel. Mais ces devoirs ne sont en aucune façon des *obligation contractées* à l'égard de l'individu Marcel, que ce soit par un traité ou une convention tacite. En revanche, la grand-mère maternelle, qui n'est pas de Combray, a introduit dans l'éducation de Marcel un « esprit » nouveau (CS, I, p. 11). Le principe de son éducation idéaliste est qu'on doit traiter l'enfant comme on traiterait l'adulte qu'il sera un jour. Par exemple, on ne lui donnera pas des livres d'enfants, mais des classiques de la littérature (voir CS, I, p. 146). Il est alors naturel d'en agir avec Marcel comme avec un sujet de droit. Pourtant, ce n'est pas par hasard que Proust évoque, non le droit civil, mais le droit des gens. En réalité, les rapports domestiques au sein de la famille ne deviennent jamais des rapports civils entre (grandes) personnes. On retrouve ici, du côté de la famille, les même difficultés que celles des partisans d'un ordre international fondé sur le droit. L'invocation du bon droit finit toujours par être partisane. L'appel aux grands principes dissimule en fait des épreuves de force, des chantages, des appétits de domination tyrannique. Il est vrai que le chantage pratiqué par Marcel n'est pas un chantage à la force, comme dans une relation d'État à État, mais un chantage à l'amour.

La différence entre Paris et Combray est en fin de compte la suivante : Combray est un monde dont les habitants n'ont pas même l'occasion, ni peut-être l'idée, de s'individualiser à Combray ; à Paris et dans la partie parisienne de la famille du narrateur, il est non seulement possible, mais il est même tenu pour légitime de se conduire en individu responsable de soi et du monde dans lequel on entend vivre.

On résumera ce qui précède par le tableau suivant (établi en suivant les conventions qu'explique la note annexée au présent chapitre) :

	Personne	Groupe
différence interne socialement instituée		Combray comédie poésie lyrique
différence interne libre	Paris roman	

NOTE SUR LA COMPARAISON DES COSMOLOGIES

Aujourd'hui, le mot *cosmologie* désigne ordinairement une théorie de l'univers physique. Une cosmologie apporte une réponse à des questions telles que : De quoi le monde est-il fait ? Comment les éléments du monde tiennent-ils ensemble ? Comment tout cela a-t-il pris forme ? Comment ces éléments sont-ils disposés les uns envers les autres ? A ces questions, certaines cosmologies donnent des réponses qui nous semblent primitives, d'autres des réponses savantes, voire « scientifiques ».

Le mot *cosmologie* est également utilisé par certains anthropologues pour désigner le système du monde d'un groupe social. C'est dans ce dernier sens que je prends ici le terme. Je m'inspire surtout, à cet égard, des travaux de Mary Douglas (voir son exposé dans *Les symboles naturels*). Ce concept sociologique de cosmologie hérite de diverses notions classiques, parmi lesquelles : la *conscience collective* de Durkheim, les *systèmes sociaux de classification* de l'école française de sociologie, les *ordres symboliques* de l'anthropologie structurale, etc. Or on peut reprocher à certains de ces différents termes d'avoir été empruntés, sans une refonte suffisante, à une philosophie trop exclusivement définie comme philosophie de la conscience. Une telle philosophie pose un *sujet* auprès duquel le monde est *représenté*. Ce sujet est toujours un individu humain saisi dans sa capacité à s'examiner soi-même (« conscience »). Le monde lui est représenté dans une *vision* personnelle, selon sa perspective, ou dans une dotation originelle d'idées (ou *idéologie*). Or le sujet auquel il convient d'attribuer une cosmologie est le groupe.

La cosmologie d'un groupe n'est pas un système du monde destiné à répondre aux interrogations de la seule curiosité intellectuelle. Ce système a une fonction pratique : il permet aux membres du groupe de s'orienter dans la vie, donc aussi de s'expliquer mutuellement leurs faits et gestes. La cosmologie dans laquelle un agent individuel a été instruit lui enseigne quelles forces agissent dans le monde et comment elles agissent, selon quels principes et dans quel ordre. Une cosmologie ne fixe donc pas seulement un ordre physique des forces, mais un ordre moral des autorités. Elle fait savoir *qui doit quoi à qui* et *qui peut compter sur qui et pour quoi*. Une cosmologie déclare un *ordre de justice*. De qui suis-je responsable ? Qui viendra à mon aide ? Qui appeler à mon secours en telle occasion ? Qui m'appellera moi-même ? Quels sont les droits et les devoirs de quelqu'un dans telle fonction ? Qui est fondé à se plaindre, auprès de qui et de quoi ? Qui a lieu d'être fier ? Les réponses à toutes ces questions supportent les *actes rhétoriques* du groupe. La cosmologie peut donc être définie comme le fondement de la rhétorique du groupe. (Aristote a fait la théorie de certains des actes rhétoriques, ceux qui préparaient chez les Grecs la décision publique : l'accusation et la défense devant le jury, le discours pour ou contre devant le souverain, l'éloge et le blâme devant le public.)

Comment comparer des cosmologies ? Le principe même de cette comparaison doit être sociologique. Il faut partir du fait que les cosmologies appartiennent à des groupes. Un penseur isolé peut élaborer, avec des matériaux empruntés à diverses cosmologies, une philosophie ou une *gnose*. Un individu ne peut jamais à lui tout seul instituer une religion ou une législation. Il est donc raisonnable de comparer les cosmologies du point de vue des organisations sociales dans lesquelles elles font sens. Toutefois, ces organisations ne seront pas nécessairement conçues comme des *sociétés globales* (par exemple, une tribu d'aborigènes, un empire, une cité souveraine, une nation moderne, etc.). On y verra plutôt des *sociétés rhétoriques*, autrement dit, des mondes où un certain argument est compris, a du poids, emporte la décision. L'idée est que la force rhétorique d'un argument est fonction du type de société qui admet cet argument. (Par exemple, il faudra dire dans certains milieux : C'est intéressant *parce que c'est nouveau*, alors qu'on devra dire dans d'autres milieux : C'est intéressant *bien que ce soit nouveau*.) Le but d'une comparaison des cosmologies n'est donc pas de donner une explication causale. Il est de comprendre comment certaines choses vont ensemble. Comme le disait Marcel Mauss : « L'explication sociologique est terminée quand on a vu *qu'est-ce que* les gens croient et pensent, et *qui* sont les gens qui croient et pensent cela. » (cité par Louis Dumont, *Essais sur l'individualisme*, p. 177). Autrement dit, la seule ambition d'une étude comparative est d'arriver à des résultats de cette forme : là où *nous* faisons telle chose et pensons de telle façon, *eux* agissent de telle autre façon et pensent de cette autre façon.

J'adapterai pour le présent essai un diagramme comparatiste proposé par Mary Douglas. Deux axes vont nous permettre de repérer les uns par rapport aux autres les principes cosmologiques auxquels des acteurs font appel pour expliquer, préparer ou justifier leurs décisions, et plus généralement leurs conduites. Un premier axe, celui du *groupe* dans le vocabulaire de Mary Douglas, mesure le poids respectif du groupe d'appartenance et de l'*ego* dans la justification donnée. A qui revient la responsabilité de la décision ? Est-ce au groupe ou bien à l'individu ? Ce qu'on mesure ici est la place de la *frontière* qui sépare le groupe du monde extérieur au groupe. Y a-t-il une différence majeure, dans la pensée des gens, entre ceux qui sont du groupe (« nous ») et ceux qui n'en sont pas (« eux ») ? Un deuxième axe, celui de l'*échelle* ou encore du *classement* (« grid », dans le vocabulaire de Mary Douglas), mesure la part de l'individu et celle du groupe dans l'établissement de la différenciation interne au groupe. Si la différenciation est instituée par le groupe, on a un ordre des statuts. Là où la société repose sur le principe d'une égalité en droit des individus, la distribution des rangs est méritocratique, comme dans un classement scolaire par rangs : les inégalités sont alors rejetées sur la nature (le *talent*) et sur la magie personnelle (la *chance*).

On peut alors tracer un diagramme permettant de ranger ensemble des *milieux intellectuels*, comme dirait Proust (en précisant toutefois que, pour la plupart des gens, le milieu intellectuel, ou « classe mentale », est justement le milieu social, la « caste d'origine ») :

	personne	groupe
statut	B	C
mérite individuel	A	D

Un des intérêts qu'on peut trouver à construire ainsi le tableau des possibilités rhétoriques est que ce diagramme dégage *quatre* possibilités. Les théories sociales classiques se contentent en général d'accentuer l'opposition de *deux* types d'organisation : celle dans laquelle les individus sont intégrés dans le groupe (au détriment de toute manifestation de leur individualité) et celle dans laquelle les individus sont émancipés de la tutelle du groupe. Les sociologues ont opposé l'âge organique et l'âge critique, la division mécanique du travail et la division organique, le statut et le contrat, la *Gemeinschaft* et la *Gesellschaft*, etc. C'est que ces théories ont été élaborées en vue de dessiner une ligne d'*évolution*. Elles enveloppent donc une philosophie de l'histoire, laquelle se construit avec une seule variable : la force du lien social. Quand le lien social est fort, le groupe se porte bien, mais les individus doivent subir mille contraintes, observer des rituels, respecter des *tabous*, etc. Quand le lien social se relâche, l'individualité se manifeste librement, mais c'est au prix de la cohérence de l'ensemble. Pourtant, lorsque nous parlons du lien social, nous pouvons avoir à l'esprit l'une des deux choses suivantes : le *patriotisme* du groupe, la force avec laquelle le groupe impose aux individus une claire définition des frontières, de ce qui est du groupe et de ce qui n'en est pas ; ou bien la *civilité*, les *bonnes manières*, c'est-à-dire le code de bonne conduite que les membres du groupe doivent observer dans leurs transactions et relations quotidiennes.

Peut-on préciser, pour les besoins du présent essai, la signification des deux critères utilisés par Mary Douglas ? Je crois qu'on le peut, mais à condition de renoncer à toute prétention de *mesurer*, le long de coordonnées cartésiennes, la force des différentes variables. Le diagramme servira seulement à établir des contrastes significatifs. Il ne détermine pas un espace cartésien dans lequel on pourrait repérer des positions. Il est plutôt un carré logique permettant de distinguer les différentes possibilités. Les deux critères du diagramme doivent donc être pris dans le sens que peut leur donner une sociologie comparative. Je ferai appel ici à l'appareil conceptuel de Louis Dumont. Ce dernier distingue les cosmologies (qu'il appelle, dans la tradition de Dumézil, des *idéologies*) à l'aide de deux oppositions :

1. idéologies *holistes* et idéologies *individualistes*,
2. idéologies de la *hiérarchie* et idéologies de l'*égalité*.

La première opposition porte sur l'accent que reçoit, dans une cosmologie donnée, la *différence externe* du groupe, la différence entre « nous » et « eux ». « Dans le holisme traditionnel, l'humanité se confond avec la société des *nous*, les étrangers sont dévalués comme, au mieux, des hommes imparfaits — et du reste tout patriotisme, même moderne, se teinte de ce sentiment. » (Dumont, *Essais sur l'individualisme*, p. 119). En revanche, si quelqu'un se pense comme être humain d'abord, et ensuite seulement comme membre de sa communauté d'origine, il rencontrera partout des individus humains : le problème ne se posera plus pour lui d'aménager une place d'hôte à l'étranger. On a donc, de ce point de vue, le contraste suivant :

Personne	Groupe
Individualisme	Holisme

La seconde opposition porte sur l'organisation interne du groupe, la façon dont s'y décident les *rangs*. Ici encore, une cosmologie peut reconnaître et accentuer, ou bien ignorer et réduire, les différences. Il s'agit maintenant des *différences internes* au groupe. Qui doit passer avant qui dans telle occasion ? Si la cosmologie est hiérarchique, elle donne d'avance une réponse immuable à cette question. Ce sont alors les *statuts* qui sont classés (et non directement les personnes) dans un ordre de subordination qui est présenté comme fondé dans la nature des choses. Si la cosmologie est égalitaire, c'est que le groupe a décidé de laisser cette question se régler entre les individus. La société reconnaît à tous le même statut *(droits de l'homme)*. Aucune limite n'est assignée d'avance aux relations que les individus peuvent établir entre eux. Dans cette cosmologie, la disribution inégale des biens de ce monde et de l'estime publique va s'expliquer par le travail, l'habileté, les dons naturels et la chance. En principe, chacun peut prétendre à tous les emplois. On a donc le contraste suivant :

différence des statuts	homo hierarchicus
différence des individus	homo aequalis

PROUST

En principe, explique Louis Dumont, on s'attend à ce qu'une cosmologie holiste reconnaisse le principe de hiérarchie, et qu'une cosmologie individualiste soit égalitaire.

> « Quelle relation y a-t-il entre le contraste holisme/individualisme et le contraste hiérarchie/égalité ? Au plan logique, le holisme implique la hiérarchie et l'individualisme implique l'égalité, mais dans la réalité toutes les sociétés holistes n'accentuent pas la hiérarchie au même degré, ni toutes les sociétés individualistes l'égalité. » (*Homo aequalis*, p. 12.)

En fait, toute pensée sociale doit combiner les deux principes de la hiérarchie et de l'égalité. Si, par exemple, une cosmologie fixe un ordre de subordination des statuts sociaux, il y aura égalité au sein de chacune des classes définies. « L'égalité peut ainsi se trouver valorisée dans certaines limites sans qu'elle implique l'individualisme. » (*Ibid.*, p. 13.) Les meilleurs exemples en seraient la démocratie athénienne (égalité des citoyens, mais seulement des citoyens) et le « collectivisme égalitaire » revendiqué par les différents mouvements socialistes (voir *Homo hierarchicus*, p. 139). Symétriquement, on peut théoriquement concevoir une affirmation d'un principe de subordination dans le contexte d'un individualisme. Qu'est-ce qui, dans l'Histoire, ressemblerait d'assez près à un tel idéal d'individualisme hiérarchique ? On peut penser à ce que Norbert Elias appelle l'*ethos* de la *société de cour*. Dans un tel système, les individus usent toutes leurs énergies à soutenir le rang de leurs maisons respectives. Rien ne les réunit, sinon un sens de la civilité. Ce modèle de vie sociale fascine d'ailleurs Proust à travers sa lecture de Saint-Simon.

Dans le diagramme général, les cases A et C figurent des types stables d'organisation. La case C reçoit les cosmologies des sociétés traditionnelles classiques, celles qui présentent à la fois un sens marqué de leur identité et une articulation interne complexe. La case A reçoit la cosmologie moderne. Quant aux *idéologies modernes* (au sens où je prends ici le terme d'idéologie, pour désigner des doctrines explicites par lesquelles des *idéologues* s'efforcent d'expliciter les « vues » et les « valeurs » d'un groupe qui se sent menacé dans son « identité »), elles sont des réactions critiques au phénomène de la modernisation. Lorsque la cosmologie globale tent à s'établir dans la case A, des intellectuels s'offrent à exprimer la résistance ou le malaise des gens que dérangent les « idées modernes ». La case B figure un type de relation entre des individus qui ont perdu tout sens d'une patrie commune ou d'une légitimité de l'ordre. On pourrait y ranger ce que Rousseau conçoit comme l'*état civil corrompu*, état dans lequel l'individu est subordonné à un *particulier*, à un maître ou à un despote. La relation de maître à domestique devient l'*épitomé* de tous les rapports sociaux, et plus généralement, de l'instabilité du lien social (« dialectique du maître et du serviteur »). La solution qu'offre Rousseau est à chercher dans la case D : la subordination de toutes les volontés particulières à la seule volonté générale restitue une liberté civile à des êtres humains qui avaient déjà perdu, par le fait de la vie en société, leur liberté naturelle.

11. SUIS-JE INVITÉ ?

A Combray, tout le monde connaît tout le monde, sinon personnellement, du moins de nom. Aussi les conditions de la vie mondaine n'y sont-elles pas encore réunies. La *Recherche* réduit délibérement la vie sociale à la mondanité, par une sorte de jeu sur le mot *monde* qui fait de la vie dans le beau monde (au sens du *gratin*) la figure de la vie dans le monde (au sens du *siècle*). Les échanges entre les personnages se limitent, pour l'essentiel, à des visites, à des papotages, à des présentations. Le reste de la vie — les Affaires, les scandales, les crises, la guerre, le travail — n'apparaît que réfracté. Ce choix de Proust lui impose manifestement de nombreux sacrifices. En même temps, il lui permet de donner une grande rigueur à sa mise en évidence de ce qu'il appelle les « lois ». Pour entrer dans la sociologie proustienne, on partira de la distinction entre les espèces de « connaissance » qu'une personne peut avoir d'une autre personne :

1. Quelqu'un connaît *personnellement* quelqu'un (ils ont été présentés l'un à l'autre) ;

2. Quelqu'un connaît quelqu'un *de nom* (c'est ce que Proust appelle « connaître sans connaître »).

La connaissance personnelle est par définition mutuelle. La connaissance « de nom » peut être mutuelle, mais ne l'est pas forcément. On peut donc concevoir deux types de société : la société de type Combray, où la connaissance, qu'elle soit « personnelle » ou « abstraite », est toujours mutuelle, et la société de type parisien, dans laquelle il règne une asymétrie de la connaissance « abstraite ». Le « grand monde », le « Tout-Paris » se définit donc par le fait qu'une grande majorité des gens n'a qu'une connaissance « abstraite » d'une minorité de personnes, qui de leur côté ne connaissent de nom qu'une petite partie de la foule de ceux qui les connaissent de nom. La société parisienne comporte donc, comme l'avait déjà enseigné Balzac, une stratification le long d'une échelle sociale des milieux (qui ne sont plus du tout des « castes » au sens proustien, c'est-à-dire des milieux immobiles). Au sommet de cette échelle, on trouve dans la *Recherche* la princesse de Parme. En bas de cette échelle mondaine, Proust a placé la famille Bloch. Lorsque Marcel entre pour la première fois dans le salon de la duchesse de Guermantes, le duc s'empresse de le présenter à une dame dont il ne saisit d'ailleurs pas le nom. La raison de cette hâte est « que le fait qu'il y ait dans une réunion quelqu'un d'inconnu à une Altesse royale, est intolérable et ne peut se prolonger une seconde » (CG, II, p. 426). Cette dame se trouve être la princesse de Parme. Étant une souveraine, elle a ce privilège de ne jamais en rester à la connaissance du degré inférieur : elle peut connaître personnellement tous les gens qu'elle connaît de nom. Inversement, M. Bloch le père figure dans le récit l'éternel badaud parisien, celui qui sait tout à moitié, a toujours tout vu, parle des personnalités sur un ton familier, comme s'il les fréquentait.

> « Or, tous les gens célèbres, M. Bloch ne les connaissait que ''sans les connaître'', pour les avoir vus de loin au théâtre, sur les boulevards. Il s'imaginait du reste que sa propre figure, son nom, sa personnalité ne leur étaient pas inconnus et qu'en l'apercevant, ils étaient souvent obligés de retenir une furtive envie de le saluer. » (JF, I, p. 769).

Dans le jeu mondain, la position dominante revient à celui qui dispose de cet atout de la souveraineté : ne jamais avoir à avouer qu'on s'intéresse à quelqu'un sans le connaître vraiment, ce qui veut dire : personnellement. Et la position la plus dominée est celle du joueur qui doit se contenter d'assister de loin au défilé des gens célèbres. Cette position dominée produit chez le mondain privé de relations une expérience d'*aliénation* : la vraie vie est absente *ici*, là où l'homme de la foule est placé, puisque tout l'intérêt est concentré *là bas*, là où paraissent les célébrités. Un mondain dominé devrait éprouver à tout instant le sentiment de sa nullité, s'il ne pouvait, à l'exemple de

195

M. Bloch, discerner à d'imperceptibles signes que la célébrité n'était pas sans le connaître et qu'elle a failli le saluer.

La plupart des mondains ne sont pas de naissance royale. Il leur reste à mimer la souveraineté. Le jeu est alors de s'obstiner à ne pas se laisser présenter des personnes dont on voudrait prétendre ignorer jusqu'au nom. La duchesse de Guermantes est la plus forte à ce jeu. Son mari Basin lui sert de compère chaque fois qu'il faut refuser d'inviter telle ou telle parente un peu insignifiante, telle fidèle de la princesse de Parme. C'est la fameuse question : « Mais est-ce que ma femme la connaît ? » (CG, II, p. 453). Aussi bien des gens qui ont pourtant réussi à se faire inviter chez l'orgueilleuse princesse de Guermantes doivent-ils se contenter de la désigner de loin, tandis que Marcel triomphe d'être vu à ses côtés (SG, II, p. 668).

A Combray, le problème d'avoir à se faire présenter à quelqu'un ne se pose pas. Les gens qu'on peut connaître sont ceux dont on est déjà connu. Dans une société fermée de ce genre, les habitants sont suffisamment présentés les uns aux autres du fait d'être là. S'il est dans son bon sens, un habitant de Combray n'éprouve pas le besoin de justifier son existence sur cette terre. Il est ici chez lui. Proust nous fait ensuite quitter Combray pour d'autres milieux sociaux. Tous imposent à ceux qui s'y plongent une séparation de l'*existence* et du *sens*. On peut maintenant être quelque part et éprouver qu'il manque une raison d'y être. On peut aussi être saisi par toutes les raisons qu'on aurait d'être ailleurs que là où l'on se trouve. L'évidence du *chez-soi*, de la patrie, s'obscurcit.

L'anti-Combray, c'est Balbec. Dans la salle à manger du Grand-Hôtel, Marcel éprouve pour la première fois le sentiment bien moderne d'être jeté sans raison dans un univers indifférent à son existence.

> « A Combray, comme nous étions connus de tout le monde, je ne me souciais de personne. Dans la vie de bains de mer, on ne connaît pas ses voisins. » (JF, I, p. 674).

L'élément nouveau de l'expérience de Marcel est qu'il lui faut décider s'il restera indifférent à ses voisins ou s'il leur fera des avances. Grâce à la fonction médiatrice d'Aimé, le maître d'hôtel, tous les pensionnaires connaissent les autres pensionnaires *de nom*. Mais la liberté leur est laissée de savoir s'ils veulent se connaître *personnellement*. Le narrateur évoque alors les réponses possibles à cette situation. Marcel se sent incapable d'afficher une noble indifférence à l'égard de ses voisins. Ce serait, notons-le, adopter la politique du *dandysme* selon Baudelaire. Il y a justement des dandies à Balbec : un petit groupe qui fait *bande à part* (JF, I, p. 680), le couple plein de morgue formé par M. de Stermaria et sa fille, laquelle fascine aussitôt le narrateur, et enfin une vieille dame qui, pour éviter tout contact avec le monde extérieur, vient à Balbec avec tout son *train de maison*. Mais il faudrait être fort — stoïcien, dit Baudelaire — pour poser à l'indifférent, pour décider qu'on ne *veut* pas connaître les personnes que, justement, on ne *peut* pas connaître personnellement. Marcel adopte la politique des faibles, qui est au fond celle du *snobisme*. Il cherche autour de lui une puissance protectrice, une bonne fée qui mettrait le Grand-Hôtel à ses pieds. Cette puissance ne doit surtout pas être sa grand-mère ! Mais ce sera l'amie de la grand-mère, la vieille dame aristocratique, qui n'est autre que Mme de Villeparisis. Marcel attend qu'elle lui communique, en se montrant avec lui, un « prestige immédiat » (JF, I, p. 684) ; Plus tard, il se servira d'Elstir pour impressionner Albertine et s'introduire dans la petite bande des jeunes filles.

Combray et Balbec figurent les deux situations extrêmes : *tout le monde connaît Marcel, personne ne connaît Marcel*. Paris, des Champs-Élysées au Faubourg Saint-Germain, va fournir les situations intermédiaires. A Paris, on reçoit des invitations : mais tout le monde n'est pas invité, et tout le monde ne se rend pas à l'invitation. A Paris, on rend visite à la maîtresse de maison (à son mercredi ou à son vendredi) : mais tous les salons n'ont pas le même caractère. Certains salons sont plus difficiles d'accès que d'autres. Ils sont aussi les plus recherchés. La sociologie proustienne prend ici la forme d'une théorie des invitations qu'il faut maintenant considérer :

THÉORIE DES INVITATIONS

Une dame du monde vous fait savoir qu'on la trouve toujours chez elle tel jour de la semaine. C'est le jour où ses amis lui rendent visite. Sans qu'un rendez-vous formel soit pris, vous apprenez ainsi que vous êtes admis dans son salon. L'institution du salon consiste dans un *lieu* habituel de réunion, qui doit être *privé*, une *compagnie* qui s'y retrouve régulièrement, et des activités qui se décomposent en : 1) *réunions ordinaires*, où le temps se passe à bavarder, à jouer, etc., et 2) *réunions extra-ordinaires*, où un divertissement spécial est offert à la compagnie des jours ordinaires et, à quelques autres, moins fidèles, qui n'ont pas voulu manquer l'occasion (ce divertissement peut être un spectacle, un morceau de musique, une personnalité de passage, etc.).

Dans un lieu public, par exemple au théâtre ou au bois de Boulogne, on peut voir les dames élégantes. Au Grand-Hôtel de Balbec, on peut se faire admettre librement : il suffit de payer. De même, n'importe qui peut entrer au café élégant et y apercevoir le prince de Foix, le prince de Chatellerault, etc. : pourtant, le « sentiment des distances » (CG, II, p. 402) interdit de leur adresser la parole. L'accès à un lieu public est libre. Ce droit de partager l'espace avec d'autres personnes n'est en aucune façon un droit à leur bienveillance, à leur attention, à leur intérêt. L'obstacle des distances invisibles est levé si on est invité en même temps que d'autres personnes à une matinée ou à un dîner. Ce qui renvoie chacun au mystère de son élection : Pourquoi suis-je invité, si je le suis ? Qu'est-ce qui me manque pour qu'on m'invite, si je ne suis pas invité ?

Marcel s'initie à la vie mondaine dans le salon de Mme Swann. Mais il entre pour la première fois dans un salon du Faubourg Saint-Germain quand il rend visite à Mme de Villeparisis. Qui trouve-t-il chez elle ? Quelle est la compagnie ordinaire de la marquise ? La société de Mme de Villeparisis se compose de deux sortes de personnes : des parents de la marquise qui sont là parce qu'ils le doivent, des « connaissances » qui sont là parce qu'elles se sont rendues à son invitation. La brillante Oriane de Guermantes fait une courte apparition dans le salon. Oriane est très recherchée, très difficile à avoir chez soi. Dans tout autre salon, sa présence serait un succès pour la maîtresse de maison. Mais ce n'est pas Oriane qui rend visite à la marquise de Villeparisis. C'est une nièce qui rend visite à sa tante. Nous dirons que la relation qu'entretiennent ces deux femmes n'est pas *personnelle*, mais socialement assignée ou *institutionnelle*. Oriane n'a pas choisi d'avoir pour tante la marquise de Villeparisis. C'est à la tante, et non à la personne, qu'elle vient, en bonne nièce, rendre ses devoirs (cf.CG, II, p. 196). La présence d'une personne aussi brillante qu'Oriane dans le salon est assurée par l'institution de la famille, non par les mérites personnels de l'hôtesse. En revanche, Norpois est là à titre de vieux compagnon de la marquise : leur relation est purement personnelle, étrangère à toute institution. Enfin, les autres visiteurs sont dans ce salon parce qu'ils espèrent y rencontrer des personnes intéressantes.

Le salon de Mme de Villeparisis est loin d'être brillant. A la suite d'un mariage inégal et de divers écarts de conduite, sa situation mondaine s'est effondrée, longtemps avant que Marcel n'entre dans ce monde. Mais pour les Guermantes, pour sa famille, la marquise de Villeparisis est toujours une aussi grande dame.

> « C'était leur tante, ils voyaient surtout la naissance, les alliances, l'importance gardée dans la famille par l'ascendant sur telle ou telle belle-sœur. Ils voyaient cela moins ''côté monde'' que ''côté famille''. » (P, III, p. 293)

La composition du salon de Mme de Villeparisis révèle à son tour un *côté monde* et un *côté famille*. Le côté famille est plus brillant que le côté monde. Le côté famille soutient le côté monde : ainsi, Marcel rend visite à la marquise, comme elle l'en a prié, dans l'espoir d'y faire la connaissance personnelle d'Oriane de Guermantes. Marcel ne s'intéresse pas particulièrement à la marquise et à son « bureau d'esprit » (CG, II, p. 150-152). Les différents salons que va fréquenter Marcel se distinguent par la proportion dans laquelle sont représentés le côté famille et le côté monde. On observe que les salons bourgeois (Mme Swann, Mme Verdurin) réduisent le côté famille à rien ou presque rien. En revanche, les salons les plus conservateurs du Faubourg Saint-Germain maintiennent une subordination du côté monde au côté famille. C'est d'ailleurs ainsi que Proust explique leur moindre éclat (salons Courvoisier). Voici qui nous donne le principe de la théorie des invitations. *Côté famille*, les invitations sont institutionnelles. La réunion dont tous les invités ont été institutionnellement invités est une *fête*. *Côté monde*, les invitations sont personnelles. La réunion dont tous les invités ont été personnellement invités est une *Réception*.

La *Recherche* se comporte pas de véritables fêtes. C'est que la fête est l'institution d'un monde holiste. Les gens qui sont priés de participer à une fête le sont à titre de *parents*, ou bien d'*alliés*, ou bien *ex officio*, en tant qu'ils représentent une certaine fonction. Des exemples de fêtes seraient : la noce au village avec le repas traditionnel de mariage, la réunion des anciens du régiment ou du lycée, la cérémonie officielle (14-juillet, etc.), la fête en l'honneur de quelque événement ou personnage publics. A une telle fête sont invités les gens qui doivent l'être. En préparant la liste des invités, on doit se garder de tout impair, de tout oubli. Tous les problèmes trouvent leur solution dans un savoir du monde que possèdent, dans la *Recherche*, les nobles entichés de généalogies et de protocole. Mais dans le Faubourg Saint-Germain de Proust, on ne donne plus de véritables fêtes. Ce qui y ressemble le plus est la réception que donne la duchesse de Guermantes en l'honneur du roi d'Angleterre. Pourtant, même cette fête est déjà une réception. En effet, Oriane est plus moderne que les dames timorées du Faubourg. Elle n'avait pas craint d'inviter à sa fête, outre les plus grands noms de son monde, un musicien et un écrivain (CG, II, p. 430 et 452).

Alors qu'une fête est l'affaire d'un groupe, une réception est l'affaire personnelle d'une maîtresse de maison. La liste des invités à une fête est au fond établie par le groupe lui-même. La puissance invitante n'est pas vraiment une personne. En revanche, une hôtesse moderne est responsable de ses invités et de son salon. Personne n'a un droit particulier à être invité. Une maîtresse de maison n'a pas des devoirs d'état à remplir, seulement des obligations sociales. La réception est l'institution d'un monde individualiste. C'est pourquoi un salon peut être comparé à une œuvre d'art composée par l'hôtesse. Il lui correspond une esthétique, la même esthétique de la *sélection* que pratique de son côté Marcel dans ses lectures et ses visites touristiques. Mme de Guermantes se garde bien d'inviter chez elle certaines personnes qu'elle voit depuis dix ans chez la princesse de Parme,

> « estimant qu'il en est d'un salon au sens social du mot comme au sens matériel où il suffit de meubles qu'on ne trouve pas jolis, mais qu'on laisse comme remplissage et preuve de richesse, pour le rendre affreux. Un tel salon ressemble à un ouvrage où on ne sait pas s'abstenir des phrases qui démontrent du savoir, du brillant, de la facilité. Comme un livre, comme une maison, la qualité d'un ''salon'', pensait avec raison Mme de Guermantes, a pour pierre angulaire le sacrifice. » (CG, II, p. 452-453).

La même esthétique gouverne le mobilier selon Charlus, le salon selon Oriane et le livre selon Marcel Proust. On se souvient que Charlus dit à Marcel, comme Montesquiou l'aurait dit à Proust lui-même : « Comme c'est laid chez vous ! » (P, III, p. 387). C'est que l'écrivain réserve sa capacité de scrupule esthétique pour l'œuvre écrite. Dans les trois cas, le maître d'œuvre institue comme un concours général entre des éléments susceptibles d'entrer dans une composition : des meubles, des invités, des phrases. Un artiste exigeant sacrifie impitoyablement tous les candidats qui se révèlent interchangeables, de façon à ne garder que les éléments rares ou *uniques*. C'est ainsi que la composition de ce tout (ici présenté comme une composition de *juxtaposition* produisant un effet d'ensemble) révèle le goût personnel du collectionneur, de la maîtresse de maison, de l'écrivain. (La même esthétique du sacrifice et de la rareté se retrouve dans le mot fameux de Mallarmé à Zola rapporté par Valéry : « Un jour qu'ils discutaient dans le Grenier [= le Grenier des Goncourt], Zola dit à Mallarmé qu'à ses yeux, la m.... valait le diamant. — ''Oui, dit Mallarmé, mais le diamant, — c'est plus rare.'' » *Degas Danse Dessin*, p. 1183).

Proust divise le Faubourg Saint-Germain en deux variétés : les Guermantes et les Courvoisier. Les Courvoisier participent d'un esprit rétrograde, d'une révolte nobiliaire. Chez eux, la liste des invités se compose selon le critère de la pureté du sang, ce qui est un critère encore hiérarchique. Les Guermantes sont des nobles libéraux. La pureté du sang ne suffit plus pour eux à assurer la valeur mondaine. Ils ne jurent que par le charme et l'intelligence, qui sont des qualités personnelles. En fait, dans la pratique de leurs invitations, ils combinent les deux « coefficients » (CG, II, p. 452) de la valeur sociale (naissance, rang) et de la valeur personnelle (cœur, talent). Seuls quelques Guermantes, comme Saint-Loup, font momentanément preuve d'idéalisme et tentent de n'appliquer que le coefficient égalitaire de la valeur personnelle.

Nous pouvons donc représenter la position respective des salons de la *Recherche* grâce à deux axes de coordonnées, l'un représentant le poids du mérite personnel dans l'invitation, l'autre le poids du mérite social.

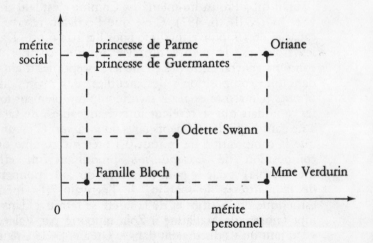

Le salon de Mme Verdurin est le plus *avancé*, le plus *moderne*. La patronne est d'*avant-garde*. Elle soutient le wagnérisme, la peinture moderne, les ballets russes. Ce salon est aussi le premier à être affecté par les modes. Mme Verdurin a toujours connu tout ce dont on parle avant tout le monde. C'est elle qui a découvert Elstir, Morel, c'est elle qui les a lancés. Le salon de Mme Swann est, lui aussi, « littéraire », mais il est conservateur. Bientôt, les jeunes aristocrates fréquentent chez elle pour y rencontrer Bergotte. Ces salons bourgeois sont tous affectés par le « kaléidoscope », le renouvellement périodique des engouements. Le Faubourg Saint-Germain l'est aussi, mais dans une moindre proportion. La noblesse conservatrice est encore un milieu immobile. Quant à la duchesse de Guermantes, au moment de sa supériorité mondaine, elle combine le côté famille et le côté monde dans une sorte de juste milieu que sauve la rareté de la composition.

Ayant choisi d'analyser la vie sociale en termes d'*élection* et d'*exclusion*, Proust a dû s'en tenir à la peinture d'un monde *élégant*. Qu'est-ce que l'élégance ? Décrivant la toilette de Mme Swann, Proust explique que son raffinement, son luxe suffisent à établir une distance infranchissable entre elle et les « Pannés », c'est-à-dire ces gens « qui venaient [au bois de Boulogne] regarder les riches qu'ils ne connaissaient que de nom » (JF, I, p. 635).

> « Ainsi, entre Mme Swann et la foule, celle-ci sentait ces barrières d'une certaine sorte de richesse, lesquelles lui semblent les plus infranchissables de toutes. Le faubourg Saint-Germain a bien aussi les siennes, mais moins parlantes aux yeux et à l'imagination des "pannés". » (JF, I, p. 638)

Proust donne alors ce qu'on peut recevoir comme sa définition de l'élégance. Ce qui charme chez Mme Swann, dit-il, c'est une espèce bien particulière de *grandeur*. Grandeur encore matérielle, mais qui est en train de devenir autre chose. Cette grandeur appartient à la classe sociale de la riche bourgeoisie, laquelle « était la richesse encore, mais la richesse devenue ductile, obéissant à une destination, à une pensée artistique, l'argent malléable, poétiquement ciselé et qui sait sourire » (JF, I, p. 639).

L'élégance est la richesse matérielle devenue spectacle immatériel. La puissance économique se change en grâce esthétique. Il suffit à la grande dame du faubourg Saint-Germain d'être polie à sa façon pour « marquer les distances » (CG, I, p. 443). Une femme comme Odette se doit d'être plus élégante. En quoi consiste alors l'élégance ? Dans l'attention donnée à la sélection des pièces de sa toilette. L'élégante prend soin de *purifier* son « appareil extérieur » de tout ce qui serait commun, tout comme l'hôtesse d'un salon élégant doit le purifier de tous les éléments grossiers ou interchangeables. La véritable grande dame n'est pas tenue de s'habiller avec élégance, puisqu'il lui suffit de manifester, par ses manières courtoises, la pureté de son origine. Seules quelques duchesses sont aussi des dames élégantes. Ce qui passionne Proust dans les deux cas, l'art de marquer les distances par la politesse ou par l'élégance, est la façon dont une *inégalité* s'établit qui n'est plus fondée sur la puissance ou la fortune. Par exemple, la richesse suffit à séparer les clients du Grand-Hôtel de Balbec de la foule extérieure qui les regarde manger à travers la paroi de verre (JF, I, p. 681). Mais la richesse ne suffit pas à régler les questions de préséance ou de prétention à l'intérieur de la salle à manger. Ici doit intervenir un autre critère, emprunté à ce que Mary Douglas appelle l'« idiome de la pureté ». Dans d'autres civilisations, écrit-elle, l'idiome de la pureté permet de construire l'ordre social tout entier (ainsi, le système indien des castes). Or cet idiome est aussi utilisé dans nos sociétés occidentales. « Il tend à dominer nos échanges mutuels chaque fois que d'autres genres de distinction sociale, fondés sur le pouvoir et la richesse, ne sont pas clairs » (*Significations implicites*, p. 186). Mais la différence entre un authentique système hiérarchique comme l'ordre indien et nos « échelles » est que, chez nous, les règles de pureté dans le contact humain n'ont qu'une validité partielle et surtout ne rattachent les différents rangs distingués à aucune totalité. Une échelle sociale de l'*élégance* ou du prestige mondain n'a donc plus rien de hiérarchique, puisque la distinction établie entre les divers individus n'est plus expliquée par la fonction des groupes auxquels ils appartiennent dans un ensemble. (On observe d'ailleurs que Proust, lorsqu'il lui arrive de parler de hiérarchie ou d'échelle, a toujours en vue cette stratification privée de contexte.) L'élégance, qui est la pureté de la toilette, signale l'établissement d'une distinction sociale sans référence à une totalité. Lorsque Mme Swann passe le long de l'allée des Acacias, elle manifeste une supériorité qui n'est liée à rien d'autre qu'à son allure. La seule totalité qu'on trouve dans cet épisode est la simple réunion, en un même lieu public, des riches et des « pannés ».

Si nous reportons sur le diagramme des cosmologies les aspects de la vie sociale qui ont retenu Proust, nous observons que son tableau est et se veut partiel.

	Réceptions aristocratiques	(Fêtes)
B		C
	Réceptions bourgeoises	(Séances)
A		D

Proust n'est pas un romancier aussi complet que, par exemple, Balzac. Ce dernier occupe allégrement tout l'espace du diagramme. Il a bien entendu ses scènes de la vie parisienne (cases A et B), mais aussi ses scènes en milieu holiste hiérarchique (armée, église, ancienne France, fond de la province) et ses scènes en milieu holiste égalitaire (sociétés secrètes, Cénacle).

Combray n'était pas un monde romanesque. Le monde où l'on s'invite est un monde romanesque. Je puis maintenant avancer l'hypothèse suivante : un monde romanesque est un ensemble de circonstances dans lesquelles un personnage (au moins) a l'occasion d'entretenir avec d'autres personnages une relation du type : moi *(ego)* en rapport avec autrui *(alter ego)*. Les philosophes modernes nous parlent du « problème d'autrui ». (Les philosophes anciens n'ont jamais traité d'autrui comme tel. Ils n'ont rien écrit sur le « problème d'autrui ». Ils ont, en revanche, souvent écrit sur le sujet de l'amitié. Mais on se souviendra que dans la civilisation antique, l'amitié n'est pas d'abord conçue comme un sentiment entre deux personnes, mais comme une « notion institutionnelle » : voir E. Benveniste, *Le vocabulaire des institutions indo-européennes*, I, p. 340). Le héros de roman est quelqu'un pour qui le « problème d'autrui » est un problème sérieux. La vie romanesque est celle dans laquelle il est possible d'avoir affaire à autrui comme tel.

Autrui est quelqu'un d'autre. Mais d'autre que qui ? Considérer quelqu'un sous le titre d'*autrui*, c'est poser que le rapport de moi à lui est un rapport entre celui des deux qui est *moi* et l'*autre des deux*, celui qui n'est pas moi. (On se souvient qu'*autrui* vient du latin *alter*, l'autre des deux.)

La philosophie moderne pense les rapports humains sous le chef général de : moi et autrui. Cela revient à dire qu'elle entend décrire ces rapports, qui sont évidemment à chaque fois particuliers, comme de simples variations sur un rapport plus fondamental, celui qu'on trouve entre *ego* et *alter ego*. La morale que proposent ces philosophies modernes parlent d'ailleurs abondamment de l'Autre (homme), de la nécessité d'une ouverture à l'autre et d'une reconnaissance de l'autre dans sa différence, etc. Cette morale, celle de l'*altruisme*, naît de ce qu'on pose qu'il y a des devoirs à l'égard de quelqu'un, non pas en tant qu'il est le parent, l'ancêtre, le descendant, l'allié, l'hôte, etc., mais seulement en tant qu'il est quelqu'un d'autre, une autre personne. Or le point remarquable de ce couple de termes, *moi* et *autrui*, est qu'ils vont par paire mais sont pleinement échangeables à force d'être indéterminés. C'est le thème célèbre de la « réciprocité des consciences » : je suis autrui pour autrui. Si nous nous tournons vers l'éthique d'une société traditionnelle, nous constatons qu'on y distingue diverses paires de positions sociales ou de rôles, mais que ces paires ont un contenu déterminé et qu'elles ne sont pas réversibles. Dans la société holiste, quelqu'un n'a pas à affaire à autrui sans plus. L'autre que lui est son parent, son allié, son serviteur, etc. Les relations entre moi et autrui sont alors définies dans le contexte d'un couple institutionnel. Dans sa *Politique*, Aristote définit par exemple divers couples de ce genre, divers types de « communautés » : homme et femme, maître et esclave, anciens et jeunes, etc. Ces couples ne sont jamais subsumés sous un couple plus général qui serait celui de moi et de non-moi. Le couple moderne du *moi* et de *son autre* apparaît ainsi comme l'abstraction des partenaires d'un couple institutionnel. Autrui est le partenaire de n'importe quel couple institutionnel, mais individualisé. Pour entrer dans un monde moderne, ou romanesque, il faut que les êtres humains aient subi un *procès d'individualisation*, dont le résultat est de les poser hors de toute identité institutionnelle. Par exemple, la duchesse de Guermantes vient rendre ses devoirs à sa tante Mme de Villeparisis. Elles forment ensemble un couple institutionnel, couple dans lequel c'est à la nièce qu'il appartient de rendre les devoirs. Mais Marcel, Bloch, etc., sont des individus qui, en rendant visite à Mme de Villeparisis, laquelle ne leur est rien, font une démarche personnelle.

Pour arriver à la définition du rapport humain fondamental comme celui de deux sujets individuels (moi, autrui), il faut que la vie elle-même donne l'occasion aux êtres humains de s'éprouver ainsi, purs individus en présence d'autres individus. La salle à manger du Grand-Hôtel de Balbec figure assez bien cette situation d'individualisation. En effet, tous les convives qui dînent à l'hôtel jouissent par ailleurs de leurs diverses identités institutionnelles. Ils sont mariés, ils exercent des fonctions, etc. Mais, au Grand-Hôtel, ils sont pleinement détachés les uns à l'égard des autres. Aucun d'eux ne doit quoi que ce soit aux autres. Ils n'ont mutuellement aucun devoir, sinon ce qu'on aurait appelé jadis le *debitum honestatis*, le devoir de se montrer civil. Mais la seule civilité réduite à sa plus simple expression n'assure qu'une indifférence mutuelle : personne n'intervient dans les affaires des autres, chacun reste à sa table. Pour enrichir les relations, il faudrait nouer des contacts, se rendre des services, bref, *faire société*. Or ce n'est pas le hasard qui fait qu'on parle ici de société. Sans doute parlons-nous aujourd'hui de *lien social* pour désigner n'importe quelle sorte de « communauté », de groupement entre des individus. C'est parce que nous avons fait du lien d'association, qui porte dans le droit romain le nom de *societas*, le paradigme des rapports humains. (Selon la définition de Paul Girard, « la société [...] est le contrat par lequel deux ou plusieurs personnes s'engagent à mettre quelque chose en commun dans un but licite pour en retirer un avantage. » *Manuel élémentaire de droit romain*, p. 605). De ce point de vue, la société au sens de la *compagnie* (comme lorsque le montreur d'ours fait « saluer la société ») ressemble à la société au sens juridique (par exemple,

une société commerciale, ou une société de travaux publics). Des
personnes indépendantes décident de s'associer, de mettre en
commun quelque chose, en vue de tirer chacune de cette
activité commune quelque avantage. Dans le cas de la société
mondaine, les personnes mettent en commun leur temps et leur
esprit. Le bénéfice de la vie sociale prise en ce sens est censé
être la *civilisation* (faute de laquelle des êtres civils ne tarderaient
pas à *s'ennuyer*). On pourrait même dire que la vie mondaine
est, en un sens, l'*épitomè* de toute vie en commun. En effet,
les activités qui composent la vie mondaine — bavarder,
échanger des impressions, faire de l'esprit, jouer aux cartes,
etc. —, ne sont possibles qu'en compagnie de personnes
acceptant de se prêter au jeu. La société du travail est moins
sociale que la société de l'oisiveté, parce qu'on peut travailler,
moins bien il est vrai, sans les autres, alors qu'on ne peut goûter
les plaisirs de la vie de société qu'avec les autres.

L'expansion du genre romanesque correspondrait donc, dans
la présente hypothèse, à la *socialisation* toujours plus avancée
des rapports humains. Mais, ici, il faudrait pouvoir distinguer
entre le social, au sens de la *societas* du droit romain, et le social
au sens des sociologues, qui en est à peu près l'inverse. En
parlant de socialisation, je ne vise nullement ici l'emprise du
groupe sur les individus, mais très précisément la transformation
d'un rapport humain en rapport de *societas*. Par exemple, dans
le *Côté de chez Swann*, nous assistons à une socialisation de la
famille du narrateur, sous l'effet des « principes » de la grand-
mère et des revendications de Marcel. Le roman n'est concevable
que là où le monde prend figure de *societas* (peut-être faut-il
employer le mot latin pour éviter l'équivoque présente du mot
société). Et le monde prend de plus en plus la figure de la
societas lorsque l'humanité est redéfinie comme un ensemble
d'individus. Le genre romanesque tel que nous le comprenons
aujourd'hui est contemporain d'une nouvelle définition de
l'être humain comme un individu originellement détaché du
monde. Pour le dire autrement, l'être humain entre dans l'âge
romanesque lorsque son humanité cesse d'être définie par ses
liens et ses devoirs, et qu'elle commence à être définie par ses
droits imprescriptibles et par la capacité de se soumettre lui-
même, par un engagement de sa liberté souveraine, à des
obligations. (La philosophie contemporaine, à force d'insister
sur l'antithèse des *faits* et des *valeurs*, ou encore des propositions

factuelles de la science et des propositions impératives de la morale, risque de perdre de vue une différence importante entre un *devoir* et une *obligation* : une obligation est contractée à l'égard de quelqu'un en particulier, alors qu'un devoir *(officium)* est une tâche dont la responsabilité incombe à quiconque se trouve occuper une certaine position institutionnelle ; ce devoir ne se définit pas à l'égard d'une personne particulière en tant qu'elle est cette personne, mais en tant qu'elle occupe la position institutionnelle complémentaire ; exemples : les devoirs des parents à l'égard de leurs enfants, les devoirs du conducteur à l'égard de ses passagers, etc.)

Dans un monde habité par des individus, certaines vies sont romanesques d'une façon spectaculaire. C'est l'ex-empereur Napoléon disant : « Quel roman que ma vie ! » (Qu'y a-t-il de si romanesque ? Non seulement la carrière improbable, d'Ajaccio au couronnement, et de l'Empire à l'exil, mais aussi, peut-être, le fait que Napoléon soit toujours resté hybride, qu'il n'ait cessé d'être l'Usurpateur pour les uns au moment même où il était le Souverain légitime pour les autres.) D'autres vies sont romanesques de façon plus discrète, voire de façon presque imperceptible. Qu'y a-t-il de romanesque dans toutes ces vies ? Le héros de roman n'éprouve pas sa place dans le monde comme celle qui lui était due selon l'ordre des choses. Non qu'il en revendique une autre qui serait plus légitime. Le héros de roman ne reçoit pas ses titres à être là où il est. Il doit se les donner à lui-même.

La vie mondaine telle que la dépeint Proust est une vie de *societas*. Un mondain qui se rend à une invitation n'est pas tenu de le faire. Il répond à une invitation personnelle. Sa présence dans un salon témoigne d'un engagement de sa part. L'invité a accepté de mettre quelque chose en *societas* en vue d'en retirer un bénéfice. Ce quelque chose peut être son esprit, ses talents de narrateur, son prestige ou seulement son temps libre. En vue de quel bénéfice ? Le mondain, puisqu'il a fait le choix de se rendre à cette invitation plutôt qu'à une autre invitation, et plus radicalement, de se rendre à une invitation plutôt que de demeurer chez lui, doit avoir des raisons personnelles d'être venu. Lorsque Marcel et Legrandin ont la surprise de se retrouver ensemble chez la marquise de Villeparisis (alors qu'ils sont, officiellement, les ennemis du snobisme), leur premier souci est de se justifier. Marcel, dès qu'il peut parler en aparté à Legrandin, lui dit ceci : « Hé bien, Monsieur, je suis presque excusé d'être dans un salon puisque je vous y trouve. » (CG, II, p. 203). En réponse, Legrandin invoque un alibi : « Naturellement, quand on me persécute vingt fois de suite pour me faire venir quelque part, continua-t-il à voix basse, quoique j'aie bien droit à ma liberté, je ne veux pourtant pas agir comme un rustre. » (CG, II, p. 204). Les raisons du mondain peuvent donc être : le plaisir pur et simple, ou bien l'obligation de se montrer poli à l'égard de quelqu'un (par exemple, de *rendre* une visite, de *retourner* un compliment, de *répondre* à un courrier venant de quelqu'un avec qui on est « en relations », etc.).

La leçon la plus constante de Proust dans la *Recherche* est que le temps passé dans le monde est un temps perdu. A moins d'une rédemption par l'art, c'est un temps mal employé. Quelle est donc cette tâche que les mondains désertent en allant dans les salons ?

On va librement dans le monde, mais à peine y va-t-on qu'on y perd sa liberté personnelle. Les mondains de Proust sont comme les citoyens de Jean-Jacques Rousseau. Ils ont souverainement aliéné leurs libertés individuelles pour édifier un corps social. Un mondain n'a plus de temps pour lui, ni pour ses amis. Par exemple, les « obligations mondaines » empêchent Oriane de se « mettre en retard » et de parler à Swann alors que celui-ci lui apprend qu'il est mourant (CG, II, p. 595). La vie sociale un peu fantastique que Proust dépeint absorbe toutes les énergies des sociétaires. Ainsi, les fidèles de la « coterie » de la duchesse de Guermantes ont tous renoncé à faire quelque chose : l'un aurait pu faire carrière, l'autre écrire (CG, II, p. 460). Quant aux « fidèles » du petit « clan » Verdurin, ils n'ont pas le droit de se retirer de la société : interdiction de « lâcher » un seul mercredi, interdiction d'avoir des affaires en dehors du salon Verdurin, interdiction de partir en vacances de son côté (CS, I, p. 189-190).

Le temps passé dans le monde est donc un temps perdu pour la réalisation de soi.

12. L'INVENTION DE LA VIE INTÉRIEURE

Pourquoi va-t-on dans le monde ?

Bientôt, grâce à son dîner chez les Guermantes, Marcel est invité partout. Le voici changé en *mondain*, puisqu'il a le choix de ses fréquentations. La duchesse de Guermantes s'étonne que Marcel aime aller chez Mme de Montmorency. « Encore moi, disait-elle, j'y suis forcée, c'est ma tante ; mais vous ! Elle ne sait même pas attirer les gens agréables. » (SG, II, p. 749). La surprise de Mme de Guermantes est compréhensible s'il est vrai que Mme de Montmorency est, comme le dit Oriane, « une vieille crétine » : ce que Marcel ne semble nullement contester. Par sa question, Mme de Guermantes rend manifeste un *embarras rhétorique* du narrateur. Par hypothèse, il faut s'excuser d'aller chez Mme de Montmorency. Oriane trouve son excuse dans l'institution de la famille : *C'est ma tante*. Marcel, lui, n'a bien sûr aucun rapport de parenté avec les Montmorency. Il lui faut donc une raison personnelle. Or la rhétorique de la vie mondaine ne lui fournit aucun principe de justification avouable. Il ne peut pas invoquer le *plaisir* de rencontrer des gens agréables. Mais il ne peut pas non plus avancer les *besoins* de son travail, car il avoue à la duchesse qu'il ne va nullement chez Mme de Montmorency pour « prendre des notes » ou « faire une étude » (SG, II, p. 750). Et, si Marcel ne peut invoquer ni le plaisir ni la nécessité, reste la seule explication du *snobisme*. Or les raisons que devrait alléguer Marcel, s'il l'osait, sont étranges, si étranges qu'il se garde bien de les donner à Oriane, qui certainement ne les comprendrait pas.

« Mme de Guermantes ne se rendait pas compte que les gens agréables me laissaient froid, que quand elle me disait "salon Arpajon", je voyais un papillon jaune, et "salon Swann" (Mme Swann était chez elle de 6 à 7), un papillon noir aux ailes feutrées de neige. » (SG, II, p. 749-750).

Marcel mondain a le choix du salon dans lequel il se rendra. Comment décide-t-il d'aller chez une dame plutôt qu'une autre ? Ce devrait être pour des raisons « mondaines », celles qu'une dame du monde peut comprendre, telles que l'agrément, l'élégance, l'obligation, etc. Mais les raisons de Marcel sont d'un autre ordre. Dans la langue de Proust, elles sont qualifiées de « poétiques ». A chaque salon est associé une impression. La valeur du salon est déterminée *dans le monde* par différents facteurs, tels que sa composition, la position mondaine de l'hôtesse, etc. Mais elle est déterminée *dans la conscience de Marcel* par une impression particulière. Aussi ne va-t-il pas chez Mme Swann pour se faire des relations dans le milieu littéraire, mais, dit-il, pour jouir d'une impression analogue à celle qu'on aurait à contempler un papillon noir aux ailes feutrées de neige. Dans un texte assez embrouillé, Proust prête au narrateur l'analyse suivante. A l'époque, nous dit le narrateur, il portait sur les salons des jugements incompréhensibles parce que les raisons de ses choix auraient dû être mondaines alors qu'elles étaient poétiques. Il aurait dû calculer la valeur mondaine d'un salon pour savoir s'il convenait de s'y rendre. Or il n'en jugeait que par l'*esthétique des salons*. Marcel avait l'air d'une carriériste mondain, alors qu'il était un touriste en quête d'impressions de voyage dans le « grand monde ».

Voici comment le narrateur commente le malentendu qu'il y avait, selon lui, entre lui et le monde (SG, II, p. 741-742). Il est invité par toute les dames dont il a fait la connaissance chez Mme de Guermantes. « Je n'aurais pas su classer ces dames. » (Toujours cette obsession de donner un rang à des candidats, de classer par ordre de mérite individuel.) « Avant la dame il fallait aborder le féérique hôtel. » (D'où la difficulté : on croit qu'on est en train d'assigner une valeur mondaine à l'hôtesse d'un salon, alors qu'on est, sans pouvoir le dire, subjugué par la « féérie du salon », par le trajet, le décor, l'atmosphère et toutes sortes de circonstances étrangères à la dame.) Le narrateur donne divers exemples. « Je croyais seulement aller au Cours-la-Reine ; en réalité, avant d'être arrivé dans la réunion dont un homme pratique se fût peut-être moqué, j'avais, comme dans un voyage à travers l'Italie, un éblouissement, des délices, dont l'hôtel ne serait plus séparé dans ma mémoire. » (Le modèle est donc bien le tourisme, c'est-à-dire le voyage désintéressé qu'on fait pendant son loisir, dans le seul but de visiter des endroits qui méritent d'être vus. De même que le tourisme est la pratique d'une esthétique du voyage, de même la vie mondaine de Marcel serait la pratique d'une esthétique des salons, et non la démarche intéressée d'un arriviste.) « Cet exemple suffit à montrer que je faisais entrer dans mes jugements mondains des impressions poétiques que je ne faisais jamais entrer en ligne de compte au moment de faire le total, si bien que, quand je calculais les mérites d'un salon, mon addition n'était jamais juste. » Or c'est justement ce qui se produit pour le salon de Mme de Montmorency. La duchesse de Guermantes a toutes les raisons possibles de juger que Marcel est quelque peu snob. C'est aussi, à la même époque, le jugement que porte Mme Swann sur Marcel (SG, II, p. 746). Puisque Marcel ne saurait être attiré chez Mme de Montmorency par les personnes, il faut bien que ce soit par le grand nom de cette dame. Or le narrateur, lorsqu'il examine ses raisons de l'époque, n'y trouve pas la moindre trace de snobisme. Il y a donc un abîme entre les motifs que ces dames trouvent à sa conduite, les intentions qu'elles lui prêtent, et les motifs que lui-même se découvre dans un examen de conscience. Nous assistons ici au conflit de deux rhétoriques. Jugé selon la *rhétorique du monde*, Marcel est coupable de snobisme. La rhétorique du monde, celle que comprennent les gens du monde, est la façon dont on se justifie dans le monde. Il est permis d'invoquer des nécessités, par exemple des devoirs de famille ou des obligations de politesse. Il est également permis d'invoquer des plaisirs, mais seulement de l'espèce sociale ou mondaine : le mondain se plaît dans la compagnie des gens agréables. En revanche, les plaisirs qu'invoque Marcel sont systématiquement tirés de ce qui n'est pas lié aux personnes. La dame est moins féérique que l'hôtel, les personnes moins importantes que l'atmosphère, la conversation moins mémorable que la lumière du jour. Marcel s'explique selon la *rhétorique du soi*, celle dans laquelle un individu rend les comptes de sa conduite lorsqu'il a décidé de juger de la valeur des choses par lui-même. Lorsqu'il se juge selon cette rhétorique de l'intériorité, Marcel découvre d'excellentes raisons de sa conduite. Pourtant, ces raisons sont si intimes qu'elles ne peuvent pas être échangées. Exemplaire est, à cet égard, l'explication du plaisir associé au salon de Mme de Montmorency. Le malentendu entre Marcel et le monde ne peut pas être plus grand. Le *différend* rhétorique paraît insoluble. S'il faut juger Marcel, doit-on le juger selon la rhétorique du monde qui s'applique apparemment à tous, ou bien faut-il le juger comme un être autonome qui relève de son propre tribunal, dans le for interne de sa conscience ? Que répondra le narrateur lui-même à Mme de Guermantes qui le juge snob ? Les conditions d'un différend à la Lyotard sont réunies, car les deux rhétoriques du monde et du soi ne sont pas commensurables.

> « Mme de Guermantes ne se trompait du reste pas plus que les romanciers mondains qui analysent cruellement du dehors les actes d'un snob ou prétendu tel, mais ne se placent jamais à l'intérieur de celui-ci, à l'époque où fleurit dans l'imagination tout un printemps social. » (SG, II, p. 750)

(En effet, la seule raison esthétique que Marcel puisse découvrir dans son examen de soi-même est une certaine *impression d'humidité* associée à l'ensemble de l'hôtel de Mme de Montmorency, impression délectable parce qu'elle lui rappelle Combray. Il semble bien alors que la rhétorique du soi ne parvienne pas à l'emporter sur la rhétorique du monde : car il est difficile de croire que cette impression si plaisante ne puisse être goûtée que chez Mme de Montmorency, et que Marcel ne puisse l'éprouver de façon plus commode en se rendant dans certains bains turcs, ou même en retournant à Combray.)

Il est remarquable que Proust associe le jugement de Mme de Guermantes sur Marcel au genre littéraire du *roman mondain*. Ce que le romancier mondain trouve à dire du « snob ou prétendu tel » n'est pas faux ou injuste. C'est plutôt cruel. Dans un roman de style mondain, des gens du monde nous sont montrés et les motifs de leurs actions impitoyablement disséqués. (Cette définition du roman mondain s'applique tout à fait, en dépit des dénégations de Proust, à des pans entiers de la *Recherche*.) L'analyse est cruelle pour avoir été faite exclusivement *du dehors*. Si le romancier mondain acceptait de se placer *à l'intérieur* du snob, il devrait tenir compte de la façon dont l'imagination ajoute une féérie aux choses de ce monde. Le point de vue extérieur, celui de la rhétorique du monde, est insuffisant. Le romancier qui ne veut pas se mettre à la place du snob n'écrira qu'un roman mondain. Il sera lui-même un romancier mondain, qui va dans le monde, apparemment pour « observer » ou « prendre des notes ». Le point de vue du romancier mondain sur le snob est le point de vue de Françoise sur les poulets auxquels elle coupe le cou tout en les injuriant (« sale bête ! » CS, I, p. 122). C'est un point de vue défensif qui laisse échapper ce qu'il faudrait justement peindre, l'*erreur* du snob.

Faut-il en conclure que la *Recherche* est l'opposé d'un roman mondain, à savoir, comme Proust l'a plusieurs fois déclaré, un roman d'introspection ? Est-ce qu'elle est entièrement écrite selon la rhétorique du soi, à l'opposé de la rhétorique du monde ? En réalité, le roman que Proust a fini par construire est beaucoup plus complexe. Proust a fait éclater le personnage du snob en plusieurs exemplaires, lesquels reçoivent des traitements inégaux, tantôt cruel, tantôt indulgent ou compatissant, parce qu'ils sont présentés selon des formes littéraires différentes. Dans le passage ci-dessus, Proust plaide, sinon pour l'acquittement du snob, du moins pour les circonstances atténuantes. Mais les choses étaient bien différentes dans le *Côté de chez Swann*, lors de la scène qu'on pourrait intituler : *Legrandin ou le snob démasqué*. Le portrait ne pouvait pas être plus cruel. Comme l'écrivait alors Proust, *seuls les autres* comprenaient que Legrandin était un snob, parce qu'ils ne se souciaient pas de *comprendre le travail intermédiaire de son imagination* (CS, I, p. 129). Pourtant, ce n'était pas encore un épisode de roman mondain. Plutôt un morceau écrit dans le style du portrait moral, ou *Caractère*. Toute la description du manège de Legrandin autour des hobereaux du pays obéit à une conception « aristotélicienne » des phénomènes éthiques (c'est-à-dire à la conception d'où est issu le genre même du Caractère). Comment juger quelqu'un ? En considérant sa vie, sa manière de se conduire avec les autres, le crédit qu'on lui accorde, la façon dont ses actes s'accordent avec ses paroles. Autrement dit, le jugement se fera au vu de ce que tout le monde peut constater. Il y a des marques publiques du caractère, au sens où les phénomènes qui manifestent le caractère sont accessibles à tout le monde, et plus encore aux autres qu'à la personne elle-même. Pour écrire des *Caractères*, il faut se tourner vers ce que Genette a richement analysé sous le nom de « langage indirect » (dans son étude sur *Proust et le langage indirect*). Le langage direct de Legrandin est celui d'un poète distingué (qui se trouve être par ailleurs un ingénieur, sans que cela paraisse dans son propos). Legrandin professe une poétique qui ressemble étrangement à celle de Proust *théoricien*. Le principe en est que la poésie est à chercher dans la nature, pas dans la vie des hommes. C'est une poétique des paysages, des couchers de soleil, de la senteur des fleurs et du souffle des vents. Legrandin s'intéresse à la nature et non aux personnes, à moins que ces dernières ne manifestent « une jolie âme, d'une qualité rare » c'est-à-dire « une nature d'artiste » (CS, I, p. 68). Or les actes de Legrandin démentent ses paroles. La vie de Legrandin parle plus fort que son discours.

Ainsi, lorsque le narrateur nous parle de Legrandin, il adhère sans réserves à la rhétorique du monde. La qualité morale de quelqu'un n'est pas pour lui la « jolie qualité de l'âme », ainsi que le soutient l'idéaliste Legrandin (CG, II, p. 154). Elle est la qualité du caractère tel qu'il se manifeste dans la façon dont quelqu'un se comporte envers ceux auxquels il a affaire, dans les vertus qu'il montre au moment d'accomplir ses devoirs ou de tenter quelque entreprise, dans l'estime où on le tient et la confiance qu'on a en lui. En vertu de cette conception du phénomène éthique, le narrateur peut très logiquement soutenir qu'il y a un langage indirect plus véridique que le direct. L'attitude qu'a eue Legrandin à la sortie de la messe *dit quelque chose*, elle est « comme toute attitude ou action où se révèle le caractère profond et caché de quelqu'un (CS, I, p. 126). Et, lorsque Proust écrit ici *caché*, il ne veut pas dire caché aux autres et connu du seul Legrandin, mais tout au contraire caché à Legrandin et facilement décelable par l'observateur extérieur. La part cachée du caractère moral de Legrandin n'est pas une part intérieure, fermée à quiconque n'est pas Legrandin. N'importe qui peut s'apercevoir assez vite que Legrandin est un snob. Seul Legrandin persiste à l'ignorer. Quant à la part intérieure de Legrandin, à ses rêveries sur les couchers de soleil, on n'en tient absolument aucun compte pour juger de son caractère. Bien plus, s'il faut y prêter attention, ce sera pour lui attribuer un vice supplémentaire. Legrandin n'est pas seulement un ambitieux maladroit, mais un Tartuffe de la poésie, puisqu'il n'hésite pas à se réfugier dans l'élévation poétique pour ne pas rendre le service qu'on lui demande. Lorsque le père de Marcel veut obtenir de leur voisin une lettre d'introduction pour Mme de Cambremer, sœur de Legrandin, qui vit près de Balbec, l'ingénieur ne veut rien entendre. Au père qui le presse de dire s'il n'a pas des amis à Balbec, il donne une réponse « poétique » :

> « J'ai des amis partout où il y a des troupes d'arbres blessés, mais non vaincus, qui se sont rapprochés pour implorer ensemble avec une obstination pathétique un ciel inclément qui n'a pas pitié d'eux. » (CS, I, p. 131).

Tout comme le narrateur à Combray ou à Balbec, Legrandin trouve son inspiration dans les arbres.

L'opposition qu'introduit Proust entre deux points de vue possibles sur la conduite d'un snob recoupe évidemment certaines distinctions familières en critique littéraire, telles que celles qu'on fait entre le récit à la troisième personne et le récit à la première personne, entre le récit « behaviouriste » et le récit « autobiographique », etc. Toutefois, les critiques littéraires paraissent s'être surtout intéressés à l'aspect *épistémologique* de cette opposition des perspectives. Ils demandent : Qu'est-ce que le narrateur peut savoir du héros, selon que ce narrateur en parle du dehors ou du dedans ? La question est donc de savoir si le romancier a su assurer la cohérence épistémologique de son récit. Selon que le narrateur est ou non présent dans l'histoire, il gagne ou perd le droit de savoir certaines choses. Mais la distinction proustienne est plutôt *éthique* qu'épistémologique. Il s'agit de porter un jugement. Où chercher les phénomènes éthiques sur lesquels fonder un jugement sur quelqu'un ? Le point important n'est donc pas que nous ne pourrions jamais deviner que Marcel pense au salon de Mme d'Arpajon comme à un papillon jaune. Il est plutôt que le narrateur nous demande de faire entrer ce fait dans le dossier qu'il faut réunir, sous le nom de biographie, pour juger du caractère de Marcel. Admis qu'on raconte la vie de quelqu'un pour juger quelle sorte d'homme il était, il s'agit maintenant d'admettre qu'une personne mène de front deux vies, l'une extérieure, l'autre intérieure. Les faits de la vie extérieure sont ceux qu'un témoin historique est en position de relater. Les faits de la vie intérieure ne sont connus que du sujet de cette vie. Ces faits doivent être confessés. La localisation des phénomènes éthiques a été modifiée entre le *Côté de chez Swann* et le *Côté de Guermantes*. Désormais, les faits qui ont une signification éthique ne sont plus seulement les gestes que tout le monde peut voir ou les paroles que tout le monde peut entendre. La *vie publique* du personnage doit être jugée à la lumière d'une *vie secrète*, laquelle n'est pas une période de sa vie qu'il a passée dans l'obscurité (comme on parle des « années obscures de Jésus »), mais une vie « intérieure » qui double en permanence la vie « extérieure ». A mesure que le récit de Proust progresse, nous sommes passés de l'âge des *Caractères* à l'âge des *Confessions*. Le genre littéraire de la Confession, telle que nous l'entendons après Rousseau, est un genre relativement récent. Il suppose qu'on puisse écrire une biographie complète de quelqu'un en rassemblant les faits dont cette personne est la seule à pouvoir parler, les faits de sa vie « secrète ». Dans les *Confessions* de Jean-Jacques Rousseau, on assiste bien à la constitution du genre, car les aveux de l'auteur sont justement de deux ordres : tantôt il s'agit de secrets au sens ordinaire d'épisodes inexpliqués (par exemple, l'affaire du ruban de Marion, au livre II), tantôt de pensées intimes et d'impressions conservées par-devers soi (par exemple, le plaisir tiré de la punition infligée par Mlle Lambercier, au livre I). Dans une première version des *Confessions*, connue sous le nom de « manuscrit de Neuchâtel », Rousseau avait donné le titre suivant à son récit : « Les Confessions de J.J. Rousseau contenant le détail des événements de sa vie, et de ses sentiments secrets dans toutes les situations de la vie où il s'est trouvé » (Pléiade, p. 1148). La nouveauté du projet, dont Rousseau est parfaitement conscient, est bien dans cette idée de doubler le détail des événements de sa vie d'un autre détail, celui de ses sentiments. Dans ce même manuscrit de Neuchâtel, Rousseau entreprend de justifier son projet. Pourquoi écrit-il le récit de sa vie, lui qui n'a rien fait d'insigne ? La raison est que la relation des événements de sa vie n'est là que pour supporter une seconde biographie, celle de sa vie intérieure.

« Et qu'on n'objecte pas que n'étant qu'un homme du peuple je n'ai rien à dire qui mérite l'attention des lecteurs. Cela peut être vrai des événements de ma vie : mais j'écris moins l'histoire de ces événements en eux-mêmes que celle de l'état de mon âme, à mesure qu'ils sont arrivés (...) Les faits ne sont ici que des causes occasionnelles. Dans quelque obscurité que j'aie pu vivre, si j'ai pensé plus et mieux que les Rois, l'histoire de mon âme est plus intéressante que celle des leurs. » (Pléiade, p. 1150).

Rousseau reconnaît que le lecteur n'a aucune raison particulière de s'intéresser à l'histoire de sa vie. Ici, *histoire de sa vie* signifie tout bonnement, selon l'usage le plus ordinaire, histoire de ce qui lui est arrivé pendant sa vie et de ce qu'il a fait : histoire des événements de sa vie. Mais Rousseau nous demande d'admettre qu'il y a une autre façon de composer sa biographie, dans laquelle les faits de sa vie ne sont plus que des « causes occasionnelles ». Le lecteur ne peut manquer de s'intéresser à l'*histoire de son âme*. Rousseau participe ici à l'invention de ce que les wittgensteiniens appellent le *mythe de l'intériorité* (voir l'ouvrage de Bouveresse sous ce titre). Ce mythe suppose que l'on trouve un sens à l'expression *histoire de l'âme*. Or, par là, Rousseau n'entend pas une biographie spirituelle ou mystique, qui rapporterait des événements survenus dans la vie de quelqu'un, mais hors de toute circonstance mondaine. L'histoire de l'âme de Jean-Jacques est distincte de l'histoire de la vie de Rousseau, mais n'en est pas séparable. Le biographique se divise ici en deux : d'un côté, la vie de quelqu'un (la personne), en tant que série des faits, et de l'autre la vie de quelqu'un (le sujet de l'expérience) en tant que série des *vécus* ou des impressions. De cette distinction résulte une révolution stylistique dont Rousseau est pleinement averti. Le récit des faits devra inclure des incidents minuscules, sans portée mondaine, parce qu'il leur correspond des impressions décisives dans la série des *vécus*. Ce qui aurait été jugé risible dans l'histoire d'une vie peut acquérir une gravité nouvelle dans l'histoire d'une âme.

« Il faudrait pour ce que j'ai à dire inventer un langage aussi nouveau que mon projet (...). Que de riens, que de misères ne faut-il point que j'expose, dans quels détails révoltants, indécents, puérils et souvent ridicules ne dois-je pas entrer pour suivre le fil de mes dispositions secrètes, pour montrer comment chaque impression qui a fait trace dans mon âme y entra pour la première fois ? » (Pléiade, p. 1153).

Inutile de dire que Proust, dans la *Recherche*, tire le plus grand parti de ce renversement des valeurs stylistiques : le ridicule et le puéril selon le monde seront présentés comme le plus digne et le plus profond selon soi.

Or la *Recherche* ne se réduit ni à des Confessions de Marcel, ni à un roman mondain du Faubourg Saint-Germain. Proust a combiné les deux perspectives dans un récit unique. Dans la *Recherche*, Legrandin (entre autres) est Marcel vu du dehors à une certaine époque de sa vie, tandis que Marcel à la même époque est Legrandin vu du dedans. S'il s'agissait d'adopter la rhétorique des Confessions comme supérieure à la rhétorique des Caractères, on devrait finalement acquitter Marcel, donc aussi Legrandin. Il ne serait plus possible de leur tenir rigueur d'être snobs, pour la raison que les autres ne valent pas mieux. Le but d'une Confession à la Rousseau est en effet de disculper le *soi* en retirant au *monde* le droit de juger. (Qui osera dire : *Je fus meilleur que cet homme-là* ?) Mais, dans la *Recherche*, la cause morale est entendue. Legrandin et Marcel, à cette époque de leur vie, sont des snobs. Proust ne s'est nullement privé des ressources de la cruauté en analyse. Lorsque la rhétorique du soi est introduite, ce n'est pas pour priver la rhétorique du monde de sa validité, mais pour manifester l'inévitable malentendu entre soi et le monde.

Dans un carnet préparatoire au *Temps retrouvé*, Proust avait souligné plus fortement encore l'opposition des deux perspectives. Ce texte vaut d'être cité parce qu'il aide, tel une esquisse, à comprendre la charpente de l'œuvre définitive.

« Je me rendais compte que j'avais été un snob ridicule qui n'avait pas osé saluer Bergotte devant Mme de Guermantes. Certes je n'aurais plus été capable d'une pareille lâcheté mais ce n'est que d'aujourd'hui que je la trouvais coupable parce que ce n'est que d'aujourd'hui que j'en avais conscience. A ce moment-là la poésie du nom de Guermantes me cachait tout. Et pourtant tout en me jugeant sévèrement pour la première fois, tout en me sentant meilleur, je me demandais si je valais mieux quand la poésie du nom de Guermantes pouvait me cacher à moi-même le mobile d'actions dont je m'abstiendrais maintenant parce que les jugeant du dehors avec un froid prosaïme, ne pouvant plus les embellir, je voyais ce qu'elles avaient d'indélicat. » (*Matinée chez la princesse de Guermantes*, p. 441).

Chose remarquable, Proust associe un peut plus loin ce changement dans le caractère du héros et une réévaluation de ses jugements esthétiques. Autrefois, il n'aimait pas les romans de Balzac, estimant que les personnages en étaient trop peu délicats. « J'aimais maintenant ces romans parce que je me rendais compte qu'il n'y avait pas une infamie de ces personnages dont je n'aurais à un moment été capable. » *(Ibid.)* Marcel aime Balzac, mais cette capacité de s'identifier au personnage infâme annonce plus encore une découverte du « roman russe » et de Dostoïevski.

Ce qui fascine finalement Proust est l'existence de deux régimes de la culpabilité. Legrandin est un snob. Mais qui est en position de le dire ? Ce jugement est porté par le conseil de la famille de Marcel. (Il est à noter que tout l'épisode de Legrandin démasqué est rapporté dans la perspective d'un *nous* familial, depuis le « J'ai peur que NOUS ne soyons fâchés avec Legrandin » jusqu'au verdict « A LA MAISON, on n'avait plus aucune illusion sur M. Legrandin ».) Le mot *snob* appartient à un vocabulaire moral qui est utilisé pour tout à la fois décrire et apprécier la conduite des gens dans le monde. Dans ce vocabulaire, le sens de l'adjectif renvoie à des conduites caractéristiques pour lesquelles on a inventé par dérivation le verbe *snober*. Proust, lui, dit *se croire plus*. Ainsi, Mme de Guermantes est snob parce qu'elle s'ingénie à snober les autres duchesses. Legrandin est snob parce qu'il snobe les parents de Marcel, au moment même où il souffre d'être lui-même snobé par d'autres mondains plus solidement établis que lui. En revanche, le mot *snob* n'appartient pas au vocabulaire d'une présentation de soi-même selon la rhétorique du soi. L'être sensible qui raconte l'histoire de son âme va décrire les états successifs de son âme. Parmi ses impressions ou ses sentiments, il ne découvre jamais une sensation intime par laquelle il serait averti qu'il se conduit comme un snob. S'il s'interroge lui-même, Marcel observe qu'il a plaisir à aller dans certains salons. Le fait de ce plaisir est parfois mystérieux. C'est ici que le qualificatif du *poétique* trouve un emploi. Comment expliquer le plaisir de se trouver chez Mme de Montmorency par un goût pour l'impression d'humidité ? Comment trouver un plaisir dans le nom des Guermantes ? Il faut que ce soient des impressions poétiques.

On pourrait croire que la rhétorique du soi est un moyen facile de se procurer un alibi en toute circonstance. C'est d'ailleurs ce qu'on en pense dans le monde. Mais ce ne serait que la moitié du tableau. La rhétorique du soi fournit aussi la matière de nouvelles accusations. Le snob n'est jamais snob pour soi, toujours pour les autres. Coupable dans le monde, le voici innocent dans son for interne. Or l'inverse se produit aussi. L'individu livré à soi subit maintenant des reproches que rien ne peut soutenir dans le discours du monde. L'individu s'accuse amèrement de crimes qu'il n'a pas commis dans le monde. Au fur et à mesure que le récit avance, Marcel est envahi d'une culpabilité tenace :

> « Et ainsi il me semblait que par ma tendresse uniquement égoïste j'avais laissé mourir Albertine comme j'avais assassiné ma grand'mère. » (F, III, p. 501).

Du point de vue du monde, ces reproches sont absurdes. Marcel n'a tué personne. En réalité, il ne subit pas l'accusation intérieure d'avoir commis le meurtre extérieur ou matériel. Les assassinats qu'il a sur la conscience sont intérieurs. Il a éliminé sa grand-mère de sa pensée au moment où elle disparaissait aussi de ce monde. Un psychologue moderne parlerait de culpabilité *névrotique*. Un auteur plus ancien aurait aisément diagnostiqué chez Marcel un cas de *superstition*. La superstition se définit comme la vaine observance ou le culte indu. Le narrateur, il est vrai, ne dit pas s'il se livre à de certaines pratiques rituelles pour soulager sa conscience d'avoir aimé sa chère grand-mère et sa chère Albertine d'un amour destructif. La superstition est ici d'établir un lien entre ces morts et de croire qu'il doit les réparer. En s'accusant, Marcel reconnaît une dette — laquelle en fait n'est pas due — envers la puissance terrible à laquelle il attribue l'enchaînement de ces catastrophes dans sa vie et la justice de leur consécution. Déjà, lorsque Albertine lui révèle qu'elle est très liée avec la fille de Vinteuil et l'amie de celle-ci, Marcel comprend soudain qu'une juste *nemesis* vient de le frapper. C'est alors qu'il découvre, à sa propre surprise, qu'il lui faut arracher Albertine à Gomorrhe

(« Il faut absolument que j'épouse Albertine » ; SG, II, p. 1131). L'image érotique de la scène de Montjouvain, au cours de laquelle la fille de Vinteuil et son amie se livraient à une manière de profanation rituelle sur l'image de Vinteuil mort, lui revient du fond de son enfance à Combray.

> « Conservée vivante au fond de moi (...) pour mon supplice, pour mon châtiment, qui sait ? d'avoir laissé mourir ma grand'mère ; peut-être surgissant tout à coup du fond de la nuit où elle semblait à jamais ensevelie et frappant comme un Vengeur, afin d'inaugurer pour moi une vie terrible, méritée et nouvelle, peut-être aussi pour faire éclater à mes yeux les funestes conséquences que les actes mauvais engendrent indéfiniment, non pas seulement pour ceux qui les ont commis, mais pour ceux qui n'ont fait, qui n'ont cru, que contempler un spectacle curieux et divertissant (...) » (SG, II, p. 1115).

Ce texte distingue deux espèces de crimes : celui de l'agent qui commet un *acte mauvais* et celui du voyeur qui y trouve l'occasion d'un *spectacle curieux et divertissant*. Le héros de la *Recherche* en tant qu'il se présente comme cet amateur de spectacles piquants est le sujet de l'histoire d'une âme. Ce qui est en cause n'est pas sa conduite à l'égard de quelqu'un d'autre, mais le rôle que va jouer l'impression criminelle dans sa vie spirituelle. Il est le sujet d'une expérience et non le sujet d'une action. En tant que tel, il relève d'un régime de culpabilité autonome. A qui la faute ? Selon la perspective du monde, la faute revient à celui qui a fait quelque chose, à celui qui a provoqué, par son initiative, un changement malheureux de l'état du monde. Mais, selon la rhétorique du soi, le sujet est coupable d'avoir tiré un plaisir d'une expérience, d'avoir cultivé certaines impressions. Proust invente ici une nouvelle figure, proprement moderne, du genre tragique. Dans la cosmologie holiste des anciens auteurs tragiques, le héros tragique est un criminel parce qu'il a effectivement commis une faute terrible. Sans doute n'avait-il pas voulu ni prémédité son action sous l'aspect qui la rend coupable au jugement de tous ainsi qu'au sien. Selon la *justice des hommes*, le héros tragique est tout juste coupable d'imprudence ou de précipitation. Œdipe ne pouvait pas savoir à qui il avait affaire. Mais le crime n'en a pas moins été commis, l'ordre du monde dérangé. Une

223

autre justice, qu'on peut appeler *justice divine*, exige qu'une expiation vienne réparer l'offense faite à ce qu'il y a de plus sacré. Là où la justice humaine ne peut rétablir le bon ordre par une sanction humaine, là où elle doit même prononcer l'acquittement, l'autre justice maintient sa réclamation d'un paiement proportionné à l'offense. (C'est précisément en ces termes que Proust écrit, en 1907, son article « Sentiments filiaux d'un parricide ». Dans le fait divers qui l'occupe, il y a un crime effectif, suivi par le suicide du coupable. Le meurtre et la destruction du criminel par lui-même ont eu lieu. La forme narrative qui convient à tels événements est donc, écrit Proust, la forme de la tragédie ancienne prise dans toute sa force religieuse, ce qui veut dire, dans sa fonction de réintégration, par la purification, du criminel dans sa communauté. Proust écrit : « J'ai voulu aérer la chambre du crime d'un souffle qui vînt du ciel, montrer que ce fait divers était exactement un de ces drames grecs dont la représentation était presque une cérémonie religieuse, que le pauvre parricide n'était pas une brute criminelle, un être hors de l'humanité (..) » ; *op. cit.*, p. 157.) Dans la cosmologie du roman, l'humanité n'est plus incluse dans l'ordre hiérarchique d'un cosmos. Pour le héros romanesque qui juge selon la rhétorique de son monde, un événement naturel ne peut avoir qu'un sens naturel. On ne saurait chercher une signification morale dans les faits de la nature. Il ne se déclare dans les événements de ce monde aucune justice divine, aucune providence, aucun destin. La grand-mère du narrrateur est morte naturellement d'une maladie. Albertine a fait une chute de cheval dont elle est morte. Qui plus est, ces deux décès n'ont aucun rapport entre eux. C'est une pure coïncidence si Marcel se trouve être le petit-fils de la première et le « fiancé » de la seconde. Selon la justice des hommes, Marcel n'a rien à se reprocher. Mais selon l'opinion des hommes du monde, il n'est qu'une seule justice, la justice des hommes. La cosmologie moderne n'abrite ni cérémonies religieuses d'expiation publique, ni représentations tragiques dans leur signification ancienne que Proust qualifie fort justement de presque religieuse. Il n'existe pas de moyen d'expier pour celui qui, sans avoir commis un crime, se juge exclu pour avoir joui d'assister à un crime. Le narrateur est seul à comprendre que les deux morts qui surviennent autour de lui et le brisent sont le châtiment mérité, au-delà de toute justice humaine, d'une faute irréparable. De même que le héros tragique ancien a commis un crime sans le savoir et se voit chargé d'un crime qu'il n'a pas voulu, de même Marcel a joui d'assister à un spectacle qu'il ne comprenait pas. Il doit maintenant expier cette jouissance coupable. Ici, la faute et le châtiment appartiennent à une justice tragique *intérieure*.

Certaines parties de la *Recherche* relèvent du roman mondain : par exemple, l'évocation des stratégies variées qu'adoptent les maîtresses de maison pour hisser leurs salons au faîte de la célébrité et du succès. D'autres sont écrites dans le style d'une Confession ou de l'histoire d'une âme : elles nous racontent les Souffrances du jeune Marcel. Mais la *Recherche* prise dans sa construction d'ensemble n'est pas un roman mondain, ni un roman intimiste. Elle est, pour reprendre les propres termes de Proust, un roman perspectiviste. Or le problème qui nous occupe depuis le début est de savoir si le perspectivisme tel qu'il est défini dans la doctrine de Proust théoricien rend compte adéquatement du perspectivisme tel qu'il est pratiqué dans le récit romanesque. Proust théoricien a-t-il la clé des trouvailles de Proust romancier ?

Dans sa théorie, Proust place toujours la « vision du dedans » au-dessus de la « vision du dehors ». Le point de vue intérieur est au point de vue extérieur comme la poétique au prosaïque. La vision du dehors est celle du statisticien qui enregistre des phénomènes sociaux ou du romancier mondain qui va dans les salons pour prendre des notes. La vision du dedans restitue les « impressions poétiques ». Oui, mais que valent ces impressions poétiques ? Proust paraît nous demander d'avoir deux poids et deux mesures. Lorsqu'il s'agit de gens comme Legrandin, nous pouvons utiliser la rhétorique du monde. Nous n'avons pas à prendre au sérieux les déclarations poétiques de Legrandin. En revanche, Marcel se présente à nous selon la rhétorique de l'intériorité. Marcel ne s'intéresse pas vraiment aux duchesses, mais n'a d'yeux que pour la poésie de leurs noms et de leurs demeures. Ainsi, un traitement différent est appliqué au personnage du narrateur, celui qui se présente lui-même, et aux autres personnages, ceux qui nous sont présentés par le narrateur. Le narrateur lui-même envisage les personnages qu'il nous décrit comme des « caractères » ou des sujets d'action, des sujets éthiques en un sens « aristotélicien ». Ces personnages sont construits avec les ressources du « langage indirect » de leurs réactions typiques, de leurs tics. Ils sont présentés comme devant être jugés au vu de leur conduite, de ce qu'ils font ou sont habituellement disposés à faire. Mais le narrateur s'envisage lui-même comme un sujet d'expérience bien plus que comme un agent dans ce monde. Ou plutôt le narrateur, lorsqu'il nous parle de Marcel, nous parle de quelqu'un qui s'envisage lui-même ainsi. Marcel cherche la justification (ou la condamnation) de sa conduite dans la pureté des motifs éprouvés plus que dans cette conduite elle-même. Aller dans le monde est un acte méprisable si le motif en est un intérêt vulgaire pour les choses de ce monde. C'est à l'inverse un acte innocent si le motif en est la recherche d'une certaine sensation détachée de toute ambition terrestre (papillons, humidité, etc.).

Si l'on s'en tenait au perspectivisme doctrinal de Proust, on devrait trouver autant de perspectives que de personnages. Il y aurait le point de vue du narrateur, le point de vue de Charlus, le point de vue de Mme Verdurin, etc. Pourtant, le perspectivisme romanesque de Proust ne contient en fait que deux perspectives : le perspective du soi (celle du narrateur sur lui-même) et la perspective du monde (celle de tout le monde, y compris Marcel, sur les autres). La complexité architecturale de la *Recherche* commence à se découvrir si nous posons la question : comment Marcel, Legrandin et Swann sont-ils finalement le même personnage ? Non, bien sûr, le même personnage dans le récit, mais le même personnage dans le schéma ou l'argument du roman réaliste qui sert de base à toute la construction. Ce scénario initial serait quelque chose comme : *un homme est en danger de se voir exclu d'une partie de plaisir, il fera tout pour en être.* Au lieu d'utiliser ce scénario pour raconter une histoire unique (qui n'aurait pu dépasser les dimensions d'une nouvelle), Proust s'en sert pour faire proliférer toutes sortes d'épisodes qui le répètent dans des styles différents. Si la partie de plaisir est celle des grandes personnes, on a la scène initiale du baiser maternel refusé et extorqué. Si la partie de plaisir est mondaine, on a les scènes d'invitation, ainsi que les scènes d'expulsion hors du salon Verdurin (Swann, Charlus). Si la partie de plaisir est érotique, on a les scènes de jalousie (Swann-Odette, Marcel-Gilberte, Robert-Rachel, Marcel-Albertine, Charlus-Morel, etc.).

Pour raconter ces scènes et ces épisodes, Marcel dispose des trois styles de présentation que lui offre la dualité des perspectives du soi et du monde : la vision du dehors, la vision du dedans et une combinaison des deux visions. Proust lui-même donne à la présentation « du dehors » le nom de *roman réaliste d'action* et à la présentation « du dedans » le nom de *monologue*. Il oppose dans la *Fugitive* les événements de sa vie avec Albertine tels que lui-même les a vécus (comme des impressions, sources d'images et de souvenirs) et ces mêmes événements tels qu'Albertine les a vécus (comme la réalité de sa vie). Albertine a été prise dans un drame tragique : elle est un sujet pris dans une action. Marcel a enregistré, tel un touriste, des souvenirs : il est un sujet d'expérience.

> « Ces images de Balbec et de Paris que j'aimais ainsi à revoir, c'étaient les pages encore si récentes, et si vite tournées, de sa courte vie. Tout cela qui n'était pour moi que souvenir avait été pour elle action, action précipitée, comme celle d'une tragédie, vers une mort rapide. » (F, III, p. 499).

L'unique récit du narrateur doit donc être lu comme une œuvre double, écrite simultanément comme roman d'action (pour le partenaire) et comme confession ou monologue (pour le narrateur).

> « Si bien que cette longue plainte de l'âme qui croit vivre enfermée en elle-même n'est un monologue qu'en apparence, puisque les échos de la réalité la font dévier, et que telle vie est comme un essai de psychologie subjective spontanément poursuivi, mais qui fournit à quelque distance son « action » au roman, purement réaliste, d'une autre existence, et duquel à leur tour les péripéties viennent infléchir la courbe et changer la direction de l'essai psychologique. » (F, III, p. 500).

Proust échappe à la tentation de l'autobiographie en combinant le monologue et le roman d'action. Soit le scénario schématique mentionné ci-dessus. Il pourra recevoir différentes versions.

1. *Version réaliste* : quelqu'un cherche à se faire inviter, vu du dehors. En quoi la vision est-elle « du dehors » ? On ne prête attention qu'à l'action, pas aux motifs éprouvés, aux raisons que le personnage donne de ses entreprises. Il n'est donc pas tenu compte du *travail de l'imagination* qui, en jetant sur les duchesses et les jeunes filles une lumière « poétique », donne une noblesse esthétique, sinon morale, aux intérêts que

manifeste le personnage. Comme on le voit dans la scène de Legrandin démasqué, le style de présentation est comique. Ici, le prétention du personnage à être jugé selon les critères de la rhétorique du soi n'est pas validée dans le récit. Non que cette rhétorique soit ignorée, mais elle ne figure que pour mieux dénoncer le ridicule du personnage.

II. *Version monologique* : quelqu'un cherche à se faire inviter, vu du dedans. C'est alors l'histoire de Marcel en tant qu'elle est l'histoire de son âme ou de ses impressions. Marcel est affligé du même dédoublement idéaliste que Legrandin. Or ce dédoublement n'est plus comique, mais douloureux. Pourquoi douloureux ? C'est que nous sommes passés de l'âge de la comédie à l'âge du roman sentimental (Rousseau, George Sand). Comme l'avait fort bien expliqué Stendhal dans son essai sur *Racine et Shakespeare*, la prospérité du genre comique suppose que la société fournisse aux auteurs un public sensible aux ridicules divers des mœurs contemporaines. Stendhal a diagnostiqué que la comédie appartenait à une société d'ancien régime : dans une société démocratique, l'auteur comique écrira des romans. (René Girard a fait, en somme, la théorie de cette transition dans *Mensonge romantique et vérité romanesque*. La société qui dispose d'un public pour la comédie est le monde stable de la « médiation externe » : on s'y moque de ceux qui cherchent à faire croire qu'ils sont plus qu'eux-mêmes. La société où les positions — « plus que moi » ou « moins que moi » — ne sont pas d'emblée fixées par quelque chose comme le « principe des castes » de Combray est le monde déchiré de la « médiation interne ». Sous le règne de la « médiation externe », le personnage qui fait rire est celui qui prétend décider par lui-même de ce qu'il sera pour les autres, gentilhomme, malade ou femme supérieure. L'âge du roman se définit comme le temps d'un héroïsme généralisé : le héros romanesque est bientôt *n'importe qui*, considéré dans ses efforts pour être *quelqu'un*, une personne définie aux yeux des autres et dont il puisse en même temps assumer la responsabilité. Les habitants du monde de la « médiation interne » connaissent donc les souffrances d'un perpétuel examen de *soi* dans une douloureuse comparaison avec *autrui*. On se souvient de l'étonnante apostrophe de Rousseau au Juge suprême, au début des *Confessions* : Que chacun de mes semblables te découvre à son tour son cœur, « et puis qu'un seul te dise, s'il l'ose :

Je fus meilleur que cet homme-là ». Le défi de Rousseau serait sans force rhétorique à l'âge de la comédie, tant qu'il y a un public pour se moquer collectivement des individus excentriques. A la comédie, c'est le groupe tout entier qui fait sentir sa puissance et s'affirme supérieur à l'individu prêtant à rire. Mais Rousseau ne s'adresse pas au public, il s'adresse à chacun de ses semblables, réclame que chacun mette son cœur à nu et veut que la confrontation se fasse d'*ego* à *alter ego*.)

III. *Version mixte* : un homme cherche à se faire inviter, vu tour à tour du dehors et du dedans. Tel est le style de présentation dans ce récit dans le récit qu'est *Un amour de Swann*. La relation qui d'abord s'établit puis se défait entre Swann et Odette est présentée deux fois, une fois dans un monologue à la troisième personne, une seconde fois dans le récit réaliste correspondant à la perspective de tout le monde sauf Swann. Ici encore, la leçon perspectiviste est qu'il y a nécessairement malentendu entre un sujet d'expérience (Swann amoureux) et des sujets d'action (les autres). De même que le mot « snob » n'appartient pas au vocabulaire qu'utilisent Legrandin ou Marcel pour se présenter eux-mêmes, de même les mots « femme entretenue » n'appartiennent pas au vocabulaire de l'amoureux. Ces mots ne correspondent à aucune expérience de Swann. Odette n'est pas pour lui une personne qui vit, qui a un passé, des projets, des amis. Swann porte à Odette un *amour esthétique*, en ce sens qu'Odette est pour lui une source d'impressions, une occasion de se sentir amoureux. Odette est un spectacle, une œuvre d'art, un thème de rêverie. La véritable formule d'un amour de Swann est : un goût pour certaines sensations particulières que Swann n'éprouve qu'auprès d'Odette.

> « Car sitôt que Swann pouvait se la représenter sans horreur, (...) cet amour redevenait surtout un goût pour les sensations que lui donnait la personne d'Odette, pour le plaisir qu'il avait à admirer comme un spectacle ou à interroger comme un phénomène, le lever d'un de ses regards, la formation d'un de ses sourires, l'émission d'une intonation de sa voix. » (CS, I, p. 304).

L'expérience de Swann lui apprend qu'Odette s'offre à lui ou qu'elle se dérobe. Mais elle ne lui apprend pas qu'Odette est une femme entretenue par lui, Swann, après l'avoir été par d'autres. Lorsqu'il lui donne de l'argent ou lui fait des cadeaux, son expérience est qu'il la rend heureuse, se montre généreux, mais non qu'il l'« entretient » au sens que ce verbe a dans le monde, ce monde dans lequel « on lui avait parlé d'une femme qui, s'il se rappelait bien, devait certainement être elle, comme d'une fille, d'une femme entretenue » (cs, I, p. 239). L'erreur de Swann sur Odette se découvre ainsi dans un embarras rhétorique. Les termes « femme entretenue » s'appliquent dans le monde à des filles au caractère « foncièrement pervers » (ibid.). Swann comprend ce qu'ils veulent en dire en principe, mais ne trouve rien qui leur corresponde dans son expérience d'Odette. Proust nous décrit un Swann incapable d'accorder la sagesse prosaïque du monde et l'expérience individuelle. Un soupçon vient à Swann alors qu'il se souvient d'avoir à prendre de l'argent pour Odette chez son banquier.

> « Alors, tout d'un coup, il se demanda si cela, ce n'était pas précisément l'''entretenir'' (comme si, en effet, cette notion d'entretenir pouvait être extraite d'éléments non pas mystérieux ni pervers, mais appartenant au fond quotidien et privé de sa vie, tels que ce billet de mille francs, déchiré et recollé, que son valet de chambre (…) avait serré dans le tiroir du vieux bureau où Swann l'avait repris pour l'envoyer avec quatre autres à Odette (…). » (cs, I, p. 268).

Si les aveuglements successifs de Swann étaient entièrement racontés du dehors, l'histoire serait comique (un comique assez peu relevé, il est vrai). L'addition du monologue continuel de Swann ajoute la note douloureuse, en même temps qu'elle annonce le sujet de la *Recherche* proprement dite. Le même malentendu rhétorique va affecter les rapports de Marcel et d'Albertine. Marcel est attentif au seul rôle que joue la jeune fille dans son expérience d'être coupable. Il est incapable de former l'hypothèse « réaliste » qu'Albertine voulait se faire épouser, qu'elle est venue dans ce but chez lui et qu'elle l'a quitté ensuite pour ne pas ruiner ses chances de faire un beau mariage.

> « Ce mariage était-il la raison du départ d'Albertine, et par amour-propre, pour ne pas avoir l'air de dépendre de sa tante, ou de me forcer à l'épouser, n'avait-elle pas voulu le dire ? (…)

A entendre les gens qui prétendaient qu'Albertine était une roublarde qui avait cherché à se faire épouser par tel et tel, il n'était pas difficile de supposer comme ils eussent défini sa vie chez moi. Et pourtant, à mon avis, elle avait été une victime, une victime peut-être pas tout à fait pure, mais dans ce cas coupable pour d'autres raisons, à cause de vices dont on ne parlait point. » (F, III, p. 615).

Dans la *Prisonnière*, Marcel se tourmente l'esprit à chercher le pourquoi de la conduite d'Albertine. Il discerne chez elle un malaise à vivre chez lui, un désir d'indépendance. Pourquoi Albertine veut-elle le quitter ? Une lettre de sa mère lui fournit délicatement l'explication la plus raisonnable par le détour d'une citation de la marquise de Sévigné. Dans cette version des faits, les torts sont du côté de Marcel. « Je suis un jeune homme indécis et il s'agit d'un de ces mariages dont on est quelque temps à savoir s'ils se feront ou non. » (P, III, p. 363). Cette explication ne le satisfait pas longtemps. Elle ne fait aucune place à ce qui passionne le narrateur : les amours saphiques d'Albertine. Nous savons que Marcel s'intéresse à Albertine seulement s'il peut souffrir de la savoir coupable. Aussi l'explication simple ne tient-elle pas devant l'explication compliquée suggérée par la jalousie : qu'Albertine désire retrouver son indépendance pour être plus libre de rencontrer d'autres jeunes filles à son goût. Quelle est la bonne explication ? Voici sa réflexion :

> « On peut tout ramener, en effet, si on en considère l'aspect social, au plus courant des faits divers : du dehors, c'est peut-être ainsi que je le verrais. Mais je sais bien que ce qui est vrai, ce qui du moins est vrai aussi, c'est tout ce que j'ai pensé, c'est ce que j'ai lu dans les yeux d'Albertine, ce sont les craintes qui me torturent, c'est le problème que je me pose sans cesse relativement à Albertine. » (P, III, p. 363).

Il y a deux versions possibles des faits relatifs à Albertine. Albertine veut le quitter et finalement le quitte. Selon une version, c'est un fait divers : quelque chose qui arrive tous les jours, quelque chose qui s'explique aisément en faisant usage de la sagesse pratique, de l'expérience du monde. Selon l'autre version, la conduite d'Albertine s'explique par un *mystère* inconnu du monde.

« L'histoire du fiancé hésitant et du mariage rompu peut correspondre à cela, comme un certain compte rendu fait par un courriériste de bon sens peut donner le sujet d'une pièce d'Ibsen. Mais il y autre chose que ces faits qu'on raconte. Il est vrai que cette autre chose existe peut-être, si on savait la voir, chez tous les fiancés hésitants et dans tous les mariages qui traînent, parce qu'il y a du mystère dans la vie de tous les jours. Il m'était possible de le négliger concernant la vie des autres, mais celle d'Albertine et la mienne, je la vivais par le dedans. » (P, III, p. 363-364).

Ici encore, chaque version des faits correspond à une forme littéraire. Si la conduite d'Albertine s'explique par des motifs communs, des motifs qu'on retrouve dans toutes les histoires de fiancés hésitants, l'épisode est un potin du monde, une histoire à la Sévigné. Pourtant, le point de vue du bon sens ou du roman mondain paraît borné. Il semble qu'en cherchant mieux on trouve partout des mystères et des crimes. C'est la transition de Mme de Sévigné à Balzac. Les vies les plus bourgeoises cachent des tragédies domestiques, des drames secrets, des actes héroïques ou infâmes. Toutefois, Proust invoque un mystère psychologique plutôt que dramatique : Ibsen plutôt que Balzac. Le mystère n'est pas, comme chez Balzac, quelque ténébreuse affaire. Le mystère est dans la conduite énigmatique du héros. Nous glissons de Balzac à Dostoïevski. En l'espèce, le mystère ne sera jamais vraiment éclairci dans la *Recherche* : il est cette étrange jalousie où s'alimente l'amour de Marcel pour Albertine.

Il est donc vrai de dire, avec les critiques romantiques, que la *Recherche* est une œuvre littéraire qui offre en même temps une théorie de la littérature. Pourtant, le modèle de cette réflexivité n'est peut-être pas, comme le croit Proust, l'« auto-contemplation » (P, III, p. 160), ou la conscience de soi conçue selon le modèle optique, comme regard tourné vers soi-même. Ce n'est pas ainsi que la théorie littéraire est présente dans le roman lui-même, dans le jeu des personnages. Elle y est présente sur un mode romanesque là où les personnages utilisent des catégories littéraires pour concevoir ce qui leur arrive. Lorsqu'il s'agit d'apprécier un événement, de le mettre en perspective ou d'en faire ressortir l'aspect significatif, le narrateur et ses proches disent : c'est du Balzac, c'est du Dostoïevski, c'est une tragédie grecque, c'est un conte de fées, etc. On réduit la théorie littéraire à bien peu de choses si on limite ses ambitions à la simple description des textes en termes linguistiques ou stylistiques, à l'inventaire des métaphores et de métonymies. La théorie littéraire est en effet la théorie du style, mais à condition de prendre le mot *style* dans le sens classique d'une forme de présentation, comme dans la vieille théorie des trois styles qu'étudie Auerbach dans *Mimésis*. L'objet de la théorie littéraire est de traiter des diverses formes littéraires, de façon à permettre la position des *problèmes littéraires*. Or le problème littéraire, selon Proust romancier, est en somme celui-ci : Quel style doit-on adopter pour présenter les choses dans tel cas ? Faut-il parler d'Albertine selon la sagesse du monde ou selon l'expérience de soi ? Faut-il raconter le mariage de Gilberte Swann et de Robert de Saint-Loup dans le style de George Sand ou de Balzac ? Et finalement : Comment présenter la vie de Marcel ?

On peut raconter une vie du dehors ou du dedans. Deux rhétoriques entrent en concurrence. Selon la rhétorique du roman réaliste, les actions du personnage ont le sens que le monde reconnaît à ce genre d'action. Par exemple, le motif du mécontentement d'Albertine est à chercher dans les raisons qu'aurait n'importe quelle jeune fille (et non pas spécialement cette jeune fille unique aux yeux du narrateur) de se plaindre d'un fiancé hésitant. Dans cette version des choses, c'est Marcel qui a tort. Selon la rhétorique de la Confession, de ce que Proust appelle le monologue ou l'essai de psychologie subjective, le sens d'une action est donné par le vécu du héros, par ce que le personnage éprouve comme son motif. Or Proust met en scène le conflit de ces deux rhétoriques, mais ne propose aucune solution. Ou, plutôt, le théoricien et le romancier divergent. Proust théoricien traite le roman réaliste de façon condescendante. C'est un genre psychologiquement faux, car on n'a pas tenu compte du travail de l'imagination. Jamais l'arriviste n'éprouve qu'il est arriviste. Le point de vue du dehors est sociologique ou prosaïque, le point de vue du dedans est subjectivement vrai ou poétique. Pourtant, Proust aperçoit qu'il n'y aurait pas de roman, même d'introspection, si *le roman purement réaliste d'une autre existence* ne doublait pas continuellement l'*essai de psychologie subjective spontanément poursuivi*. Les souffrances de Marcel supposent l'introduction du personnage d'Albertine. Le narrateur rejette la règle rhétorique proposée par sa mère, à savoir : trouver dans la conduite d'Albertine le cas d'une vérité générale sur les fiancés hésitants et les dangers d'un mariage « au-dessous de soi ». (Pourtant, Swann avait donné jadis un avis analogue, avertissement prophétique « duquel je ne sus pas tenir compte » ; JF, I, p. 563.) Mais le narrateur est alors obligé d'incorporer Albertine à sa propre subjectivité, ce qui veut dire : d'inclure les intentions et les sentiments d'Albertine dans le domaine de son expérience vécue, dans ce domaine intérieur sur lequel il réclame, lui Marcel, une autorité épistémologique privilégiée pour en être le sujet vivant. Passe encore qu'on explique la vie des autres par des généralités. Ce point de vue extérieur ne vaut pas pour lui, qui vit du dedans sa propre vie. Mais, puisque sa vie inclut sa jalousie centrée sur Albertine, il faut maintenant qu'Albertine fasse partie de sa propre vie. Il m'était possible, dit le narrateur, de négliger le mystère concernant la vie des autres, *mais celle d'Albertine et la mienne, je la vivais par le dedans*. Si la rhétorique du soi doit être utilisée pour justifier les hésitations de Marcel fiancé, il faut qu'elle puisse être étendue à la conduite d'Albertine. Marcel serait un persécuteur ou un goujat *si* Albertine n'était pas coupable. Albertine est coupable parce que Marcel éprouve, à se sentir jaloux, qu'elle l'est. Il n'y a donc qu'une seule vie pour deux personnages. La vie d'Albertine se confond avec la vie de Marcel, dont ce dernier est l'unique sujet.

13. LE LIVRE INTÉRIEUR DES IMPRESSIONS

> « Le savoir, quand il est exprimé, n'est pourtant pas *traduit* en mots. Les mots ne sont pas la traduction d'autre chose qui aurait été là avant eux. » (Wittgenstein, *Fiches*, § 191.)

Pourquoi la vision du dedans est-elle *poétique*, et la vision du dehors, *prosaïque* ?

Proust fait partout cette assimilation, mais n'éprouve pas le besoin de l'interroger ou de l'expliquer. C'est le signe qu'un tel contraste n'est pas inventé par lui. Il appartient plutôt au sous-entendu cosmologique dans lequel Proust communique avec ses contemporains et dans lequel il comprend ses maîtres. L'intériorité va avec l'esprit, les émotions désintéressées, l'art, la pureté du cœur. De l'autre côté, on trouve la matière, les ambitions de puissance, les calculs, le vulgaire et l'utile.

L'opposition du poétique et du prosaïque conserve chez Proust un sens classique. Elle ne porte pas sur la forme linguistique d'un discours, sur la manière de s'exprimer (comme dans la théorie d'une prétendue « fonction poétique » du langage). Elle porte sur la force d'inspiration qu'on va trouver dans un fait, un spectacle, une personne. « Qu'y a-t-il de plus poétique que Xerxès, fils de Darius, faisant fouetter de verges la mer qui avait englouti ses vaisseaux ? » (P, III, p. 47). Le poétique ou la beauté du geste tiennent ici à ce qui nous frappe dans cette conduite exotique : que nous ne comprenons pas, que cette action découle d'un état d'esprit « éloigné de ce que nous sentons ». C'est dans le même sens que Proust peut trouver Charlus poétique en même temps que poète. Charlus est poétique parce qu'il retient l'attention, qu'il y a une « beauté à extraire » de sa façon de parler ou de réagir. Charlus est poète parce qu'il ne cesse lui-même de réveiller notre intérêt pour les gens du monde dont il dégage emphatiquement les charmes et les ridicules (CG, II, p. 567). Est poétique ce qui a le pouvoir de nous exalter. Est prosaïque ce qui ne nous dit rien. La conception proustienne du poétique est donc, classiquement, une théorie des états poétiques : la plénitude de l'*exaltation* ou le vide de l'*ennui*.

Dire que la vision du dehors est prosaïque, c'est dire qu'elle n'offre pas matière à exaltation. L'écrivain en Marcel (en Proust) n'est pas inspiré par des faits présentés sous leur aspect commun ou « social ». Dire que la vision du dedans est poétique, c'est donc anticiper sur la découverte finale : « Et je compris que tous ces matériaux de l'œuvre littéraire, c'était ma vie passée » (TR, III, p. 899). La vie de Marcel est un sujet digne d'inspirer une grande œuvre. Elle n'est pas un sujet poétique pour n'importe qui, mais pour celui qui l'a vécue *par le dedans*.

Le moment est venu de retrouver la question posée plus haut (voir ch. IX) : En quoi la vie de Marcel se préparant sans le savoir à sa tâche d'écrivain est-elle un sujet de roman ? Autrement dit : 1) Où sont les obstacles à sa vocation d'écrivain ? 2) Où trouve-t-il les forces qui lui manquaient d'abord pour écrire ?

La doctrine du *Temps retrouvé* est bien connue. Marcel a souffert depuis l'enfance de ne pas être inspiré. Il a cherché un sujet et n'en a pas trouvé. Mais il lui est révélé, au moment où tout paraît perdu, que sa vie passée hors de la littérature n'est pas perdue pour la littérature : elle est le sujet du livre qu'il doit écrire. Proust, jouant sur le mot *impression*, avance ce paradoxe que le livre à écrire est un livre déjà écrit, qu'il est le « livre intérieur de signes inconnus » (TR, III, p. 879) imprimé en nous par la vie. Écrire, ce sera déchiffrer le livre des impressions vécues. « Ce livre, le plus pénible de tous à déchiffrer, est aussi le seul que nous ait dicté la réalité, le seul dont l'"impression" ait été faite en nous par la réalité même. » (TR, III, p. 880.)

Le moins qu'on puisse dire est que la doctrine du livre intérieur exprime une claire décision de Proust en faveur du *monologue* ou de l'*essai psychologique* contre le *roman réaliste* fondé sur des notations extérieures. Les critiques qui commentent la *Recherche* à la lumière des doctrines du *Temps retrouvé* voient dans ce monologisme le dernier mot de Proust sur la question. (Ils n'ignorent pas, bien sûr, que les prétendues révélations finales sont en réalité le *premier mot* de Proust, ce qu'il a écrit d'abord. On sait que ces idées qui sont présentées dans la *Recherche* comme le résultat d'une longue quête forment en fait la doctrine la plus ancienne de l'auteur. Comme l'écrit Maurice Bardèche : « Ce qui paraît bien le plus remarquable, en définitive, dans *Jean Santeuil*, c'est que des méditations, des interrogations qu'on croyait contemporaines d'un certain degré de maturité de la pensée de Proust apparaissent si tôt ; ce qui est embarrassant c'est qu'on trouve à la même date des clartés, parfois des réponses, qu'on définissait, en les situant dix ou douze ans plus tard, comme l'illumination ''miraculeuse'' qui avait permis la réalisation de l'œuvre de Proust. » (*Marcel Proust romancier*, I, p. 125.) De façon plus générale, on sait que l'*essai*, chez Proust, a précédé le *roman*. Pourtant, on fait comme si le roman n'était qu'une sorte d'illustration de l'essai, comme si l'expérimentation qu'il représente des thèses de l'essai ne pouvait jamais aller que dans un sens, celui de la confirmation, jamais dans celui de la rectification ou de la critique.) La théorie de Proust, en tant qu'elle culmine dans l'image du livre intérieur, formule un vigoureux « mythe de l'intériorité », au sens où les commentateurs de Wittgenstein entendent cette expression. Le mythe de l'intériorité démasqué par Wittgenstein apparaît dans la théorie de la signification que donnent généralement les philosophes depuis l'époque de Descartes et de Locke. Il y a *mythe* en ce sens qu'il est fait appel à des entités au statut impossible au moment de rendre compte de la façon dont les signes du langage signifient. Ces entités d'ordre mythique sont les « idées ». Selon la théorie de ces philosophes, un signe communique une signification en ce qu'il est une entité physique (son, marque) à laquelle est associée par convention une entité mentale dans la tête du locuteur : selon les uns, une « idée représentative » (par exemple, une image) ; selon d'autres une « intention » de la conscience (autrement dit, le fait que la pensée soit tournée vers tel ou tel objet). Le mythe proustien de l'intériorité est plus ouvertement métaphorique que le mythe philosophique de la signification comme image mentale ou comme visée intentionnelle. Ce mythe est donc moins dangereux, à moins qu'on n'aille le prendre au sérieux philosophiquement. Chez Proust, il ne s'agit pas de rendre compte de la signification des signes, mais de le réalité des événements et des actions. Que s'est-il passé ? Que m'est-il arrivé ? Quelle a été ma vie ? Dans la version extrême de son parti pris de monologue, Proust soutient que la réalité de l'événement ou de l'action est à chercher, non dans cet événement ou cette action, mais dans ce qui a été éprouvé par le narrateur.

> « Si la réalité était cette espèce de déchet de l'expérience, à peu près identique pour chacun, parce que quand nous disons : un mauvais temps, une guerre, une station de voitures, un restaurant éclairé, un jardin en fleurs, tout le monde sait ce que nous voulons dire ; si la réalité était cela, sans doute une sorte de film cinématographique de ces choses suffirait et le "sytle", la "littérature" qui s'écarteraient de leurs simples données seraient un hors-d'œuvre artificiel. Mais était-ce bien cela, la réalité ? » (TR, III, p. 890).

L'argument par lequel Proust veut ici fonder philosophiquement la forme monologique de présentation suit fidèlement les voies d'une philosophie moderne de la conscience. La réalité dite « commune » ou « objective » est posée comme seconde. Elle est le résultat bien peu « poétique » d'une élaboration : une espèce de *déchet de l'expérience*. La réalité doit être construite à partir de données plus primitives (plus « originaires », diraient les philosophes). Ces données primordiales sont ce qu'on appelle les *sense data*, les *données immédiates de la conscience*, ou, chez Proust, les *impressions*. Ainsi, l'expérience précède la réalité et l'englobe. Car la réalité, c'est l'expérience *moins* ces éléments effectivement donnés à la conscience, mais qui ne parviennent pas à être communiqués, à être mis en commun ou « objectivés ». C'est ainsi que les philosophes font la différence entre des « qualités secondes » et des « qualités premières ». Il y a plus dans l'expérience que dans la réalité. Ce *plus*, il est vrai, est subjectif. Il n'est donné à chaque fois qu'à un seul. La science et la littérature de notations ont décidé de l'ignorer. La raison d'être de la littérature telle que la définit ici Proust est de l'exprimer.

Proust donne ensuite des exemples instructifs, sur le détail desquels il faudra revenir. Il conclut :

> « (...) Je m'apercevais que ce livre essentiel, le seul livre vrai, un grand écrivain n'a pas, dans le sens courant, à l'inventer, puisqu'il existe déjà en chacun de nous, mais à le traduire. Le devoir et la tâche d'un écrivain sont ceux d'un traducteur. » *(Ibid.).*

Il s'agit de traduire, dans le langage de tout le monde, des impressions personnelles. Ces impressions sont justement ce qui, dans l'expérience que fait quelqu'un d'un mauvais temps, de la guerre, de la station de voitures, etc., ne parvient pas à être rendu par les mots : *un mauvais temps, la guerre*, etc. Il appartient à l'écrivain d'inventer dans la langue commune un style propre à traduire les impressions. C'est la justification de la doctrine de la métaphore.

Le langage de l'*universel reportage* (Mallarmé) ne permet pas de dire l'expérience. Proust retrouve ici l'ambition la plus constante des philosophies modernes de la conscience (c'est-à-dire de ces philosophies qui se fixent pour tâche de délimiter ce qui est présent à l'esprit). Il s'agit de réformer nos façons usuelles de parler de façon à nous doter d'un authentique langage de l'expérience. Serait un pur langage de l'expérience un idiome dont le vocabulaire et la syntaxe permettraient de dire, sans rien omettre ni rien ajouter, ce qui est incontestablement donné à la conscience. Par exemple, le philosophe de la conscience refusera sans doute de ranger les mots *un mauvais temps* dans le vocabulaire d'un authentique langage de l'expérience. Le mauvais temps est une « idée complexe » ou « dérivée ». Nous disons *le mauvais temps* pour nous faire comprendre, mais notre expérience tient plutôt dans un complexe d'impressions de variation de la lumière, de rafraîchissement, d'odeurs mouillées, de bruit des éléments, à quoi il faut ajouter nos réponses, contrariété d'avoir à modifier ses projets, ivresse des orages désirés, etc. Les disciples de Husserl distinguent le « langage naturel » dans lequel nous parlons de choses de ce monde et le « langage phénoménologique » dans lequel nous devons rapporter la teneur de notre expérience. Il faut, pour décrire la conscience, un autre langage que celui de l'« attitude naturelle », cette attitude dans laquelle nous sommes tournés vers les choses de la réalité naturelle et non vers ces données les plus anciennes avec lesquelles nous avons constitué les choses. Or cette entreprise phénoménologique aboutit à un paradoxe que résume merveilleusement l'image proustienne du livre intérieur. Voici que là où nous cherchions un langage authentique de l'expérience nous ne trouvons bientôt que l'expérience du langage. En termes littéraires : là où nous cherchions la possibilité de la littérature conçue comme une traduction des impressions, nous ne trouvons bientôt que la littérature comme exercice textuel ou écriture intransitive. Il importe de souligner, une fois de plus, que le paradoxe n'est pas dans l'expérience ou dans le roman, qu'il est dans la *théorie* proposée tout à la fois dans l'expérience et du roman. Le paradoxe n'est pas vécu par l'écrivain, il est produit par la théorie de l'écriture comme traduction. Plus nous voulons assimiler l'écriture du livre à une *traduction* des impressions vécues, plus nous devons parler de la vie intérieure comme d'un texte ou d'un livre. Les « impressions », au sens de l'éprouvé ou du ressenti, tendent à se définir comme des impressions au sens de marques ou de signes imprimés. Avec son mythe du livre intérieur, Proust déclare d'avance tout le destin de la phénoménologie. Les phénoménologues commencent par le projet d'une pure description de ce qui est donné en personne à une conscience. Lorsque Proust dit être à la recherche de « la figure de ce qu'on a senti » (TR, III, p. 896), il paraît anticiper sur le programme husserlien mille fois cité par Merleau-Ponty : « C'est l'expérience muette encore qu'il s'agit d'amener à l'expression pure de son propre sens » (*Phénoménologie de la perception*, p. III). L'expérience elle-même doit prendre la parole, sortir de son mutisme et déclarer le « sens » qu'elle avait avant d'être portée à l'expression. Cette expérience soit s'exprimer elle-même, ce qui veut dire qu'elle ne doit en aucun cas trouver sa forme d'expression ailleurs qu'en elle-même. Mais, ayant commencé avec Husserl, on achoppe bientôt sur un problème que Merleau-Ponty formule ainsi dans un commentaire à Proust :

> « Ce qu'on a appelé le platonisme de Proust est un essai d'expression intégrale du monde perçu ou vécu. Pour cette raison même, le travail de l'écrivain reste travail de langage, plutôt que de ''pensée'' : il s'agit de produire un système de signes qui restitue par son agencement interne le paysage d'une expérience, il faut que les reliefs, les lignes de force de ce paysage induisent une syntaxe profonde, un mode de composi-

tion et de récit qui défont et refont le monde et le langage usuels. » (*Résumés de cours*, Cours de l'année 1953-1954 sur « le problème de la parole », p. 40).

Or Merleau-Ponty, après avoir ainsi formulé le problème de la parole de tout écrivain dans des termes empruntés aux doctrines de Proust critique littéraire, reconnaît que ces doctrines conduisent au paradoxe :

> « En tout cas, personne n'a mieux exprimé le cercle vicieux, le prodige de la parole : parler ou écrire, c'est bien *traduire* une expérience, mais qui ne devient texte que par la parole qu'elle suscite. » (*Op. cit.*, p. 41.)

Pour que le livre traduise l'expérience, il faut bien que l'expérience soit déjà un texte. L'expérience est un texte qui reste à écrire. Elle est un texte dans un sens éminent ou à titre de « condition de possibilité », de « présupposé transcendental ». L'expérience est une « archi-écriture ». On avait commencé avec Husserl et Merleau-Ponty, mais on finit en donnant raison à Blanchot et Derrida. La littérature ne peut pas être la *description littéraire de l'expérience*. La littérature ne peut être que la *description de l'expérience littéraire*. Le texte vient en premier, l'expérience en second. Il y a maintenant lieu de parler d'une « expérience littéraire » (un peu comme William James parle de l'« expérience religieuse »). Elle est à concevoir comme ce qui est présent ou donné à l'esprit quand on décide de s'adonner à l'écriture littéraire, c'est-à-dire d'écrire « pour rien », de façon intransitive. Or ce qui est alors présent n'est pas un « référent » ou une donnée absolument présente. Ce qui est présent n'est pas la réalité elle-même, mais déjà sa trace, l'*impression* faite sur nous par la réalité : déjà des signes ou du texte. La phénoménologie commence par une surenchère empiriste : traduire les impressions. Elle se métamorphose en herméneutique : les impressions sont des signes, l'expérience est une parole. La phénoménologie s'accomplit en déconstruction : il n'y a plus qu'un exercice de transcription intertextuelle.

La vérité est qu'il n'y a pas plus de *cercle vicieux de la parole* qu'il n'y a une réelle impossibilité, pour Achille, de rattraper la tortue à la course. S'il y avait un cercle vicieux inscrit dans la description de ce qu'on appelle ordinairement *parler*, il faudrait en conclure que personne ne parle vraiment. Il en va ici comme du mouvement : si l'argument de Zénon était valide, il faudrait en effet conclure à l'illusion du mouvement. Or Merleau-Ponty ne croit nullement que la parole soit une fausse apparence. Mais, si la parole existe, toute doctrine qui tend à lui attribuer un « cercle vicieux » souffre d'un défaut philosophique. Ce défaut s'appelle ici : mythe de l'intériorité. L'erreur philosophique était de poser que la parole authentique doive être une traduction de l'expérience.

Aussi convient-il de considérer de plus près les exemples que donne Proust pour illustrer son idée d'une œuvre consacrée à traduire les impressions vécues de quelqu'un. Ces exemples sont autant d'allusions à certains épisodes du récit. Il y a donc une version romanesque de cette idée de l'écriture comme traduction des impressions. A nous de voir si le roman surmonte le paradoxe théorique, s'il présente une pensée originale, ou bien s'il ne fait qu'illustrer narrativement la proposition de l'essai.

Proust rassemble divers épisodes au cours desquels une vive impression a reçu une expression inadéquate. Voici ces exemples :

1. « Soit comme ce jour où, en passant sur le pont de la Vivonne, l'ombre d'un nuage sur l'eau m'a fait crier ''Zut alors !'' en sautant de joie » (TR, III, p. 890) ;

2. « Soit qu'écoutant une phrase de Bergotte, tout ce que j'eusse vu de mon impression c'est ceci qui ne lui convient pas spécialement : ''C'est admirable'' » *(ibid.)* ;

3. « Soit qu'irrité d'un mauvais procédé, Bloch prononçât ces mots qui ne convenaient pas du tout à une aventure si vulgaire : ''Qu'on agisse ainsi, je trouve cela tout de même fffantastique'' » *(ibid.)* ;

4. « Soit quand, flatté d'être bien reçu chez les Guermantes et d'ailleurs un peu grisé par leurs vins, je ne pouvais m'empêcher de dire à mi-voix, seul en les quittant : ''Ce sont tout de même des êtres exquis avec qui il serait doux de passer la vie'' » *(ibid.)* ;

5. « Tout ce que nous n'avons cessé, chaque fois que nous étions malheureux ou trahis, non seulement de dire à l'être aimé, mais même, en attendant de le voir, de nous dire sans fin à nous-même, quelquefois à haute voix dans le silence de notre chambre troublé par quelques : ''Non, vraiment, de tels procédés sont intolérables'', et : ''J'ai voulu te recevoir une

dernière fois et je ne nierai pas que cela me fasse de la peine" »
(TR, III, p. 891) ;

6. Les « célibataires de l'art » ne travaillent pas à extraire
quelque chose de leur impression, « ils croient accomplir un
acte en hurlant à se casser la voix : "Bravo, bravo" après
l'exécution d'une œuvre qu'ils aiment. » (TR, III, p. 892) ;

7. Pour écrire, il faut « abroger ses plus chères illusions,
cesser de croire à l'objectivité de ce qu'on a élaboré soi-même,
et, au lieu de se bercer une centième fois de ces mots : "Elle
était bien gentille", lire au travers : "J'avais du plaisir à
l'embrasser". » (TR, III, p. 896.)

Chacun de ces exemples rapporte une réaction que Marcel ou
d'autres ont eu dans certaines situations, les unes produisant
la contrariété ou de l'agitation, les autres de la satisfaction ou
de la félicité. A chaque fois, une phrase est citée comme un
exemple de mauvaise traduction d'un texte original, à savoir :
de l'impression dont cette phrase veut être la notification.
Proust pense ici illustrer sa doctrine du « livre intérieur » que
l'écrivain doit apprendre à déchiffrer. Pourtant, l'intérêt de ces
exemples est de révéler le point où cette doctrine défaille. Pour
pouvoir définir l'écriture littéraire comme une traduction,
Proust est conduit à traiter toutes ces phrases, qui sont des
réactions à diverses circonstances, comme si elles étaient des
essais maladroits ou frauduleux de se décrire soi-même. Dire
« Zut alors ! » sur le pont de la Vivonne constitue une faute de
traduction *si* le sens de cette exclamation est de déclarer la joie
ressentie. De même, le « C'est admirable » doit être le résultat
d'une tentative de se dire à soi-même ce qu'on ressent en
écoutant une phrase de Bergotte. Du point de vue de la théorie
proustienne, toutes ces phrases sont des exemples de « l'oblique
discours intérieur » qui s'écarte de la ligne droite qui aurait
mené de l'« impression première et centrale » à une traduction
fidèle (TR, III, p. 890). La traduction de cette impression
première (un phénoménologue dirait : l'*Ur-Impression*)
s'obtiendra par le « redressement » du discours « oblique » en
discours droit. Selon une telle théorie, les obstacles que Marcel
doit surmonter pour écrire sont purement *internes*. Ces obstacles
sont ceux qui ont fait dévier le discours issu de l'impression,
produisant ainsi les phrases du discours oblique. Ce sont les
faiblesses du jeune homme à l'égard des séductions mondaines,
l'amour-propre, la paresse, l'amour.

Comment comparons-nous la traduction fautive et l'original ? Comment repérons-nous la traduction ? L'exemple n° 2 montre que ce n'est pas facile. Lorsque Marcel dit « C'est admirable » en écoutant une phrase de Bergotte, il consent par là à ne *voir* de son impression que ce qui est rendu par cette appréciation banale. Le sujet de l'expérience n'a donc pas directement accès à ses impressions, à la « vérité ressentie » (TR, III, p 891), aux signes du livre intérieur. Il n'en discerne pas ce qui lui en est communiqué par le discours oblique. L'original n'est pas disponible. (Proust paraît concevoir l'exercice de traduction à la façon de débutants qui connaissent fort peu la langue de l'original : on fait passer, dans un mot à mot, l'original dans sa propre langue *afin* de le comprendre. Ce n'est pas la traduction au sens du travail de rédiger le texte à traduire dans la langue de traduction *après* l'avoir compris dans la langue de l'original.) Mais alors, il n'y a pas de livre intérieur. Le livre intérieur est un mythe. Proust théoricien conçoit la narration de la vie de Marcel comme la traduction en clair d'un livre intérieur à Marcel. Mais les exemples montrent que l'original à traduire n'est pas le livre intérieur des impressions vécues, que c'est le brouillon bien extérieur des premières réactions de Marcel dans diverses situations frappantes de sa vie. La traduction porte sur « Zut alors ! », « C'est admirable », « Elle était bien gentille », etc. Ce point a été bien commenté par Samuel Beckett dans sa petite étude sur Proust. Pour écrire une œuvre littéraire, il faut qu'un artisan collabore avec un artiste :

> « L'artiste a acquis le texte : l'artisan le traduit. ''Le devoir et la tâche d'un écriain (pas un artiste, mais un écrivain) sont ceux d'un traducteur.'' La réalité du nuage reflété dans la Vivonne n'est pas exprimée par ''Zut alors'', mais par l'interprétation de ce commentaire spontané. » (*Proust*, p. 64.)

Or la doctrine de l'écriture comme traduction de l'expérience vécue ne tient qu'à la condition de tenir pour homogènes les différents exemples mentionnés. Proust admet, il est vrai, que les raisons de la déviation du « discours intérieur » sont variables : tantôt la paresse, tantôt l'amour, etc. Pourtant, il range toutes ces réactions dans la même catégorie de l'erreur de traduction. Il néglige donc le fait que les expressions citées forment deux groupes distincts. On y trouve en effet :

1. D'une part, des exclamations ou des interjections qui sont des traductions fautives parce que *primitives*, inarticulées (« Zut alors », « Bravo », etc.) ;

2. D'autre part, des déclarations qui sont des traductions fautives parce que *mensongères* ou flatteuses pour la vanité personnelle (« Ces sont des êtres exquis », « Elle était bien gentille », etc.). La théorie proustienne nous demande de tenir toutes les phrases données en exemple pour des tentatives infructueuses de parler de soi et de faire connaître son état intime. Décrire à qui et pourquoi ? En réponse à quelle interrogation ? La théorie du livre intérieur ne le précise pas : elle ne mentionne aucun interlocuteur. Dans les termes de cette théorie, il n'y a que « notre entretien passionné avec nous-même » (TR, III, p. 891). Or il suffit de se demander quelle sorte de correction doit être faite dans chacun des exemples pour voir que la notion de traduction fausse est confuse. Dans certains cas, la correction doit porter sur le *style* (exemples n° 1, n° 2, n° 3 et n° 6). Dans d'autres cas, elle doit porter sur le *contenu* (exemples n° 4, n° 5, n° 7).

Le premier exemple du « Zut alors » proféré sur le pont de la Vivonne fait allusion aux premiers exercices littéraires de Marcel dans le *Côté de chez Swann*. Au cours d'une promenade dans les bois de Roussainville, Marcel connaît le ravissement de lutter contre la pluie et le vent d'une averse d'automne. Il exprime vigoureusement son bonheur au moment où le soleil apparaît de nouveau :

> « Le toit de tuile faisait dans la mare, que le soleil rendait de nouveau réfléchissante, une marbrure rose, à laquelle je n'avais encore jamais fait attention. Et voyant sur l'eau et à la face du mur un pâle sourire répondre au sourire du ciel, je m'écriai dans tout mon enthousiasme en brandissant mon parapluie refermé . "Zut, zut, zut, zut,". » (CS, I, p. 155.)

Ainsi, les mots de Marcel sur le pont de la Vivonne font partie d'une gesticulation. Ils ne sont pas un essai maladroit de dire ce qui lui plaît, de cerner les sources de son plaisir. Le « Zut » quatre fois répété est un moyen de décharger une excitation. Sa fonction est la même que celle du « Bravo » (exemple n° 6) à la fin du concert. Qu'y a-t-il d'inadéquat à crier « Bravo ! » ? C'est affaire de circonstances. Crier, et même hurler « Bravo ! », applaudir ne sont pas des manières impropres de s'exprimer dans la salle de concert ou de spectacle. Ces mêmes expressions seront tenues pour inaptes à détailler le jugement du critique musical sur la feuille de papier. Mais, de la salle de concert à la chronique du critique, il y a changement de jeu de langage. Si « Bravo » ne peut passer pour un compte rendu, le compte rendu ne peut pas non plus remplacer les bravos du public. Bref, *applaudir* est un jeu de langage, *décrire* le détail de son plaisir esthétique en est un autre. Le « Bravo » ne décrit rien, n'est pas une réponse à la question : Qu'avez-vous éprouvé pendant le concert ? Le « Bravo » est une réponse au concert lui-même. Réponse naturelle, réponse attendue. Si la salle n'applaudit pas, c'est que la pièce est un four, c'est que le concept a fait fiasco. Les applaudissements sont si peu une soudaine explosion de l'émotion qu'ils doivent saluer l'œuvre et l'artiste dans certaines formes. Ce n'est pas le sujet esthétique qui exprime son jugement en applaudissant, mais c'est *le public.* (Proust sait bien que les applaudissements sont une réponse collective du public, et non un effet d'ensemble de l'approbation que chacun des spectateurs se trouverait donner en même temps que ses voisins. Pourtant, ce fait d'une réponse collective à l'art ne laisse pas de l'intriguer. Lorsque Marcel voit la Berma pour la première fois, il l'applaudit, mais s'étonne de participer ainsi à la réaction collective du public au lieu de seulement manifester les conclusions de son enquête personnelle sur le génie de l'actrice. « Enfin éclata mon premier sentiment d'admiration : il fut provoqué par les applaudissements frénétiques des spectateurs. » (JF, I, p. 450.) Proust s'émerveille que la foule ait su que la Berma avait bien joué avant l'« homme cultivé », avant Marcel. Autant dire que le théâtre reste un art collectif, même quand on voudrait réduire la représentation à une performance de la Berma. Proust remarque : « On découvre un trait génial du jeu de la Berma huit jours après l'avoir entendue, par la critique, ou sur le coup, par les acclamations du parterre. » C'est admettre que le « discours oblique » du parterre puisse être plus clairvoyant que la réflexion de l'esthète isolé.)

Mais si le « Zut » proféré sur le pont de la Vivonne est analogue à un « Bravo », c'est un applaudissement strictement individuel. Marcel est à lui seul le public d'un spectacle auquel personne d'autre ne prête son attention. Vient alors, dans le récit, la leçon romanesque de l'épisode : à savoir, que les émotions purement individuelles sont incommunicables. Marcel ne parvient pas à partager son ravissement avec un paysan qui passait par là.

> « Et c'est à ce moment-là encore — grâce à un paysan qui passait, l'air déjà d'être d'assez mauvaise humeur, qui le fut davantage quand il faillit recevoir mon parapluie dans la figure, et qui répondit sans chaleur à mes ''beau temps, n'est-ce pas, il fait bon marcher'' — que j'appris que les mêmes émotions ne se produisent pas simultanément, dans un ordre préétabli, chez tous les hommes. » (CS, I, p. 155.)

Le narrateur, pour commenter la déconvenue de Marcel, parodie la monadologie de Leibniz. Les émotions se produisent spontanément en chaque être. S'il y avait une harmonie préétablie de ces productions indépendantes, nous dirions « Beau temps ! » en même temps (tout comme nous applaudissons au concert ensemble). Mais, cette fois au moins, le dogme de la séparation des consciences est évoqué ironiquement. Le narrateur se moque de Marcel. Ce dernier s'adresse au passant, mais il a d'abord détourné les mots du commerce humain de leur usage ordinaire. Marcel a décidé souverainement et unilatéralement d'appeler « beau temps » ce qui est, pour tout le monde, l'exemple même du mauvais temps. Marcel fait de son plaisir la règle du langage. Est un *beau temps* le temps qui exalte Marcel (pluie, vent, brouillard, etc.), est un *mauvais temps* le temps qui déprime Marcel. Bref, le roman nous montre Marcel en train d'inventer à son profit le mythe de l'intériorité : le paysan est prié de comprendre les mots de Marcel, non dans le sens que leur assigne l'institution de la langue française, mais comme des expressions traduisant l'état d'âme de Marcel. En même temps, le roman montre Marcel incapable de trouver un interlocuteur qui se prête à son jeu.

Le roman nous montre donc Marcel faisant son apprentissage d'écrivain *dans le monde*, au contact de ses semblables. Un peu plus loin dans le récit, une deuxième scène de communication manquée donne à Marcel l'occasion de faire ses premières armes dans le métier d'écrivain. Lors d'une promenade dans la voiture du docteur Percepied, Marcel connaît la faveur d'une extase devant les trois clochers de l'église de Martinville (CS, I, p. 179-182). Il compose alors une page sur l'*apparition* des clochers (exactement au sens où Flaubert est, selon Proust, le romancier de l'*apparition* : le style du jeune Marcel est inspiré du style de Flaubert, réservant l'activité aux clochers de façon à isoler la vision du voyageur). Par la suite, il est fait référence à cette page comme un « petit poème en prose » du narrateur (JF, I, p. 455). Or cette page de prose poétique ne naît pas, dans le récit, d'un profond travail d'introspection. Le morceau, écrit « pour soulager ma conscience et obéir à mon enthousiasme » (CS, I, p. 181), semble se composer tout seul sous la plume de Marcel. L'origine véritable de la page écrite est, dans le récit, une interruption de la communication. Marcel en est venu à écrire parce qu'il n'avait personne à qui parler des clochers de Martinville. Les circonstances font en effet qu'il est assis à côté du cocher tandis que ses parents sont montés dans la voiture. Impossible de soulager sa conscience auprès de sa mère ou de sa grand-mère. « Le cocher qui ne me semblait pas disposé à causer ayant à peine répondu à mes propos, force me fut, faute d'autre compagnie, de me rabattre sur celle de moi-même et d'essayer de me rappeler mes clochers. » (CS, I, p. 180.) Telle est donc la véritable opération de traduction par laquelle Proust définit l'acte de l'écrivain : il s'agit de passer de « Zut » à un poème en prose, de traduire sa réaction du registre de la *conversation* au registre de la *littérature*. On sait que Proust fait la plus grande opposition entre ces deux registres. La leçon qu'apprend Marcel au cours de sa vie est que les exigences de l'œuvre littéraire sont radicales, que la littérature ne souffre aucun compromis avec les règles d'un commerce civil.

Les exemples de discours oblique que Proust a rassemblés ont ceci de commun : bien que la plupart de ces phrases soient prononcées dans la solitude, elles participent de l'esprit de la conversation et non de l'esprit de la littérature. (Je parle ici d'*esprit* au sens où les auteurs spirituels traitent du *discernement des esprits*, et parce que Proust est manifestement leur héritier lorsqu'il propose ses exercices spirituels de l'écrivain. L'art du discernement des esprits est la technique qui permet de savoir quel *esprit* nous a soufflé telle pensée, si c'est le diable ou le bon ange, le mauvais esprit du monde ou l'esprit du bien. A chaque fois qu'il nous vient quelque pensée exaltante ou joyeuse, nous devons nous demander d'où elle nous vient. A lui seul, le plaisir lié à la motion ne permet pas de savoir si nous éprouvons une « ivresse factice » venue du dehors, du monde, ou bien un enthousiasme authentique venu des « impressions profondes » [CG, II, p. 547-548]. La règle proustienne du discernement des esprits est, comme chez les meilleurs maîtres, de considérer les fruits de l'inspiration plutôt que l'intensité momentanée de l'ivresse. L'exaltation mondaine n'aboutit qu'à la « mélancolie », à « l'ennui », à la « tristesse » et même au « suicide ». L'exaltation dont la source est pure donne la certitude et la joie, comme l'enseigne le *Temps retrouvé*). Ces phrases obliques manquent les unes de style, les autres de vérité. Quant aux exemples de propos manquant d'un style d'expression approprié : « Zut », tout comme « Bravo », ne font sens que proférés en public, et seulement au moment où le public est censé entrer dans le jeu pour manifester sa part d'enthousiasme ; même si Marcel gesticule tout seul sur le pont de la Vivonne, il n'en persiste pas moins à se comporter comme un membre du public. Quant aux exemples de phrases mensongères, elles ont toutes quelque chose de compulsif. Marcel ne peut s'empêcher de dire : « Ce sont tout de même des êtres exquis ». Il répète pour la centième fois : « Elle était bien gentille ». Ces phénomènes de ressassement inutile signalent que ces pensées viennent du Monde et non de l'Art. Il en est d'autres exemples :

8. En rentrant à Balbec après un dîner bien arrosé au restaurant de Rivebelle, ayant trop bu, songeant aux femmes recontrées, « je me redisais sans m'arrêter une seconde et pourtant sans presque m'en apercevoir : ''Quelle femme délicieuse !'' comme on chante un refrain. » (JF, I, p. 819) ;

9. Ravi de son dîner chez les Guermantes, Marcel se prépare à raconter sa soirée à Charlus, « et ce fut en longs monologues avec moi-même où je me répétais tout ce que j'allais lui narrer et ne pensais plus guère à ce qu'il pouvait avoir à me dire. » (CG, II, p. 552) ;

10. Marcel s'est épris d'Albertine : « Je me répétais : ''Comme elle est gentille, quel être adorable !'' dans une exaltation moins féconde que celle due à l'ivresse, à peine plus profonde que celle de l'amitié, mais très supérieure à celle de la vie mondaine. » (SG, II, p. 1021.)

(L'exemple n° 10 contient la substance de la doctrine spirituelle de Proust. L'état de mort spirituelle est l'*ennui*. L'état de vie spirituelle est l'*exaltation*. Les degrés de la perfection dans la vie spirituelle sont : l'exaltation de la *vie mondaine*, celle de l'*amitié*, celle de l'*amour*, celle de l'*ivresse* et enfin celle de l'*art*. Dans cette échelle, un état de l'âme occupe une place plus élevée s'il traduit un plus grand détachement à l'égard de la « matière » ou du « monde ». C'est ainsi que Swann est rendu meilleur, purifié par son amour pour Odette : « Il n'y eut pas de la part de Swann, quand il épousa Odette, renoncement aux ambitions mondaines, car de ces ambitions-là depuis longtemps Odette l'avait, *au sens spirituel du mot, détaché*. » [JF, I, p. 470 ; je souligne).]

La conversation et la littérature sont deux emplois du langage. La théorie de Proust tente d'expliquer cette différence à l'intérieur d'une conception psychologiste du langage. Et il est vrai que nous condamnerons dans la conversation comme telle un usage fautif ou inférieur du langage *si nous supposons que l'unique emploi du langage soit d'exprimer la nuance de son vécu ou le détail de son opinion*. Mesurées à cette aune, les formes de la conversation paraissent forcément rudimentaires ou trompeuses. Le mot « Bravo », étant le même dans la bouche de tous les spectateurs, n'exprime le jugement personnel d'aucun. Les mots « un mauvais temps » laissent de côté le plaisir de l'un, la mauvaise humeur de l'autre. Il est plus convenable de dire « Elle était bien gentille » que « Elle m'excitait bougrement ». Toutefois, nous venons de voir que le roman met en œuvre, par la force des choses, une autre conception du langage, qu'on peut dire *pragmatique*. Cette conception consiste à considérer le langage en tant qu'il est un mode d'action sur autrui. Or le roman, étant le récit de la vie d'un individu aux prises avec d'autres individus, ne peut pas faire abstraction de l'interlocuteur. C'est un fait que Marcel, dans le récit, a toujours un interlocuteur, même lorsqu'il est seul et qu'il se parle à lui-même dans ce qu'on appelle classiquement un « monologue intérieur ». Les paroles dont Marcel compose son prétendu monologue sont en fait adressées à quelqu'un d'autre, à un interlocuteur qui fait défaut. Ainsi, l'obstacle à la litttérature est l'interlocuteur, autrui en tant qu'il reste présent « à l'intérieur » du discours qu'on croyait intérieur.

A l'époque où il fréquente chez Mme Swann, Marcel croit qu'il est empêché de travailler à un livre par des contretemps. La vérité est qu'il n'est pas détaché du monde (on pourrait dire : « au sens spirituel du mot »), que sa pensée va vers le monde au moment même où il est seul. Assis à sa table de travail, il est encore chez les Swann. « Mon isolement n'était qu'apparent » (JF, I, p. 579).

> « Seul, je continuais à fabriquer les propos qui eussent été capables de plaire aux Swann et, pour donner plus d'intérêt au jeu, je tenais la place de ces partenaires absents, je me posais à moi-même des questions fictives choisies de telle façon que mes traits brillants ne leur servaient que d'heureuse repartie. Silencieux, cet exercice était pourtant une conversation et non un méditation, ma solitude, une vie de salon mentale où c'était, non ma propre personne, mais des interlocuteurs imaginaires qui gouvernaient mes paroles (…). » *(Ibid.)*.

Autant dire qu'il n'y a pas d'authentique monologue avant l'acte d'écrire. Le « monologue intérieur » n'est monologique que par accident. Il reste une parole adressée à quelqu'un, qui cherche à séduire, à persuader, à faire de l'effet. Il est composé, tout comme le discours effectivement adressé à un interlocuteur présent, d'actes rhétoriques : éloge des Guermantes, éloge d'Albertine, justification de soi, accusations contre l'infidèle, approbation donnée au style de Bergotte, etc. Pour que l'écriture commence, il faut que s'interrompe la *vie de salon mentale*.

Mais alors les formulations de Proust théoricien ne rendent pas justice aux intuitions de Proust romancier. Ce précieux livre intérieur, il s'agit de l'écrire pour la première fois. Tant qu'il vit sa vie mondaine, le héros est un adepte de la rhétorique du soi. Pour lui, le sens de ce qu'il fait est donné dans ce qu'il sent. Comme Swann, Marcel juge qu'il fait des cadeaux somptueux à la femme qu'il aime *parce qu'elle est bien gentille* et non *parce qu'il a plaisir à l'embrasser*. Pourtant, les justifications émises selon la rhétorique du soi ne sont pas authentiques. Elles ne sont pas produites au cours d'un véritable monologue. En réalité, la conversation n'a jamais cessé, la vie de salon a tout envahi. Avant de se mettre à écrire, le narrateur n'a pas encore eu de *vie intérieure*. Sa vie est celle d'un être affolé par la présence d'autrui, anxieux de séduire et de plaire. (On pense au solitaire dont parle Proust, dont la claustration s'explique, non par le détachement, mais par « un amour déréglé de la foule » : « [...]) ne pouvant obtenir, quand il sort, l'admiration de la concierge, des passants, du cocher arrêté, il préfère n'être jamais vu d'eux, et pour cela renoncer à toute activité qui rendrait nécessaire de sortir », JF, I, p. 789)

Ainsi, la belle image du livre intérieur à traduire dissimule une difficulté que la théorie proustienne n'a pas résolue. Puisque traduction il y a, quel est le dictionnaire à utiliser pour convertir le discours oblique en discours direct, ou, si l'on préfère, la conversation en littérature ? Nous avons vu que le « redressement » nécessaire correspondait, selon les cas, à l'une ou l'autre de ces opérations :

1) convertir une expression de bonheur en une page d'écriture,

2) convertir un jugement sur autrui en jugement sur les rapports du personnage qui juge et du personnage qui est jugé.

Pour la première sorte de traduction, qui d'un « zut » fait un poème en prose, le dictionnaire à utiliser est un *vade-mecum* du style que l'apprenti écrivain doit se constituer en fréquentant attentivement les classiques. Marcel, dans sa description inspirée des clochers de Martinville, observe certaines règles de style que Proust a dégagées chez Flaubert (ainsi, ce sont les clochers qui se déplacent les uns par rapport aux autres, et non l'observateur qui change de point de vue). Plus tard, il apprend à parler de la Berma, et donc à la voir, en dévorant les écrits de Bergotte. Il ne suffit pas de crier « bravo » si l'on veut être écrivain. Il faut *détailler* ce qu'on aime, le ramener aux morceaux les plus caractéristiques, aux gestes les plus significatifs : « le bras levé à la hauteur de l'épaule », « la lumière verdâtre » (JF, I, p. 449). Il faut ensuite signifier son enthousiasme en utilisant des mots tels que ceux suggérés par Bergotte à Marcel : le geste évoque la statuaire grecque, la lumière verte fait ressortir le « côté cosmique du drame », la « vengeance de Neptune » (JF, I, p. 561). La tâche de l'écrivain-traducteur se définit donc ainsi : remplacer une *forme collective d'expression* — le « bravo » qui est le mot utilisé par n'importe qui dans la salle à propos de n'importe quel spectacle — par une *forme d'expression individualisée*. Doublement individualisée, puisque le spectacle sera saisi dans son détail caractéristique, tandis que la page écrite le sera dans le style personnel de l'auteur, ce qui veut dire, dans un style reconnaissable comme sa manière de décrire, quel que soit l'objet à décrire. Lorsque Marcel crie « bravo » dans la salle, il fond sa voix dans celle du public et mêle ses applaudissements à l'acclamation générale. L'écrivain doit, comme on dit, trouver sa « voix » et la faire entendre. Aussi ne peut-il se produire dans l'espace public de la salle de spectacle. Son lieu propre, c'est l'*espace littéraire* de la feuille de papier. Sur cette feuille ne viendront s'inscrire que les mots élus par lui. C'est ici, bien entendu, que se trouve la difficulté de sa tâche. La feuille de papier risque fort de rester une page blanche. En effet, l'esthétique de l'originalité que professent les institutions artistiques d'une culture individualiste exigent que l'écrivain ait sa « voix », sa « musique », sa « vision », son « style » inimitables. A l'âge de la « crise de vers », on attend de l'écrivain qu'il se « compose un instrument », non qu'il se serve des « grandes orgues générales et séculaires » léguées par la tradition (Mallarmé). Mais l'apprenti écrivain, pour composer son instrument, doit d'abord emprunter beaucoup. Si Marcel manifeste ses impressions au théâtre en écrivant sur la page blanche : *drame cosmique, vierge de l'Erechthéion*, il imite Bergotte et s'exprime comme un littérateur fin-de-siècle. Dans la *Recherche*, ce jargon littéraire est celui de Charlus et de Saint-Loup. (Oriane se moque de ce dernier parce qu'il dit : « vatique », « cosmique », « pythique », « suréminent » ; CG, II, p. 551.) Dans ses premières tentatives, le débutant n'aura fait que remplacer le « bravo » rudimentaire de la foule par le signe de reconnaissance plus raffiné d'une chapelle littéraire. C'est pourquoi un apprenti écrivain doit passer par des crises de doute aussi longtemps qu'il n'arrive pas à se convaincre que la page écrite par lui est une page *de lui*. Marcel nous dit qu'il n'arrive pas à *écrire*. Cela ne veut pas dire qu'il ne noircisse pas du papier. (Nous apprenons par exemple que Françoise a fouillé dans ses brouillons, ou qu'il a montré des esquisses à sa grand-mère.) Marcel n'écrit pas de *pages inspirées* : tel est le sens de l'impuissance dont il se plaint. Tant que le style dans lequel une page est écrite n'est pas reconnu comme personnel, les « impressions » qui y sont exprimées passent pour avoir été fabriquées et non ressenties. Norpois, tout borné qu'il soit, reconnaît pourtant le style « joueur de flûte » de Bergotte dans le poème en prose que lui soumet

Marcel (FJ, I, p. 473). Le narrateur nous dit avoir été consterné par le jugement sévère de Norpois. Mais, chose remarquable, il n'en conclut pas que le style en est peut-être maladroit (à défaut de pouvoir contester l'autorité de Norpois en matière littéraire). Non, il conclut que les états poétiques exprimés dans ce poème sont nuls et non avenus. Bref, le grand obstacle que doit vaincre l'apprenti écrivain pour écrire une page qui vaille est, non pas le « défaut du langage », comme disent les critiques romantiques, mais le défaut du langage ordinaire *du point de vue d'un projet littéraire conçu sous le régime moderne de l'art* : qu'il soit une institution et non un instrument personnel. L'écrivain manque d'inspiration tant qu'il ne s'est pas approprié, non pas la langue commune (ce qui n'a pas de sens), mais la langue littéraire des maîtres qui l'ont inspiré. Il faut qu'en lisant la page de Marcel on ne dise plus : C'est du Bergotte, mais : C'est décidément du Marcel.

La seconde sorte de traduction change « Elle était bien gentille » en « J'avais plaisir à l'embrasser ». Il n'y a aucune différence de style entre l'original (à savoir, la phrase oblique parce que mensongère) et la traduction. La différence est rhétorique : la phrase oblique est de celle qu'on peut échanger avec autrui pour se justifier, tandis que la phrase véridique ne peut pas servir à se donner une excuse ou une circonstance atténuante. Comment fait-on pour traduire ? Comment sait-on que la phrase « Elle était bien gentille » ne dit pas vrai ? Proust invite l'apprenti écrivain à pratiquer « un peu de critique port-royaliste sur soi-même » (TR, III, p. 894). Le nom de cette pratique est l'*examen de conscience*. Comment le sujet qui s'examine va-t-il découvrir son véritable motif ? S'agit-il de retrouver et de fixer attentivement une « pensée » qui est présente à l'esprit au moment où l'acte est accompli ? Ce n'est pas ainsi que le narrateur opère pour traduire ce qu'il appelle ses propres « mots de conversation ». Par exemple, lors de son premier dîner chez la duchesse de Guermantes, Marcel découvre qu'elle a des goûts littéraires démodés. Elle fait de l'esprit aux dépens de Maeterlinck. Pensant à son échec auprès d'Oriane lorsqu'il en était amoureux, Marcel se dit : « Quelle buse ! (...) Maintenant c'est moi qui ne voudrais pas d'elle. »

« Tels étaient les mots que je me disais ; ils étaient le contraire de ma pensée ; c'étaient de purs mots de conversation, comme nous nous en disons dans ces moments où, trop agités pour rester seuls avec nous-mêmes, nous éprouvons le besoin, à défaut d'autre interlocuteur, de causer avec nous, sans sincérité, comme avec un étranger. » (CG, II, p. 229-230.)

La phrase oblique est : « Quelle buse ! ». Comment le narrateur sait-il qu'elle est oblique ? Lui-même ne le découvre pas en regardant mieux au fond de son cœur. S'il écarte l'interprétation de sa réaction qui en ferait l'expression d'une attitude purement esthétique, c'est qu'il n'oublie pas de considérer, dans son « examen de conscience », le passé des relations (largement imaginaires) qu'il a eues avec la duchesse de Guermantes. Le narrateur décide de préférer l'interprétation de « Quelle buse ! » qui en fait l'expression d'une revanche du raffiné sur la grande dame. Pour traduire « Quelle buse ! », il faut raconter *Un amour de Marcel* (pour la duchesse de Guermantes) et raconter cet amour comme un roman. On peut bien dire, si l'on veut, que les mots de son monologue expriment (ou plutôt trahissent) l'*impression* que lui fait Oriane quand elle découvre ainsi ses limitations dans l'ordre du jugement esthétique. Mais *impression* ne veut pas dire dans ce cas : sensation, donnée immédiate de la conscience. *Impression* veut dire : jugement, décision, position prise relativement à Oriane. Traduire cette impression — ce « Quelle buse ! » — revient à intégrer la réaction de Marcel dans une histoire qui explique sa satisfaction à pouvoir prendre le dessus après avoir été si longtemps écrasé par la duchesse prestigieuse. Par conséquent, le dictionnaire à utiliser pour traduire des mots de conversation est un *Who's who* dans l'histoire racontée. Nous savons comment traduire les phrases obliques de la conversation si nous savons ce que les personnages sont les uns pour les autres au point de l'histoire considéré.

Proust essayiste propose dans le *Temps retrouvé* une doctrine de la littérature comme authentique expression de soi. Cette doctrine n'est pas originale. Elle reproduit la position esthétique du symbolisme conçu comme l'« expression de l'individualisme dans l'art » (R. de Gourmont). En revanche, Proust romancier présente des scènes de « traduction » qui ne peuvent être comprises sous un concept unique. Il y a la traduction *poétique* de l'impression en page descriptive : elle consiste à isoler, dans sa réaction à quelque apparition ou manifestation, le moment esthétique. Et il y a la traduction *romanesque* de l'impression en histoire : elle consiste à intégrer la réaction du personnage à un scénario de ses rapports avec d'autres personnages, tout en tenant le plus grand compte du *roman d'aventures, stérile et sans vérité* que le héros a bâti autour des autres personnages. Ainsi, la façon dont le roman met en œuvre la doctrine du « livre intérieur » fait apparaître une tension, dans le projet littéraire de Proust, entre le *poème en prose* (décrire quelque chose comme un spectacle) et le *roman* (raconter quelque chose comme cela a été vécu).

14. LE CÔTÉ DOSTOÏEVSKI
DE Mme DE SÉVIGNÉ

La *Recherche*, qui raconte un apprentissage des conditions de l'œuvre d'art, contient également des leçons de littérature. Une formule étrange résume l'enseignement du docte Marcel : *le côté Dostoïevski de Mme de Sévigné*. Cette formule complexe désigne un procédé de présentation des choses. Elle surprend par cette comparaison inattendue entre la grande dame des lettres françaises classiques et l'auteur qui, à l'époque de Proust, incarne le « roman russe ». Formule étonnante, formule piquante qui semble avoir été fabriquée pour inviter l'élève, en l'espèce Albertine, à interroger le maître (P, III, p. 378).

Pourtant, nous ne devons pas séparer le fond de cet enseignement et la façon dont il nous est communiqué dans le récit, c'est-à-dire par morceaux et non sans quelques traces d'une hésitation chez le jeune professeur. Cette pensée qu'il y a un côté Dostoïevski chez la marquise de Sévigné est d'abord une idée que Marcel pourrait avoir plus tard, s'il était plus savant (JF, I, p. 653-654). Elle est ensuite une chose qu'il a déjà dite plus tôt (P, III, p. 378-379). Pour reconstituer la doctrine proustienne, nous devons réunir les deux morceaux.

Voici à quelle occasion la formule est mentionnée pour la première fois : Marcel est dans le train, en route pour Balbec, et lit un volume des lettres de la marquise de Sévigné ; sa lecture est, comme il se doit, discontinue (« je pus fixer mon attention sur les pages que je choisis çà et là ») ; il est frappé par le *style* de certaines pages. Pourtant, à cette époque, Marcel ne saurait pas dire pourquoi ce style est beau. Il lui manque d'avoir rencontré l'œuvre d'Elstir et lu Dostoïevski.

« (...) Mme de Sévigné est une grande artiste de la même famille qu'un peintre que j'allais rencontrer à Balbec et qui eut une influence si profonde sur ma vision des choses, Elstir. Je me rendis compte que c'est de la même façon que lui qu'elle nous présente les choses, dans l'ordre de nos perceptions, au lieu de les expliquer d'abord par leur cause. »

Et Proust cite ici un échantillon de ce style, tiré de « la lettre où apparaît le clair de lune » (voir la lettre à Mme de Grignan du 12 juin 1680) :

« Je ne pus résister à la tentation, je mets toutes mes coiffes et casaques qui n'étaient pas nécessaires, je vais dans ce mail dont l'air est bon comme celui de ma chambre ; je trouve mille coquecigrues, *des moines blancs et noirs, plusieurs religieuses grises et blanches, du linge jeté par-ci par-là, des hommes ensevelis tout droits contre des arbres*, etc. » (les italiques sont de Proust).

Prout commente ainsi sa citation :

« Je fus ravi par ce que j'eusse appelé un peu plus tard (ne peint-elle pas les paysages de la même façon que lui, les caractères ?) le côté Dostoïevski des *Lettres de Madame de Sévigné*. »

Nous rencontrons cette formule une seconde fois dans la *Prisonnière*. Cette fois, c'est Albertine, telle la commère d'un bateleur, qui demande à point nommé une leçon privée de littérature. Qu'a voulu dire Marcel l'autre jour quand il a dit : C'est le côté Dostoïevski de Mme de Sévigné ? Marcel annonce deux raisons, mais n'en donnera qu'une.

« Il est arrivé que Mme de Sévigné, comme Elstir, comme Dostoïevski, au lieu de présenter les choses dans l'ordre logique, c'est-à-dire en commençant par la cause, nous montre d'abord l'effet, l'illusion qui nous frappe. C'est ainsi que Dostoïevski présente ses personnages. Leurs actions nous apparaissent aussi trompeuses que ces effets d'Elstir où la mer a l'air d'être dans le ciel. Nous sommes tout étonnés après d'apprendre que cet homme sournois est au fond excellent, ou le contraire. »

Albertine demanda alors un exemple pour Mme de Sévigné. Marcel n'en a pas :

« J'avoue, lui répondis-je en riant, que c'est très tiré par les cheveux, mais enfin je pourrais trouver des exemples. »

Si nous voulons extraire de ces deux passages les éléments d'un Traité proustien du style, nous n'avons qu'à suivre les indications du maître lui-même. Il arrive à Mme de Sévigné d'user d'un procédé de présentation des choses qui est typique de la manière de raconter de Dostoïevski (c'est pourquoi, peut-être, il convient de dire : le côté Dostoïevksi de Mme de Sévigné, et non : le côté Sévigné de Dostoïevski). Dans le premier passage, ce procédé est ainsi expliqué : présenter les choses dans l'ordre où nous les percevons « au lieu de les expliquer d'abord par leur cause ». C'est ainsi que Mme de Sévigné ne dit pas : Je vois des effets de lune. Elle dit : Je vois des moines blancs et noirs, etc. Dans le second passage, le procédé est commenté dans des termes semblables : au lieu de présenter les choses dans l'« ordre logique » (d'abord la cause, puis l'effet), montrer d'abord « l'effet, l'illusion qui nous frappe ». Voici un exemple pour Dostoïevski : un personnage nous est présenté de telle façon que nous le croyons d'abord sournois et que nous découvrons ensuite seulement qu'il est excellent (ou le contraire). D'où finalement la formule générale de l'analogie proustienne : Mme de Sévigné peint les *paysages* comme Dostoïevksi peint les *caractères*, ou présente les *personnages*, c'est-à-dire en commençant par l'ordre sensible de la perception au lieu de suivre l'ordre logique de l'explication.

Dans l'ordre des perceptions, l'erreur précède la vérité. Et nous reconnaissons le projet de Proust lui-même : peindre les erreurs dans une recherche de la Vérité. Est-ce que nous ne tenons pas ici l'explication ultime de la construction de la *Recherche* ? La vérité n'y est pas le point de départ, mais le résultat. Pour progresser dans le vrai, il faut rectifier les erreurs initiales. L'étrange formule du « côté Dostoïevski de Mme de Sévigné » ressemble ainsi à un mot de passe, à un *Sésame ouvre-toi* de l'œuvre. La *Recherche* nous dit qu'il faut commencer par le faux pour atteindre le vrai. Elle nous dit que le style propre à présenter notre apprentissage de la vie est l'impressionnisme tel que Proust le comprend, à savoir : peindre ce que l'on voit plutôt que ce que l'on sait. Mme de Sévigné dit qu'elle voit des moines. Elstir peint la mer là où son regard la voit, dans le ciel. Dostoïevski montre le personnage tel qu'il apparaît à une étape du récit.

La leçon de littérature donnée par Marcel est brillante, mais elle pourrait bien pécher par le défaut d'exemples. Lorsque Albertine demande un exemple pour Mme de Sévigné, Marcel répond qu'il pourrait en donner, bien que ce soit tiré par les cheveux. Le lecteur se dit alors que ces exemples seraient du genre de celui qui a déjà été cité lors de la scène de lecture dans le train de Balbec. Or, dans cette scène, nous avions la situation inverse : un exemple de description de paysage pour Mme de Sévigné, mais pas d'exemple encore pour Dostoïevski. Ainsi, chacun des deux passages donne la formule complète de l'analogie Sévigné/Dostoïevski dans sa version abstraite ou didactique. Mais aucun des deux ne l'explique complètement par des exemples. A nous de voir si cet éclatement de la doctrine en deux épisodes séparés par quelque mille sept cents pages est une simple astuce de Proust pour fondre plus habilement l'essai critique dans le roman, ou bien s'il trahit un défaut théorique. Tout le problème est de savoir si nous obtenons bien la formule expliquée abstraitement lorsque nous réunissons les explications données dans les deux passages.

Dans le train de Balbec, il est trop tôt pour citer Dostoïevski. Le bagage littéraire de Marcel est encore réduit (et lui vient d'ailleurs plus vraisemblablement de morceaux choisis lus au lycée que de lettres découvertes dans le train des vacances : la lettre citée de Mme de Sévigné figure dans la plupart des manuels et anthologies pour illustrer des thèmes tels que « le sens de la nature et du paysage dans la littérature classique » ou « le style visionnaire chez Mme de Sévigné »). Mais, s'il est encore trop jeune pour Dostoïevski, Marcel va bientôt rencontrer à Balbec le peintre Elstir. Dans le second passage, Marcel est devenu entre-temps un brillant critique de Dostoïevski, dont il commente génialement l'obsession pour le crime. Cette fois encore, Elstir est mentionné. Il n'y a pas d'exemple pour Mme de Sévigné, mais il y en a pour Elstir. L'analogie que construit Proust est donc en réalité :

1. Il y a un *côté Elstir de Mme de Sévigné* (elle peint déjà les paysages comme le fera le peintre impressionniste ; à noter que, dans le résumé donné dans l'édition de la Pléiade, ce passage est noté : « Mme de Sévigné et Elstir ») ;

2. Il y a un *côté Dostoïevski d'Elstir* (l'index des noms de

personnes, à l'article « Elstir », renvoie au passage de la *Prisonnière* en précisant : « son côté Dostoïevski »).

Et tout se passe comme si le lecteur était invité à tirer lui-même cette conséquence : s'il y a un côté Elstir de Mme de Sévigné et un côté Dostoïevski d'Elstir (ou, si l'on préfère, un côté Elstir de Dostoïevski), il ne peut manquer d'y avoir aussi un côté Dostoïevski de Mme de Sévigné. Il va de soi que le lecteur aurait tort de faire une telle inférence.

Proust use volontiers de ce tour de phrase : le côté quelqu'un de quelqu'un, le côté x de y. Cette locution désigne un air de famille, une particularité qu'on va trouver chez deux personnes. Dans la *Recherche*, toute vision digne de ce nom consiste à trouver que x a un côté y. Odette a un côté Botticelli. L'église de Balbec a un côté tapisserie persane. Bergotte a un côté ingénieur pressé. La fille de cuisine à Combray a un côté Charité de Giotto. Quand nous cherchons l'air de famille de quelqu'un, nous distinguons plusieurs côtés. Ainsi, Gilberte a un côté Odette en même temps qu'un côté Robert. Proust étend cette façon de parler à l'ordre des familles d'esprit. En voici un exemple caractéristique, emprunté à sa préface au livre de son ami le peintre Jacques Émile Blanche ;

> « Chez Manet, ce n'est pas le côté Monet, déjà démodé *selon lui* (mon goût personnel, si je m'y connaissais en peinture, me porterait à penser exactement le contraire, et j'ai vu chez Gaston Gallimard un Monet que je trouve le plus beau des Manet), c'est le côté Goya qu'il aime et par qui Manet est rajeuni (...). » (*Préface*, p. 584.)

Édouard Manet présent donc à la fois un *côté Monet* et un *côté Goya*. Blanche préfère le côté Goya, mais Proust n'est pas d'accord. Ensuite, les choses s'embrouillent. L'éditeur Gaston Gallimard possède une toile : un Monet que je trouve le plus beau des Manet, dit Proust. Mais de qui est cette toile ? Est-ce une toile de Manet qui a si bien un côté Monet qu'on la prend pour une œuvre de ce dernier ? Est-ce une toile de Monet qui représente si bien ce côté par où les Manet évoquent Monet qu'on peut la trouver, bien qu'elle soit de Monet, le plus beau des Manet ? C'est bien le cas de se demander où est ici la chose, où l'illusion première. Est-ce qu'on prend le Manet appartenant à Gaston Gallimard pour un Monet, ou bien est-ce l'inverse (on croit que son Monet est le plus beaux des Manet) ?

La logique de l'expression par laquelle nous repérons le côté x de y est donc moins facile qu'il ne pouvait sembler. S'il y a un côté Monet de Manet, il y a nécessairement un côté Manet de Monet. Si cet air de parenté est assez marqué, on pourra confondre certaines toiles de l'un avec des œuvres de l'autre. Proust fait donc ici de la critique d'art « impressionniste » dans le sens où Elstir incarne l'impressionnisme. On ne sait plus si c'est Manet qui a un côté Monet, ou Monet un côté Manet, de même que dans les toiles d'Elstir on ne sait plus si c'est la mer qui est dans le ciel ou le ciel dans la mer, s'il y a un côté marin du ciel ou un côté céleste de la mer.

D'autre part, Manet, a un côté Goya. On peut décider de voir Manet sous son aspect Goya, ce qui revient à le rajeunir (dans l'histoire de la peinture). Il s'ensuit que Goya a un côté Manet. Mais cela ne veut pas dire que Monet ait un côté Goya, car le côté par où Manet est comparable à Goya n'est pas le côté par où Manet est comparable à Monet. (Et, puisque toute la question est ici de savoir s'il faut préférer, avec Blanche, le côté Goya de Manet, ou bien, avec Proust, son côté Monet, il semble bien que la toile qu'on voit chez Gaston Gallimard soit de Manet.)

Autant dire que la relation qu'on exprime en disant : le côté x de y, n'est pas une relation transitive. Il y a un côté Elstir de Mme de Sévigné (= le côté Sévigné d'Elstir) et un côté Dostoïevski d'Elstir (= le côté Elstir de Dostoïevski). Mais rien n'a encore été dit quant au côté Dostoïevski de Mme de Sévigné. Plus précisément : rien n'a été prouvé par des exemples, même si l'analogie a été assertée sous sa forme abstraite. Nous ne savons pas si le côté Elstir de Mme de Sévigné est identique au côté Elstir de Dostoïevski. Nous ne savons pas si Dostoïevski évoque le peintre Elstir justement par ce côté de Mme de Sévigné qui évoque Elstir.

La comparaison du style de présentation chez Mme de Sévigné, Elstir et Dostoïevski est là pour nous donner le sens du style de Proust, le principe de la philosophie proustienne du roman. Nous retrouvons en effet Elstir et Dostoïevski (mais non la marquise de Sévigné) dans une page du *Temps retrouvé*. Ce texte est d'ailleurs le seul où Proust attribue aussi clairement une supériorité et une vérité à l'art du roman. Lors de la matinée finale chez l'ex-madame Verdurin, Marcel et Gilberte échangent des souvenirs sur Robert de Saint-Loup. C'est Marcel qui parle :

« Il y a un côté de la guerre qu'il commençait, je crois, à apercevoir, lui dis-je, c'est qu'elle est humaine, se vit comme un amour ou une haine, pourrait être racontée comme un roman, et que par conséquent, si tel ou tel va répétant que la stratégie est une science, cela ne l'aide en rien à comprendre la guerre, parce que la guerre n'est pas stratégique. L'ennemi ne connaît pas plus nos plans que nous ne savons le but poursuivi par la femme que nous aimons, et ces plans peut-être ne les savons-nous pas nous-même. » (TR, III, p. 982.)

Proust oppose donc la guerre telle qu'on la raconte après coup dans les écoles de stratégie et la guerre qui est « humaine », qui « se vit ». Proust ne dit pas que les stratèges aient matériellement tort. L'erreur d'une explication stratégique de ce qui s'est passé dans une guerre est psychologique. Le statège croit comprendre ce qui s'est passé par l'application d'un *plan de campagne*. Il analyse la guerre comme un *Kriegsspiel*. Le stratège commet ainsi, le selon Proust, la même erreur que le romancier mondain. La psychologie du roman est fausse en ce qu'elle attribue au snob un calcul, un plan de campagne pour la conquête d'une position dans le Faubourg Saint-Germain. Mais ce n'est pas ainsi qu'une carrière mondaine est vécue. Dans toute affaire humaine, les protagonistes ignorent le plan des autres. Proust tire cette conséquence étrange : nos adversaires, à la guerre comme en amour (où l'adversaire est la « femme que nous aimons » !), ignorent nos plans comme nous ignorons les leurs, de sorte que nous ignorons nos propres plans. Proust paraît vouloir dire que la guerre telle qu'elle se déroule correspond à un plan dont personne n'a connaissance dans son expérience. Les Allemands, dit-il, ont pris Amiens dans l'offensive de 1918, mais cela ne veut pas dire qu'ils voulaient prendre Amiens. Curieusement, Proust ne dit pas : Peut-être ont-ils pris Amiens parce que l'occasion s'en est présentée, sans que la prise d'Amiens ait jamais été un but dans leur stratégie. Proust dit : Nous ne savons pas s'ils avaient ce but, et « peut-être ne le savaient-ils pas eux-mêmes » *(ibid.)* L'analyse stratégique n'a donc pas tort de dire que les Allemands ont tenu à prendre Amiens, que leur offensive les a conduits à prendre Amiens. L'erreur est de leur attribuer la stratégie qu'ils ont en fait suivie, c'est-à-dire de croire qu'ils ont poursuivi consciemment la stratégie qui a été la leur de fait.

Ce texte contient la philosophie proustienne du roman. Il est insuffisant de définir le roman par des expressions trop générales : le récit de fiction, la biographie imaginaire. Le roman est bien le récit d'une vie, mais d'une vie *romanesque*. Autrement dit, le roman est le récit d'une vie qui possède ce côté « humain » par où elle peut être racontée *comme un roman*. Quel est le côté romanesque d'une vie, d'une guerre, d'un amour ou d'une haine ? La légitimité du point de vue romanesque est à chercher dans le décalage qui se déclare entre les *faits* et l'*expérience*. Tout n'est pas dit quand on a rapporté les faits : il reste à restituer la façon dont ils ont été vécus, l'expérience. Ce qui est romanesque, c'est qu'une aventure ou se déroule selon une ligne de développement (un « plan ») que personne n'a arrêtée d'avance, ni même prévue. Le romanesque est qu'il y ait eu finalement un « plan », un ordre des événements, mais que cet ordre ne soit pas présent dans l'expérience des protagonistes. Pourquoi les Allemands se sont-ils trouvés à prendre Amiens ? Peut-être « est-ce l'événement, leur progression à l'Ouest vers Amiens qui détermina leur projet » *(ibid.)*. Dans un monde romanesque, le hasard, l'événement, les « accidents imprévus » (TR, III, p. 983) et l'« enchaînement des circonstances » décident finalement du cours des choses.

Comment raconter quelque chose *comme un roman* ? Il faut suivre la leçon d'Elstir et de Dostoïevski.

> « A supposer que la guerre soit scientifique, encore faudrait-il la peindre comme Elstir peignait la mer, par l'autre sens, et partir des illusions, des croyances qu'on rectifie peu à peu, comme Dostoïevski raconterait une vie. » (TR, III, p. 983.)

Dostoïevski romancier observe un certain ordre de présentation. Au lieu d'introduire, dans une « exposition », ses personnages tels qu'ils sont, il suit l'ordre des découvertes que fait le personnage narrateur. Le romancier montre qu'une vie est un apprentissage. Il a donc besoin de la « perspective du temps » parce que son sujet, l'apprentissage, est une œuvre qui *prend du temps* pour s'accomplir. Proust romancier a besoin du temps, parce qu'il veut, lui aussi, montrer comment le *savoir* du narrateur reste séparé de la *vérité* tout au long de l'histoire. Ce que le narrateur sait, à tel moment de l'histoire, de ce qui lui importe le plus n'est pas ce qui se découvrira *plus tard* avoir été la réalité de sa vie. Proust s'arrange pour que tous les grands événements aient été annoncés bien avant qu'ils se produisent, sans que le héros en ait été éclairé. L'événement terrible, par exemple le départ et la mort d'Albertine, donne *après coup* une valeur prophétique à des paroles prononcées à la légère. On croyait parler pour ne rien dire et on proférait « ces inéluctables vérités qui nous dominaient et pour lesquelles nous étions aveugles, vérité de nos sentiments, vérité de notre destin » (F, III, p. 507).

> « Mensonges, erreurs, en deçà de la réalité profonde que nous n'apercevions pas, vérité au-delà, vérité de nos caractères dont les lois essentielles nous échappaient et demandent le Temps pour se révéler, vérité de nos destins aussi. » *(Ibid.).*

Le *côté Dostoïevski de Proust* pourrait donc être ainsi défini : de même qu'il faut bien du temps au personnage de Dostoïevski pour découvrir la vérité du caractère de l'autre personnage auquel il est confronté, de même il faut du temps pour que les paroles mensongères du narrateur proustien reçoivent de l'événement une valeur prophétique (ou bien pour qu'à l'inverse ses paroles sincères, ses déclarations d'un sentiment éternel, soient démenties par l'événement). La vérité des sentiments, des caractères et des destins demande le Temps pour se révéler. (Ici, « le Temps » n'est qu'une façon de désigner *la suite*, les épisodes à venir, ce que les personnages feront plus tard, ce qui leur arrivera.)

Mais, alors, qu'y a-t-il de commun à la *peinture des paysages* (chez Mme de Sévigné et Elstir) et à la *peinture des personnages* ? Proust joue sur le mot *peindre*, pris tantôt dans le sens pictural (peindre un paysage, c'est représenter un paysage par les moyens de la peinture), tantôt dans le sens de *dépeindre* (peindre un personnage, c'est le décrire par quelques traits qui le « peignent » tout entier, qui le *mettent sous nos yeux* aussi vivement que le ferait une peinture). Elstir peint effectivement les paysages qu'il représente, alors que Mme de Sévigné dépeint l'effet de lune, et Dostoïevski le personnage. Leur point commun, selon l'analogie proustienne, est de s'en tenir aux apparences. Mme de Sévigné écrit : Je trouve mille coquecigrues, des moines noirs et blancs, etc. Elstir, lorsqu'il peint le port de Carquethuit, le montre sur sa toile tel qu'on le voit : il peint l'*impression* que donne le port (« cette impression des ports où la mer entre dans la terre, où la terre est déjà marine et la population, amphibie » ; JF, I, p. 837). Dostoïevski, enfin, respecte la séparation (phénoménologique) du savoir et de la vérité : faute d'un jugement dernier encore à venir, le lecteur n'en sait pas plus sur les personnages que celui des personnages qui a la fonction du narrateur. Ce lecteur ne peut donc pas, au début du roman, faire un tri parmi les apparences, séparer celles qui sont des « simples apparences » de celles qui sont la manifestation ou la *vérité du caractère*.

Pourtant, cette réunion de Mme de Sévigné, d'Elstir, de Dostoïevski et du narrateur lui-même sous le chef d'un style impressionniste de présentation est fondée sur une grave confusion.

Le procédé de présentation que Proust isole chez Mme de Sévigné est purement stylistique. Il serait mieux nommé : *le côté Sévigné de Proust*. Voici en effet la description d'un effet de lune à Combray, qui nous fait passer sans prévenir de la réalité aux apparences.

> « Dans chaque jardin le clair de lune, comme Hubert Robert, semait ses degrés rompus de marbre blanc, ses jets d'eau, ses grilles entrouvertes. Sa lumière avait détruit le bureau du Télégraphe. Il n'en subsistait plus qu'une colonne à demi brisée, mais qui gardait la beauté d'une ruine immortelle. » (CS, I, p. 114.)

Ici, tout comme dans les toiles d'Elstir où la mer est au ciel, les apparences visuelles sont données sans correction. Le peintre impressionniste sépare sa *vision* de son *savoir*. Tel Turner, Elstir peint ce qu'il voit et non ce qu'il sait. Son effort est « de ne pas exposer les choses telles qu'il savait qu'elles étaient, mais selon ses illusions optiques dont notre vision première est faite » (JF, I, p. 838). Mais, ce savoir, Elstir le partage avec nous. Quand nous regardons son tableau, nous ne sommes pas trompés par l'illusion d'optique. Faisant comme le peintre, nous séparons notre vision de notre savoir : nous apprenons que notre perception de la mer, depuis un certain point de vue, nous la fait placer là où elle n'est pas, dans le ciel. Bien sûr, si tout ce que nous savons du monde nous venait de la perception visuelle, nous n'aurions aucune raison de ne pas croire que la mer est au ciel chaque fois que nous l'y voyons. Mais, dans cette hypothèse, nous ne vivrions pas dans un monde, mais dans un pur espace visuel.

En revanche, lorsque le romancier « peint » quelqu'un en sournois, cela veut dire qu'il introduit dans son récit un sournois, quelqu'un qui se conduit sournoisement. Le savoir du lecteur se réduit à ce qu'il a lu, à ce que le romancier lui a montré depuis le début du récit. Sans doute l'auteur en sait-il plus long, mais il se garde bien de partager son savoir, égal à la vérité des caractères et des destins, avec le lecteur. C'est justement parce que le savoir du lecteur est identique à sa « vision », à ce qu'on lui a « montré » dans le récit, que les illusions premières doivent être corrigées dans la suite. Bref, l'art de Mme de Sévigné et d'Elstir n'a pas besoin de la dimension du temps, alors que l'art de Dostoïevski ne peut pas s'en passer. Il suffit qu'Elstir représente l'illusion d'optique pour qu'elle soit révélée comme illusion, donc comme déjà corrigée. Elstir n'a donc pas besoin de peindre une seconde toile où la mer est revenue à sa place pour corriger celle où la mer est au ciel. C'est égarant de traiter Dostoïevski en peintre impressionniste de personnages, au sens où Mme de Sévigné a écrit quelques descriptions impressionnistes de paysages. Parler des apparences ne suffit pas. Car Mme de Sévigné et Elstir représentent les apparences en tant qu'illusions d'optique, tandis que Dostoïevski les représente en tant qu'elles passent pour la vérité.

A cet égard, le langage même qu'emploie Proust est équivoque. Il écrit : les actions des personnages de Dostoïevski *nous apparaissent aussi trompeuses que ces effets d'Elstir où la mer a l'air d'être dans le ciel.* Car cette phrase doit être construite de deux façons (incompatibles) si elle doit soutenir l'analogie entre le romancier, le peintre impressionniste et la marquise de Sévigné :

1. Leurs actions nous *apparaissent aussi trompeuses que ces effets d'Elstir*, etc. ;

2. Leurs actions nous apparaissent *[ici, ajouter une virgule] aussi trompeuses que ces effets d'Elstir*, etc.

La première façon de construire, qui est évidemment la plus naturelle, permet de rapprocher la technique du romancier et celle du peintre. Comment les actions apparaissent-elles ou sont-elles présentées chez Dostoïevski ? Comme chez Elstir, elles apparaissent trompeuses et sont présentées comme telles, comme trompeuses. Autrement dit, nous ne sommes pas plus trompés par l'air sournois du personnage que nous ne le sommes par la mer qui a l'air d'être dans le ciel d'Elstir. Car nous en savons plus que nous n'en voyons. Oui, mais cette construction ne convient pas si l'on veut retrouver ici la technique que Proust attribue à Dostoïevski. Car, en lisant Dostoïevski, écrit Proust, nous ne cessons d'être étonnés par ce que nous apprenons. C'est la seconde construction indiquée ci-dessus qui correspond à cette pensée. Les actions nous apparaissent ; et nous les prenons pour ce qu'elles nous apparaissent être (sournoises ou excellentes). En nous apparaissant ainsi, elles sont aussi trompeuses que les illusions d'optique pour l'observateur ne disposant que de données visuelles. De sorte que, cette fois, nous sommes trompés.

A moins que, jouant sur le verbe *peindre*, Proust ne veuille dire que le personnage ne nous est pas montré *agissant sournoisement*, mais *ayant l'air sournois* au moment même où il agit excellemment. La domination du paradigme optique de la représentation, qui fait parler d'une *peinture des caractères*, provoque de perpétuelles confusions. La « peinture de caractères », dans le roman, passe par le récit des faits et gestes du personnage. Si ce personnage agit sournoisement, il ne serait pas exact de dire : ce personnage paraît ou a l'air sournois. Il faudrait dire : ce personnage est, ici et maintenant, sournois. De même le personnage sera excellent, et n'aura pas seulement *l'air excellent*, s'il agit de façon irréprochable dans un épisode ultérieur du roman. Mais la peinture des personnages peut être entendue dans le sens du *portrait* plutôt que du *caractère*. Or le genre littéraire du portrait est plus facilement comparable à l'art pictural du portrait. Un portrait comporte toujours une description des apparences visuelles de quelqu'un, donc la possibilité d'une dissociation de ce qu'on voit de quelqu'un et de ce qu'on sait de lui. Or c'est cette dissociation qui permet de décrire *l'air* qu'a quelqu'un, son *allure*, l'*impression* qu'il fait dans un sens comparable à l'impression de l'impressionnisme.

Si le personnage a seulement l'air sournois, il est possible qu'il soit pourtant excellent. Notre erreur est alors de l'avoir jugé sur les apparences, sur ce que nous avons vu de lui. Si le personnage se conduit sournoisement, il est sournois. La seule erreur serait de dire qu'il est *au fond* sournois, qu'il est définitivement sournois, qu'il ne peut pas se montrer excellent à une autre occasion. L'erreur serait de ne pas inclure la double possibilité du crime (chez le juste) et de la redemption (chez le criminel).

Comment un homme sournois peut-il être excellent, ou un homme excellent sournois ? Chez Dostoïevski, le saint est toujours plus proche du criminel que des honnêtes gens qui n'y comprennent rien. Comment le saint peut-il être un criminel, ou le criminel un saint ? Il y a deux façons de lever la contradiction logique : par une distinction entre la surface et le fond de la personne, ou par l'introduction du temps.

La première solution fait appel à une distinction morale familière. L'habit ne fait pas le moine. Cette distinction permet de dire qu'une personne qui a l'air de vous porter de l'amitié n'est par forcément votre amie. Il arrive à Proust de raffiner sur cette distinction de façon à pouvoir soutenir que les personnages les plus odieux ont au fond bon cœur. Cette union des contraires, Proust la place volontiers sous le patronage de Dostoïevski. La reine de Naples vient au secours de Charlus humilié par les Verdurin lors de la soirée musicale donnée en l'honneur de Morel. Sa *bonté* lui fait prendre le parti de Charlus, son parent outragé, contre les Verdurin qu'elle trouvait tout à l'heure très sympathiques. Proust note malicieusement qu'elle décide du bien et du mal en cette circonstance comme le ferait un roman de Dostoïevski, mais pour des raisons opposées.

> « (...) Mais enfin il faut reconnaître que les êtres sympathiques n'étaient pas du tout conçus par elle comme ils le sont dans ces romans de Dostoïevski qu'Albertine avait pris dans ma bibliothèque et accaparés, c'est-à-dire sous les traits de parasites flagorneurs, voleurs, ivrognes, tantôt plats et tantôt insolents, débauchés, au besoin assassins. D'ailleurs les extrêmes se rejoignent, puisque l'homme noble, le proche, le parent outragé que la reine voulait défendre était M. de Charlus, c'est-à-dire, malgré sa naissance et toutes les parentés qu'il avait avec la reine, quelqu'un dont la vertu s'entourait de beaucoup de vices. » (P, III, p. 322.)

La reine de Naples juge que Charlus est bon parce qu'il est son parent. Elle fait passer le rapport institutionnel qui existe entre elle et son allié avant tout ce qu'on peut dire de la personne de Charlus. Sa conception de la bonté est, dit Proust, « étroite, un peu tory et de plus en plus surannée » (P, III, p. 321). En revanche, les Verdurin invoquent une moralité bourgeoise : pour eux, on doit juger quelqu'un d'après les relations personnelles qu'on a avec lui. Les romans de Dostoïevski subvertissent cette moralité bourgeoise. Les personnages les plus attachants y ont tous les vices concevables. Proust lui-même suggère parfois que, si nous tenions compte de la complexité du caractère de quelqu'un, nous ne pourrions plus le condamner. On a un exemple de cette moralité de l'indulgence dans un portrait moral d'Andrée, l'amie d'Albertine. A première vue, Andrée est douce, délicate, attentive. En fait, elle est dangereuse, violente, vindicative. Les dehors aimables cachent un naturel détestable. Or Proust nous demande de tenir compte, dans un jugement sur Andrée, d'une *troisième nature*, plus profonde encore, en vertu de laquelle elle a le cœur excellent.

> « Car elle n'était pas foncièrement mauvaise, et si sa nature non apparente, un peu profonde, n'était pas la gentillesse qu'on croyait d'abord d'après ses délicates attentions, mais plutôt l'envie et l'orgueil, sa troisième nature, plus profonde encore, la vraie, mais pas entièrement réalisée, tendait vers la bonté et l'amour du prochain. » (F, III, p. 604.)

La distinction entre la première et la seconde nature d'Andrée appartient à une authentique pensée éthique, parce qu'elle fonde une politique à suivre dans ses rapports avec Andrée : ne pas croire à ses délicatesses, se méfier de ce qu'elle dit, s'attendre à ce qu'elle mente (et finalement, serait-on tenté de dire, l'éviter autant que possible). En opposant sa nature apparente et sa nature plus profonde, nous établissons une distinction entre deux classes parmi les actes d'Andrée : la classe des actes qui comptent pour juger du caractère d'Andrée, et celle des actes qui ne comptent pas. En revanche, la distinction ultérieure entre la deuxième nature d'Andrée et une troisième nature a quelque chose de sophistique : Andrée, *au fond*, n'est pas mauvaise, car elle *voudrait* être bonne. Ici, la seconde nature correspond aux actes d'Andrée, à sa conduite réelle, tandis que la troisième nature — « la vraie » — correspond à des désirs irréalisés. « Andrée était prête à aimer toutes les créatures, mais à condition d'avoir réussi d'abord à ne pas se les représenter comme triomphantes, et pour cela de les humilier préalablement. » *(Ibid.)* On se demande ce qui distingue ce portrait inspiré par l'indulgence d'un portrait cruel.

La seule façon intelligible de dire qu'un personnage est à la fois excellent et sournois est d'introduire la dimension du temps : de raconter sa vie. Telle est précisément la vision propre à Dostoïevski : le *crime* n'est pas le dernier mot, car il y a la possibilité de la rédemption par le *châtiment* ; l'*offense* et l'*humiliation* sont partout, mais n'ont pas aboli la possibilité du *pardon* ; il n'est pas vain pour le *possédé* d'attendre la *délivrance*. Autrement dit, les personnages de Dostoïevski ne sont pas complexe parce qu'ils seraient psychologiquement des « compliqués », mais parce qu'ils sont engagés dans une histoire plus complexe que celle des personnages du roman français classique.

Mais, s'il en est ainsi, nous ne voyons plus ce qu'un paysage peut avoir de commun avec un personnage. La peinture de paysage fixe l'« instant lumineux », l'« impression la plus fugitive » (CG, II, p. 421). Le roman raconte une transformation qui ne se fait pas *sous nos yeux* en un instant, mais prend du temps pour s'accomplir. Comment Mme de Sévigné peut-elle pratiquer dans la présentation du paysage ce que Dostoïevski pratique dans sa présentation du personnage ?

15. DANS L'ATELIER D'ELSTIR

> The phenomenon of staring is closely bound up with the whole puzzle of solipsism. (Wittgenstein, *Notes sur l'expérience privée et les impressions*, p. 59)

Ut pictura narratio ? C'est la question de ce chapitre.

Marcel fait un grand pas en avant dans la voie longue vers l'illumination finale quand il reçoit, dans l'atelier d'Elstir, l'enseignement de la peinture. Dans la *Rercherche*, Elstir n'est pas un artiste comme les autres. Les autres artistes sont en somme des bienfaiteurs esthétiques : ils procurent à Marcel des occasions de délectation sensible. Mais une toile d'Elstir n'est pas seulement un tableau à admirer, c'est aussi un organe de progrès spirituel. Elstir donne à Marcel une leçon de sagesse. L'enseignement de sa peinture est qu'il est toujours possible de se réconcilier avec le monde visible.

Lorsque Marcel arrive à Balbec, il est d'abord dépaysé et ressent vivement son statut de nouveau venu dans un milieu balnéaire où personne ne s'occupe de lui. Ce malaise humain s'exprime sous les espèces d'une attitude esthétique : la salle à manger serait belle sans les dîneurs, la mer serait belle s'il n'y avait pas les vacanciers. Dans ses promenades en voiture, Marcel est à la recherche d'un paysage purifié de toute présence humaine.

« Avant de monter en voiture, j'avais composé le tableau de mer que j'allais chercher, que j'espérais voir avec le ''soleil rayonnant'' [Proust met les guillemets : c'est un titre pour le *tableau*] et qu'à Balbec je n'apercevais que trop morcelé entre tant d'enclaves vulgaires et que mon rêve n'admettait pas, de baigneurs, de cabines, de yachts de plaisance. » (JF, I, p. 707-708.)

Le vocabulaire de Proust ne distingue pas la *vue* qu'on a d'un certain point et le *tableau*. Choisir sa vue, c'est découper son tableau dans le spectacle du monde. (Pour parler d'un tableau d'Elstir représentant une fête au bord de l'eau, Proust dit : « ce carré de peinture qu'Elstir avait découpé dans une merveilleuse après-midi », CG, II, p. 420.) Le genre de vues ou de tableaux que goûte Marcel est celui d'un pur élément marin délivré de toute contingence historique. C'est pourquoi il préfère voir la mer *de loin*, pour que s'évanouissent les « détails contemporains ». Il est plus difficile de prendre ses distances avec les « détails contemporains » de la salle à manger du Grand-Hôtel. Marcel doit pratiquer un art de la distance *intérieure*. Il est un spectacle qui l'accable plus spécialement : celui de la table avant qu'on ne la desserve. A cette époque, Marcel ignore la beauté de la *nature morte* et n'aime pas « ce moment sordide où les couteaux traînent sur la nappe à côté des serviettes défaites » (JF, I, p. 694). La solution est encore une fois d'annuler, cette fois par la pensée, les parties impures du spectacle. On remarque l'insistance de Proust sur un désir de retrouver une nature innocente, préhistorique, d'avant l'intrusion de l'humanité prosaïque.

> « Pour ma part, afin de garder, pour pouvoir aimer Balbec, l'idée que j'étais sur la pointe extrême de la terre, je m'efforçais de regarder plus loin, de ne voir que la mer (...) et de ne laisser tomber mes regards sur notre table que les jours où y était servi quelque vaste poisson, monstre marin (...) contemporain des époques primitives où la vie commençait à affluer dans l'Océan, au temps des Cimmériens (...). » *(Ibid.)*.

Pour supporter la vue de Balbec, Marcel applique le procédé « idéaliste » qu'il a pu apprendre de sa mère, lorsqu'elle lui lisait les seuls passages convenables de *François le Champi*. Si on appelle *beau* ce qui est digne d'apparaître, on dira que Marcel travaille à se donner une belle image de Balbec, ce qui veut dire : une vision de Balbec purifié de toutes ses parties sordides. Le langage dans lequel s'exprime ici Marcel fait penser

PROUST

à un texte ancien de Proust, écrit vers 1895, sur Chardin et Rembrandt. Cet essai évoque un jeune homme atteint d'un « sentiment voisin du spleen » (CSB, p. 372) parce que le décor quotidien de sa vie l'offense. Ce jeune homme vit dans l'intérieur petit-bourgeois de ses parents. On y retrouve la table pas encore desservie. Notre jeune homme ne supporte plus « la banalité traditionnelle de ce spectacle inesthétique » *(ibid.)* : il se précipite au Louvre pour y chercher « des visions de palais à la Véronèse » (p. 373). Mais s'il passe par la galerie de Chardin, il y reçoit une leçon : le monde familier est *beau à voir* parce qu'il est *beau à peindre* (p. 374). L'intérieur de cuisine, la table non desservie, le couteau qui traîne sur la nappe, le verre à moitié vide, le reste de côtelette, tout cela est digne d'entrer dans l'espace pictural de la toile. Toute cette « laideur ambiante » (p. 373) peut donc être sauvée, révéler sa beauté en paraissant dans l'espace visuel d'un sujet esthète.

Marcel vit ses changements d'humeur à Balbec comme une aventure d'ordre esthétique. Elstir sera son Chardin et lui révélera la beauté des natures mortes. Voici les vues qu'il recherche après avoir été dans l'atelier d'Elstir :

> « Depuis que j'en avais vu dans des aquarelles d'Elstir, je cherchais à retrouver dans la réalité, j'aimais comme quelque chose de poétique, le geste interrompu des couteaux encore de travers, la rondeur bombée d'une serviette défaite (...), le verre à demi vidé (...). J'essayais de trouver la beauté là où je ne m'étais jamais figuré qu'elle fût, dans les choses les plus usuelles, dans la vie profonde des "natures mortes". » (JF, I, P. 869.)

Lors de son deuxième séjour à Balbec, Marcel préférera contempler la mer de près, pour ne pas manquer le bateau de pêche, le remorqueur dont la cheminée fume « comme une usine écartée », la voile au loin qui fait penser « à l'angle ensoleillé de quelque bâtiment isolé, hôpital ou école » (SG, II, p. 783-784).

Mais, si l'aventure est purement esthétique pour Marcel, elle est plus que cela pour le narrateur. Dans le roman, les progrès esthétiques du héros sont insérés dans un scénario qui le montre changeant de milieu humain. Au moment de son arrivée à Balbec, Marcel n'a pas seulement une esthétique parnassienne, mais il est mal à l'aise parce que personne ne s'occupe de lui. Ensuite, grâce à l'entremise féérique de Mme de Villeparisis, il devient le jeune homme le plus en vue de la station balnéaire. Le roman ajoute donc ce commentaire à la doctrine esthétique de la nature morte : que les problèmes de relation humaine du héros, ceux que le roman présente, ne pénétrent pas comme tels dans la conscience de Marcel, qu'ils y figurent sous la forme de problèmes esthétiques. Quelqu'un qui aime les tableaux de nature morte est plus à l'aise avec ses voisins que quelqu'un qui rêve de l'Océan « au temps des Cimmériens ».

Mais comment la peinture a-t-elle, selon Proust, ce pouvoir de réconcilier le jeune homme et son monde ? La réponse est dans sa théorie de l'impressionnisme. Dans la *Recherche*, Elstir est donné pour un peintre impressionniste. Proust lui attribue tout à la fois des tableaux impressionnistes et une *théorie* de cet impressionnisme. Ce qu'il en dit fait comprendre l'usage narratif de la rencontre entre Marcel et Elstir.

Dans une conversation avec Albertine, Marcel a cette remarque sur les jugements esthétiques d'Elstir : ce dernier dit ne pas aimer l'église de Marcouville-l'Orgueilleuse parce qu'elle est neuve (voir SG, II, p. 1014) ; mais un impressionniste a-t-il le droit de juger ainsi ?

> « Est-ce qu'il n'est pas un peu en contradiction avec son propre impressionnisme quand il retire ainsi les monuments de l'impression globale où ils sont compris, les amène hors de la lumière où ils sont dissous et examine en archéologue leur valeur intrinsèque ? Quand il peint, est-ce qu'un hôpital, une école, une affiche sur un mur ne sont pas de la même valeur qu'une cathédrale inestimable qui est à côté, dans une image indivisible ? » (P, III, p. 167).

L'hôpital et l'école deviennent l'emblème de ce qui, laid si on le prend en tant que bâtiment, recèle pourtant une beauté qui se révèle dans le tableau. Marcel prend plaisir à penser au mur ensoleillé d'un bâtiment typiquement indigne (hôpital ou école) quand il voit une voile blanche au loin. Il se montre alors le disciple fervent d'Elstir, lequel n'a pas craint de peindre un hôpital. Ce tableau est évoqué par le narrateur tandis qu'il admire les Elstir que possède le duc de Guermantes :

« Comme, dans un des tableaux que j'avais vus à Balbec, l'hôpital, aussi beau sous son ciel de lapis que la cathédrale elle-même, semblait, plus hardi qu'Elstir théoricien, qu'Elstir homme de goût et amoureux du Moyen Age, chanter : ''Il n'y a pas de gothique, il n'y a pas de chef-d'œuvre, l'hôpital sans style vaut le glorieux portail'', de même j'entendais : ''La dame un peu vulgaire qu'un dilettante en promenade éviterait de regarder, excepterait du tableau poétique que la nature compose devant lui, cette femme est belle aussi, sa robe reçoit la même lumière que la voile du bateau, il n'y a pas de choses plus ou moins précieuses (...) Tout le prix est dans les regards du peintre.'' » (CG, II, p. 421.)

Cette réflexion du narrateur montre assez que Proust conçoit l'impressionnisme comme un *renversement des valeurs*. Comme tous les gens qui ont fait l'éloge de l'impressionnisme, Proust y voit une déclaration d'indépendance de la peinture. Ce qui compte pour le peintre n'est pas la cathédrale inestimable en tant que chef-d'œuvre, c'est la cathédrale en tant que *motif* (« Elstir avait trouvé le motif de deux tableaux qui se valent, dans un bâtiment scolaire sans caractère et dans une cathédrale qui est, par elle-même, un chef-d'œuvre. » CG, II, p. 51). Pourtant, le sens que Proust reconnaît à cette émancipation n'est pas celui que lui assignent les critiques qui parlent, avec Mallarmé, d'une concentration de la peinture sur ses purs moyens. En fait, Proust construit une antithèse entre une évaluation commune des choses et une évaluation picturale. Dans le monde commun, la cathédrale est un chef-d'œuvre inestimable, tandis que le bâtiment scolaire construit selon les normes du ministère de l'instruction publique est sans caractère. Mais, dans le tableau, le bâtiment neuf vaut la cathédrale, puisque le tableau qui a trouvé son motif dans le bâtiment scolaire n'est pas inférieur à celui qui l'a trouvé dans la cathédrale. La peinture impressionniste opère donc bien un renversement de valeurs, qui comprend, comme il se doit, deux temps : le temps nihiliste de l'égalisation de toute chose *(il n'y a pas de choses plus ou moins précieuses)* et le temps créateur de l'imposition d'une nouvelle table des valeurs *(tout le prix est dans les regards du peintre).* Dans la réalité commune, la cathédrale entre, ainsi que les tableaux d'Elstir, dans la catégorie des choses inestimables, trop précieuses pour être échangées. On peut appeler *trésor* cette classe d'objets définis par le fait qu'ils sont « inéchangeables » (JF, I, P. 384). Chacun d'eux est unique, original. D'autre part, on peut appeler *ressources* la classe des objets qu'on apprécie pour les services qu'ils rendent, la fonction qu'ils remplissent. Par définition, ces objets sont échangeables. Enfin, on peut appeler *déchets* les objets qui ont cessé d'être échangeables depuis qu'ils ont perdu leur utilité (voir l'étude de Michael Thompson sur la *Théorie des déchets*). Sont des exemples typiques de déchets les éléments de nature morte que Proust mentionne : les restes d'un repas, les couverts eux-mêmes à moins qu'ils ne puissent être réinstaurés dans la classe supérieure des richesses par une purification. (Cette tripartition est facile à illustrer par des exemples d'objets, au sens usuel de biens matériels, de produits qu'on va classer en *œuvres d'art précieuses, marchandises, détritus*. Mais elle est plus générale. Ainsi, chez Proust, la femme aimée l'est toujours en tant qu'œuvre d'art, et par là unique, tandis que les jeunes filles de rencontre sont interchangeables, n'ont qu'une utilité. Autre exemple : la définition proustienne de l'élégance en fait un phénomène de changement de classe, puisqu'elle est la richesse en train de devenir beauté artistique. On peut encore appliquer cette tripartition à des expériences sensibles, et c'est justement ce que fait Proust : dans l'organisation de l'expérience esthétique que respecte Marcel *avant* d'être éduqué par Elstir, les sensations désintéressées que donnent les chefs-d'œuvre sont elles-mêmes des chefs-d'œuvre sans prix, tandis qu'à l'autre extrémité, des sensations élémentaires telles qu'une impression d'humidité, un goût de madeleine trempée dans le thé, le bruit d'un couvert contre une assiette, passeront pour insignifiantes. Par un renversement des valeurs, Proust appelle *déchet de l'expérience*, non ces sensations qu'on néglige de mentionner quand on parle du mauvais temps, de la guerre, de la station de voitures, mais justement ce qui reste de l'expérience quand on a éliminé toutes ces impressions concomitantes.)

La peinture impressionniste procède à une redistribution des « objets » à l'intérieur de la division formelle en valeur inestimable, valeur utile et valeur négative. Pour produire son propre chef-d'œuvre, le peintre impressionniste commence par abolir la classification dont tout le monde se sert pour ordonner son expérience. La hiérarchie des valeurs reconnue dans le groupe est suspendue dans l'espace du tableau. Les critères d'exclusion et de classification que porte la culture commune n'y sont pas appliqués. Cette neutralisation des catégories de la conscience collective permet une libération de l'*individualité* du peintre (et, à sa suite, du spectateur). La leçon que Proust tire de la peinture impressionniste est que le peintre exerce une *souveraineté* sur le visible. C'est lui qui assigne les rangs, les places, les dignités, en fonction d'un principe hiérarchique qu'il institue souverainement.

Pourtant, quelque chose reste ici indécis. Quel est le principe de cette nouvelle souveraineté ? Est-ce l'exigence de la peinture ou la personnalité du peintre ? Est-ce l'art ou l'artiste ? Qu'est-ce qui accorde à la robe de la dame un peu vulgaire une valeur égale à celle de la voile du bateau ? A l'hôpital une dignité égale à celle de la cathédrale ? Proust dit : les regards du peintre. Cela ne permet pas de trancher. On peut soutenir que le regard du peintre *découvre* la beauté de la robe vulgaire ou de l'hôpital parce qu'il y discerne des motifs picturaux. La souveraineté qui fixe les valeurs appartient alors à la peinture, à l'art impersonnel. On peut comprendre aussi que le regard du peintre *décide* superbement de se poser sur la robe de la dame et de l'égaler à la noble voile du bateau. (Une indécision semblable s'observe dans l'étude de Georges Bataille sur Manet. Dans ce texte, les concepts de *souveraineté* et de *sacré* servent à poser le problème de la peinture moderne. Bataille y invoque les pages de Proust sur Elstir [*Manet*, p. 88-93] et en donne ce commentaire pénétrant : « L'art nouveau veut, sans l'intervention du ciel, échapper au terre-à-terre » [*op. cit.*, p. 93]. C'est chez Manet qu'on aperçoit pour la première fois ceci : la *majesté*, la *valeur essentielle* appartiennent désormais à la peinture et non plus au sujet. La peinture se montre souveraine en étant peinture de n'importe quoi, de la botte d'asperge, de *ce qui est*. Dans la *Recherche*, la botte d'asperge est d'Elstir, qui en demande trois cents francs [CG, II, p. 501]. Mais Bataille hésite entre une souveraineté de l'art et une souveraineté de l'artiste individuel, comme on le voit dans ce texte :

> « Les diverses peintures depuis Manet sont les divers possibles rencontrés dans cette région nouvelle, où profondément le silence règne, où l'art est la valeur suprême : l'art *en général*, cela veut dire l'homme individuel, autonome, détaché de toute

entreprise, de tout système donné [et de l'individualisme lui-même]. » [*Manet*, p. 64.]

Le triomphe de la nature morte, le déclin de la peinture historique et mythologique, cela signifie-t-il la suprématie de la peinture ou celle de l'individu autonome ?)

Étrangement, le narrateur regrette qu'Elstir n'exerce pas sa souveraineté dans la vie comme il le fait sur la toile. S'il peut élever l'hôpital au rang de la cathédrale dans le tableau, pourquoi dédaigne-t-il l'église neuve de Marcouville-l'Orgueilleuse ? Le narrateur voudrait que, dans la vie aussi, Elstir s'en tienne à l'échelle des valeurs du peintre au lieu d'user de celle de l'homme de goût. Cette critique répétée d'Elstir montre à quel point Proust identifie le *tableau* et la *chose vue*. Estir n'a pas le droit d'évaluer la cathédrale en tant que bâtiment, qu'œuvre de l'architecture. Se soucier de sa valeur intrinsèque, c'est l'apprécier en « archéologue ». Elstir parle en fait de la cathédrale en tant que chose à voir (en tant que but de promenade). Mais voir la cathédrale, pour Proust, n'est pas la voir comme une œuvre d'art architecturale, c'est la *voir*, donc l'intégrer dans ce qu'il appelle un *tableau*.

En quoi consiste l'opération du peintre ? On doit lire ici le texte de la visite que fait Marcel à l'atelier d'Elstir (JF, I, p. 834-865). Proust a pris soin d'indiquer combien les abords de la villa que loue Elstir sont laids. Marcel doit feindre de traverser « l'antique royaume des Cimmériens » (toujours les Cimmériens !), la « forêt de Brocéliande », pour oublier « le luxe de pacotille des constructions » le long de la rue de la Plage (p. 834). Mais, comme toujours, le chemin aride conduit à un lieu de révélation, au « laboratoire d'une sorte de nouvelle création du monde ». Dieu a créé les choses, Elstir les a recréées. Voici comment : il a peint sur une toile une vague de mer, sur une autre toile un jeune homme en coutil blanc.

> « Le veston du jeune homme et la vague éclaboussante avaient pris une dignité nouvelle du fait qu'ils continuaient à être, encore que dépourvus de ce en quoi ils passaient pour consister, la vague ne pouvant plus mouiller, ni le veston habiller personne. » (p. 834.)

Le peintre dont Proust veut nous parler ne produit pas un tableau, à savoir : une toile représentant une vague de la mer ou un jeune homme. Il produit une vague qui ne peut mouiller, un veston qui ne peut habiller personne. Dans le monde que le peintre trouve avant lui, il y a des choses matérielles que nous caractérisons, comme le fait Proust, par leurs propriétés *physiques*. Décrire des choses naturelles, c'est indiquer leurs actions et réactions caractéristiques, leurs *natures* : la vague de mer *mouille*, le veston *habille*. Dans le deuxième monde créé par le peintre, toutes ces choses se retrouvent, *continuent à être*, mais sans leurs propriétés naturelles. La vague ne mouille plus, le veston n'habille plus. Pour décrire les choses *vues* ou *peintes*, nous devons nous servir d'un vocabulaire exclusivement composé de termes désignant des propriétés *visuelles*. Il est permis de faire appel ici à une distinction philosophique postérieure à l'œuvre de Proust, mais pleinement accordée à sa pensée de la peinture. On dira que le peintre trouve dans le monde la vague *naturelle*, et qu'il fixe sur la toile la vague *phénoménologique*, celle qui est un pur objet optique, celle dont tout l'*esse* tient dans le *percipi*. C'est pourquoi Proust ne s'occupe nullement de ce qui constitue le travail artisanal du peintre. Bien qu'on soit dans un « laboratoire », il y est fort peu question de préparations ou de manipulations. L'opération du peintre ne se distingue pas essentiellement de l'opération d'un observateur ou d'un spectateur : il s'agit toujours d'extraire de la réalité physique un « tableau », une chose vue réduite à ce qu'il y a en elle de visible.

Or il se pose dans l'atelier un problème de langage. En un sens, toute la *Recherche* est consacrée à ce problème. Ce n'est pas toutefois LE problème DU langage, comme s'expriment plusieurs critiques dans des formulations trop générales (le fameux problème du « défaut du langage », de ce qu'il n'y a pas assez de « mots » dans le langage pour toutes les « choses » dans le monde). C'est le problème d'un langage phénoménologique, d'un langage pour la *description des apparences*. (C'est bien le cas de dire avec Wittgenstein : « La phénoménologie n'existe pas. Ce qui existe, ce sont des problèmes phénoménologiques. » *Remarques sur les couleurs*, p. 9. Et ces problèmes phénoménologiques sont des problèmes de description : décrire l'apparence d'une chose est un jeu de langage plus complexe que décrire sans plus une chose.) Un veston qu'on ne peut enfiler pour s'habiller, est-ce encore un veston ? Une vague qui ne peut mouiller personne, est-ce encore une vague ? Ces entités paraissent étranges, surréelles, parce que nous donnons à l'objet purement optique le même nom que celui utilisé par nous dans le langage de tous les jours pour la chose à l'état naturel. La découverte que doit faire Marcel, dans sa recherche de la vérité, est qu'il doit utiliser les mots de façon différente s'il veut parler de l'*expérience* des choses, de l'*impression* qu'elles font, plutôt que de ces choses elles-mêmes. Dans le langage ordinaire, les mots *beau temps* sont utilisés pour saluer en compagnie d'autrui le soleil, le ciel bleu, la brise légère, etc. Il ne s'agit nullement de tenter de reproduire, par leur moyen, « la pointe intérieure et extrême des sensations » (P, III, p. 374). Le narrateur le déplore. Lorsque Marcel dit « Beau temps ! Il fait bon se promener », il ne veut pas vraiment parler du temps qu'il fait (sujet de conversation), ni de la promenade (peu facile s'il faut lutter contre le vent et la pluie). Il veut parler de l'*expérience* du mauvais temps, de l'*expérience* de la promenade. Ce qui manque alors à Marcel, c'est un langage articulé et fait pour exprimer une esthétique du temps qu'il fait. Ce langage doit être tel qu'on puisse y parler sans paradoxe d'un *bel orage*, d'une *brume mystérieuse*, d'une *sublime tempête*.

Proust parle du regard d'Elstir, non de sa main ou de sa palette. Pour lui, la peinture paraît tenir tout entière dans la *vision*, après quoi il n'y a plus qu'à *fixer* cette vision par des opérations matérielles C'est pourquoi Elstir joue dans la *Recherche* ce rôle d'un artiste qui a trouvé le moyen de représenter l'expérience. Il offre la solution d'un problème de langage qui se pose dans les mêmes termes, selon Proust, au peintre et à l'écrivain.

> « (...) J'y pouvais discerner [= dans les peintures d'Elstir] que le charme de chacune consistait en une sorte de métamorphose des choses représentées, analogue à celle qu'en poésie on nomme métaphore, et que, si Dieu le Père avait créé les choses en les nommant, c'est en leur ôtant leur nom, ou en leur en donnant un autre, qu'Elstir les recréait. » (JF, I, p. 835.)

Pour énoncer le problème commun à la peinture et à la littérature (ici concentrée dans la poésie), Prout fait appel à la théorie poétique des figures de langage. Pour recréer l'objet, il faut lui ôter son nom ou lui en donner un autre. Invoquer une chose sous un autre nom que celui qu'elle porte dans l'usage ordinaire, c'est une métaphore. Mais ôter le nom ? Ici, on devine que Proust a chargé la peinture d'Elstir de tenir lieu de solution à une difficulté théorique de l'écrivain. *Ôter son nom à la vague éclaboussante*, c'est une façon admirable de raconter ce qui se passe quand le peintre fait réapparaître la vague naturelle, celle qui mouille, en vague réduite à sa visibilité. La vague qui continue à être, puisqu'elle est dépourvue de ce en quoi elle passait pour consister, ne doit plus s'appeler *vague*. Dans la peinture réaliste, la vague peinte est encore une vague, ou voudrait l'être. Sur la toile impressionniste, la vague peinte est la vague purement visuelle. Ce qui continue à être n'est plus une vague, mais une zone colorée. Pourtant, cet aspect de l'art impressionniste n'est justement pas propre à soutenir une analogie de la peinture et de la littérature. Le peintre peut montrer une chose pour laquelle nous n'avons pas de noms (encore que nous pourrions en former) : les apparences visuelles d'une vague. Mais l'écrivain qui a retiré son nom à la chose continuant à être après avoir été dénaturée ne peut pas se passer d'un langage pour cette chose. Dans l'opération de la métaphore poétique telle qu'elle est ici conçue, on invoque une chose sous le nom d'une autre. Mais alors de quel nom faut-il désigner la vague phénoménologique ? Quelle est cette autre chose qui va prêter son nom à l'objet purement optique qu'est devenue la vague ? Si le peintre doit, dans sa peinture, opérer un transfert de désignation analogue à celui de la métaphore, il va changer de genre. Elstir ôtant les noms est un peintre impressionniste. Mais Elstir donnant à une chose le nom d'une autre chose est un peintre fantastique.

Chez Proust, la peinture contribue généreusement à la phénoménologie de la perception parce que le peintre est surtout un homme doté d'un regard. Aussi Marcel n'a-t-il pas de peine à retrouver dans sa propre expérience perceptive des épisodes qu'il retrouve dans l'œuvre d'Elstir. Par exemple, il lui est arrivé à Balbec « de prendre une partie plus sombre de la mer pour une côte éloignée, ou de regarder avec joie une zone bleue et fluide sans savoir si elle appartenait à la mer ou au ciel » (JF, I, p. 835). Regarder avec joie, non *la mer ou le ciel*, mais *une zone bleue*, c'est en effet une expérience « impressionniste ». Un objet phénoménologique est créé à partir d'une chose naturelle à la faveur d'un retrait du nom ? (Pourquoi cette façon de regader est-elle joyeuse ? Pourquoi l'objet phénoménologique a-t-il ce que Proust appelait une « dignité nouvelle » ? Peut-être parce que le regard se montre ici souverain.) En revanche, appeler une partie sombre de la mer *côte éloignée*, donner à une chose le nom d'une autre, c'est être sujet à une illusion d'optique. Prendre la mer pour la terre n'est pas quitter le monde des choses naturelles pour entrer dans le monde des objets phénoménologiques, mais c'est prendre une chose du monde naturel pour une autre chose du monde naturel. Le regard n'est pas libéré, mais piégé. La chose est encore plus évidente dans l'exemple que donne ensuite Proust, et qui a trait à une erreur du sens auditif.

> « C'est ainsi qu'il m'arrivait à Paris, dans ma chambre, d'entendre une dispute, presque une émeute, jusqu'à ce que j'eusse rapporté à sa cause, par exemple une voiture dont le roulement approchait, ce bruit dont j'éliminais alors ces vociférations aiguës et discordantes que mon oreille avait réellement entendues, mais que mon intelligence savait que des roues ne produisaient pas. » *(Ibid.)*.

Pour suivre l'analogie des opérations de la peinture et de celles de l'écrivain dans le langage, on devra dire ici que le style impressionniste serait d'appeler le bruit de voiture *roulement*, mais que de l'appeler *dispute* ou *émeute* relève d'un style fantastique ou « visionnaire ». Proust attribue en réalité deux styles à Elstir, mais voudrait que nous les prenions pour une seule et même manière de peindre. Lorsqu'il écrit qu'Elstir ne veut pas exposer les choses « telles qu'il savait qu'elles étaient, mais selon les illusions optiques dont notre vision première est faite » (FJ, I, p. 838), la partie négative de la caractérisation indique un impressionnisme d'Elstir, mais la partie positive en fait une sorte de surréaliste. Bien entendu, en écrivant cela, Proust pense au mot de Turner qu'il a lui-même cité dans son texte sur Ruskin : un officier de marine reproche à Turner d'avoir dessiné un vaisseau de ligne sans ses sabords ; Turner répond que ces sabords ne sont pas visibles quand on regarde le vaisseau à contre-jour du haut du mont Edgecumbe ; « mon affaire est de dessiner ce que je vois, non ce que je sais », déclare Turner (voir dans les *Mélanges* de Proust, le texte « John Ruskin », csb, p. 121). Or il y a une différence entre Turner qui omet les sabords parce qu'il ne les voit pas, et Elstir qui fixe une illusion d'optique. Turner peint ce qu'il voit. Il se trouve que *ce qu'il voit* inclut le vaisseau, mais non les sabords du vaisseau. La perception du vaisseau, dans les conditions indiquées, est incomplète, partiellement indéterminée. On voit un vaisseau, on ne voit pas les sabords du vaisseau. Ce n'est pourtant pas comme si on disait : on voit un vaisseau *sans sabords*, on voit un vaisseau *n'ayant pas de sabords*, ou encore, on voit *que le vaisseau n'a pas de sabords*. Dans ce dernier cas, la perception n'est pas incomplète, indéterminée sous le rapport des sabords (y en a-t-il ou non ?). Elle est bel et bien trompeuse, illusoire. A ces deux possibilités correspondent deux peintures. Le peintre impressionniste montre le vaisseau qu'il voit, mais non les sabords qu'il ne voit pas. Le peintre fantastique, ne voyant pas de sabords, montre un vaisseau qui n'a pas de sabords. Comme le disait Proust dans une formule frappante de *Jean Santeuil*, le peintre impressionniste ne doit pas peindre *ce qu'il ne voit pas* — ici, le fait qu'il n'y ait pas de sabords —, mais il doit peindre *qu'il ne voit pas* : qu'il ne voit pas si le vaisseau a ou non des sabords. (Proust parlait dans cette page ancienne d'un paysage de brume. « A cet endroit du tableau, peindre ni ce qu'on voit puisqu'on ne voit rien, ni ce qu'on ne voit pas puisqu'on ne doit peindre que ce qu'on voit, mais peindre qu'on ne voit pas, que la défaillance de l'œil lui soit infligée sur la toile comme sur la rivière, c'est bien beau. » *Jean Santeuil*, p. 896.)

Le côté Sévigné d'Elstir, c'est le côté fantastique. L'artiste va privilégier les expériences de méprise, les anamorphoses, les illusions d'optique, les perspectives curieuses, les effets de lumière, bref, tous ces « véritables mirages » auxquels Estir s'est intéressé (jf, I, p. 839). La raison de couvrir cet art des mirages du label « impressionnisme » n'est plus du tout tirée d'une phénoménologie du visible, mais d'une bonne vieille psychologie intellectualiste des erreurs des sens. Dans sa deuxième station auprès des tableaux d'Elstir, dans le cabinet du duc de Guermantes, Marcel se fait cette réflexion : il nous arrive de prendre, par un effet de lumière, un « pan de mur violemment éclairé » pour une « longue rue claire qui commence à quelques mètres de nous ». Nous avons donc l'expérience d'un « mirage de la profondeur ».

> « Dès lors n'est-il pas logique, non pas artifice de symbolisme mais par retour sincère à la racine même de l'impression, de représenter une chose par cette autre que dans l'éclair d'une illusion première nous avons prise pour elle ? » (CG, II, p. 419.)

Dans la psychologie des facultés de l'esprit qui égare ici Proust, l'intelligence doit corriger les impressions sensibles. Oubliant que le mirage est *par définition* exceptionnel, Proust voudrait nous faire croire que le peintre impressionniste, pour représenter le mur visible, se doit de le changer en autre chose, par exemple en rue.

Il n'est pas inutile de noter que Proust a donné une citation soigneusement découpée de la lettre de Mme de Sévigné lorsqu'il a voulu citer un échantillon de sa peinture de paysage. Il fait commencer sa citation après une phrase introductrice qu'il omet. Voici cette phrase :

> « L'autre jour on me vint dire : "Madame, il fait chaud dans le mail ; il n'y a pas un brin de vent. La lune y fait des effets les plus brillants du monde." Je ne pus résister à la tentation. Je mets mon infanterie sur pied. Je mets touts mes bonnets, etc. »

La présence d'un tel préambule s'accorde assez mal avec une décision de violer l'« ordre logique » au profit d'un « ordre des perceptions ». Selon cette décision, il faudrait aller dans le mail, y voir les moines blancs et noirs, et découvrir *ensuite* qu'il s'agissait d'une effet de lune. Mais, ici, nous étions prévenus. Par ailleurs, on peut remarquer que Proust interrompt sa citation au moment qui lui convient. Il se garde bien de donner à son lecteur l'excellent commentaire de la marquise :

> « Après avoir ri de toutes ces figures, et nous être persuadés que voilà ce qui s'appelle des esprits et que notre imagination en est le théâtre, nous nous en revînmes sans nous arrêter, et sans avoir senti la moindre humidité. »

Commentaire bien supérieur à celui que Proust offre lorsqu'il oppose les « impressions » de la sensibilité et les « notions » de l'intelligence. La marquises de Sévigné a en effet décrit *ce qu'elle a vu* dans le mail : des coquecigrues, des moines, des religieuses, du linge, etc. Proust retient qu'elle dit : Je trouve des moines noirs et blancs, et non pas quelque chose comme : On aurait dit des moines noirs et blancs. Mais le point important lui échappe : la marquise de Sévigné a vu des *figures* et non des *choses*. Dans un idiome philosophique plus récent, on dira qu'elle a vue des objets purement visuels et non des choses naturelles. C'est pourquoi toute la série des figures est justement introduite par la *coquecigrue*, qui est l'objet fantastique par excellence. Mme de Sévigné rapporte ici un pur spectacle, une *fantasmagorie*. Si le récit était donné pour relater une aventure réelle, non un spectacle, il faudrait dire, non qu'elle a rencontré des moines (en chair et en os), mais qu'elle a rencontré des esprits, des créatures de la nuit.

La vérité est donc qu'il n'y a pas le moindre *côté Dostoïevski de Mme de Sévigné*. L'analogie Sévigné/paysage//Dostoïevski/personnage se brise en son moyen terme : Elstir. Le côté Elstir de Mme de Sévigné est le côté par où Elstir peint ce qui se joue sur la scène de ce « théâtre de l'imagination » dont parle la marquise. Le côté Elstir de Dostoïevski est le côté par où Elstir pratique une stricte restriction de ce qu'il va peindre aux apparences visuelles, tout comme Dostoïevski aux apparences romanesques. Quand la mer ne se distingue pas du ciel et forme avec lui une tache bleue, c'est un effet impressionniste. Elstir peint qu'il ne voit pas, tout comme le romancier peut raconter un épisode qu'on ne comprend pas, qu'on ne sait pas interpréter. Mais, quand Elstir peint un mirage, ou bien quand nous prenons un pan de mur pour une rue, c'est une illusion d'optique.

Si Proust paraît tant tenir à ce que la technique romanesque de Dostoïevski ait quelque chose à voir avec les effets fantasmagoriques de Mme de Sévigné, c'est sans doute parce qu'il cherche à réduire les *erreurs* que font les personnages les uns sur les autres à des *illusions d'optique*. Le romancier va peindre les erreurs. Si les erreurs sont des illusions d'optique, on pourra invoquer pour les expliquer une *optique des esprits*. Il n'entrera dans l'erreur aucune faute de jugement, aucun manque de discernement, aucun aveuglement. Le personnage qui se trompe est simplement victime d'une illusion.

> « Cette perpétuelle erreur, qui est précisément "la vie", ne donne pas ses mille formes seulement à l'univers visible et à l'univers audible, mais à l'univers social, à l'univers sentimental, à l'univers historique, etc. La princesse de Luxembourg n'a qu'une situation de cocotte pour la femme du Premier Président (...). Odette est une femme difficile pour Swann, d'où il bâtit tout un roman qui ne devient que plus douloureux quand il comprend son erreur (...). » (F, III, p. 573-574.)

Les exemples d'erreur que donne ici Proust appartiennent à ce qu'on peut appeler l'erreur romanesque, puisqu'il s'agit de l'erreur que fait quelqu'un sur quelqu'un d'autre. Proust a donné avant un exemple d'erreur dans l'« univers visible », exemple qui introduit justement cette méditation du narrateur. Marcel, consultant le registre du concierge pour savoir le nom de la jeune fille blonde (Gilberte) qu'il a vue entrant dans l'hôtel de Guermantes, lit de travers. Cette erreur de lecture est elle aussi romanesque, puisqu'elle provoque une méprise, une scène de quiproquo. Nous sommes bien loin des illusions que Proust disait *poétiques* et sources de joie quand il en faisait la matière de l'œuvre d'Elstir. Or le point important est que l'erreur comme illusion d'optique n'est corrigible que par un changement de point de vue, un déplacement. Le roman, qui non seulement peint les erreurs, mais raconte comment elles sont peu à peu rectifiées, est le récit des circonstances dans lesquelles le personnage découvre douloureusement son erreur. Quelle sorte de déplacement permet de rectifier une erreur romanesque ?

De même que Swann a pris Odette pour une femme difficile à avoir, de même Robert de Saint-Loup a pris Rachel pour une femme précieuse. Marcel est mieux informé, puisqu'il n'en a pas voulu pour vingt francs. Voulant ramener la différence de leurs opinions sur Rachel à une différence de perspective, Proust tend à adopter un ton sceptique, comme si c'était à chacun sa vérité. Rachel est pour Marcel « Rachel quand du Seigneur » parce qu'il l'a vue pour la première fois dans une maison de passe. Elle est précieuse pour Robert parce qu'il l'a vue pour la première fois sur la scène de théâtre. Si ce sont là deux perspectives, chacun d'eux voit un *aspect* de Rachel. Aucun d'eux n'a tort ou raison.

Il entre dans cette différence d'appréciation une part de circonstances et une part de jeu érotique (le « hasard d'un instant, d'un instant pendant lequel celle qui semblait prête à se donner se dérobe », CG, II, p. 159). Or, cette différence, Proust voudrait l'expliquer par un pur effet d'optique. Par la suite, Marcel a l'occasion de voir Rachel jouer au théâtre. Vue de la salle, de loin, elle est métamorphosée. Marcel s'aperçoit qu'il la voit maintenant comme la voit Robert, parce qu'il occupe le même point de vue que lui. Il comprend donc « la nature de l'illusion dont Saint-Loup était victime à l'égard de Rachel et qui avait mis un abîme entre les images que nous avions de sa maîtresse, Robert et moi, quand nous la voyions ce matin même sous les poiriers en fleurs » (CG, II, p. 174). Mais, ce matin, il ne s'agissait pas du visage de Rachel, comme c'est maintenant le cas, il s'agissait du *prix* de Rachel. Les apparences qui tiennent au fait de regarder de près ou de loin sont purement visuelles. Rachel vue de près a un visage quelconque. Vu de loin, son visage est bien dessiné. Le narrateur peut en effet partager la perspective de Robert parce qu'il s'agit du point de vue au sens propre du mot. Marcel peut voir Rachel comme la voit Robert, tout comme la marquise de Sévigné pouvait voir les mêmes effets de lune que ses gens qui l'on appelée dans le mail, ou comme on peut voir le même arc-en-ciel que quelqu'un en prenant sa place. Mais, ce matin, la perspective de Robert n'était pas le point de vue d'un observateur sur un objet visuel. C'était la perspective d'un amoureux.

En fait, Robert a lui aussi l'occasion de voir une autre femme en Rachel que celle qui l'a séduit. Il se produit un *déplacement* de Rachel qui lui découvre un côté jusque-là inconnu. En effet, Rachel rencontre à la gare deux amies qui l'interpellent familièrement. Or ces amies ont mauvais genre, ce sont « deux pauvres petites poules » accompagnées de leurs amants, des « calicots » (CG, II, p. 161).

> « En somme Rachel s'était un instant dédoublée pour lui, il avait aperçu à quelque distance de sa Rachel la Rachel petite poule, la Rachel réelle, si toutefois l'on peut dire que la Rachel poule fût plus réelle que l'autre. » (CG II, p. 162.)

Le perspectivisme optique impose ici à Proust de tenir les descriptions de Rachel — en *poule* et en *femme précieuse* — pour aussi fondées l'une que l'autre, au moment même où tout le sens de cette partie du récit est de démonter l'illusion dans laquelle vit un amoureux. Pourtant, cette scène rétablit le sens romanesque d'une rectification de l'erreur. Si Robert est un instant capable d'apercevoir Rachel en petite poule, c'est parce qu'elle se trouve brièvement en contact avec ses deux amies, échangeant avec elles des propos de petite poule, partageant donc « une vie insoupçonnée, fort différente de celle qu'il menait avec elle, une vie où on avait des femmes pour un louis » *(ibid.).* Lorsque Proust écrit que Robert *entrevoit* cette vie, *aperçoit* la Rachel petite poule, il n'emploie plus le concept phénoménologique du *voir*, celui qu'on avait dans le précepte : Il faut peindre ce qu'on voit. Le *voir* dont il s'agit ici est celui que nous invoquons pour fonder un jugement sur quelqu'un (par exemple en disant : J'ai *vu* que c'était une petite poule). Pour exprimer ce qui est donné à voir dans ce type éthique de vision, on ne va pas se limiter à un vocabulaire des qualités sensibles (couleurs, figures, mouvements dans l'espace) mais on aura recours à toutes les ressources du vocabulaire de la description psychologique, morale, sociale, etc.

Lorsque Marcel découvre que Rachel vue de loin a effectivement un visage parfait, il ne rectifie aucune erreur. Sa découverte ne porte pas sur la femme qui s'appelle Rachel, mais sur un objet phénoménologique, les apparences de Rachel données à un spectateur placé au fond de la salle. Mais, lorsque Rachel se dédouble devant Robert à la faveur des circonstances qui démasquent sa vie de petite poule, Robert de Saint-Loup ne change de perspective qu'au sens métaphorique. Il s'agit plutôt d'un effet romanesque : l'occasion lui est donnée de rectifier les fausses suppositions qu'il a faites sur Rachel. Loin d'être *vitime d'une illusion*, il est l'artisan obstiné de son erreur, puisqu'il se dépêche d'oublier cet instant déplaisant.

Dans l'atelier d'Elstir, le narrateur découvre la beauté d'une peinture des erreurs. Mais peindre les erreurs au sens de Mme de Sévigné ou d'Elstir fixant un mirage, c'est représenter un *enchantement*. Elstir montre la nature « telle qu'elle est, poétiquement » (JF, I, p. 835). Ce qui veut dire : telle qu'elle est lorsqu'elle accorde la faveur d'apparences fantastiques, ici tenues pour le royaume du « poétique ». Lorsque Proust donne en virtuose une description « impressionniste » du monde silencieux habité par le sujet phénoménologique qui s'est mis des boules de coton dans les oreilles, il emploie naturellement les mots : « chambre magique », « Terre presque édenique », « roi de féerie », « univers magique » (CG, II, p. 75-78). Le dérèglement des sens donne au sujet le moyen de voir à volonté, d'entendre à volonté. L'univers allégé de sa matière permet toutes les métamorphoses. Elles sont un enchantement si le sujet de cette expérience n'a pas affaire aux choses, dans leur présence physique, mais seulement, en phénoménologue, à leur présence sensible, à ce qui de ces choses s'impose à son attention. Celui qui s'est mis des boules Quiès pour supprimer les bruits importuns est émerveillé. (En amour aussi, demande Proust, ne faudrait-il pas se boucher les oreilles, chercher à *réduire* « non pas l'être extérieur que nous aimons, mais notre capacité de souffrir par lui » ? CG, II, p. 75) Mais si l'abolition du bruit est définitive, si le sujet de l'expérience est un malheureux sourd, sa vie devient un cauchemar, par exemple s'il doit faire bouillir du lait et que son regard s'est porté ailleurs.

> « Car déjà l'œuf ascendant et spasmodique du lait qui bout accomplit sa crue en quelques soulèvements obliques, enfle, arrondit quelques voiles à demi chavirées qu'avait plissées la crème (...). » (CG, II, p. 77.)

C'est la mésaventure d'un retour un peu brusque de la présence phénoménale, celle que le sujet contrôle en agissant sur soi, à la pleine présence physique.

En revanche, lorsque le romancier peint les erreurs comme le fait Dostoïevski, il est bien loin de peindre un enchantement ou une fantasmagorie. Le type de l'erreur à peindre est maintenant le fait de se tromper sur quelqu'un. Le roman raconte un amour de Swann, un amour de Saint-Loup, des amours de Marcel. Il arrive à Proust de présenter ces erreurs comme *poétiques*, assimilant la poésie à la noble illusion, au donquichottisme résolu.

> « De plus, les gens dont le cœur n'est pas directement en cause, jugeant toujours les liaisons à éviter, les mauvais mariages, comme si on était libre de choisir ce qu'on aime, ne

tiennent pas compte du *mirage délicieux* que l'amour projette
et qui enveloppe si entièrement et si uniquement la personne
dont on est amoureux que la ''sottise'' que fait un homme en
épousant une cuisinière ou la maîtresse de son meilleur ami est
en général le seul *acte poétique* qu'il accomplisse au cours de
son existence. » (F, III, p. 678-679 ; je souligne.)

Cela, c'est le plaidoyer de l'amoureux réclamant qu'on le juge
du dedans, en tenant compte de la poésie (ici prise au sens
conventionnel de *rêve*). Pour le romancier, l'acte qui semble
si poétique au héros est plutôt l'aveuglement initial d'où il
sortira un drame.

16. LA RÉALISATION DE SOI DANS L'INSTITUTION DE LA LITTÉRATURE

J'ai cherché la pensée du roman moins dans les interpolations d'intention spéculative que dans le roman même. J'ai voulu prendre à la lettre ce que dit Proust à la fin de son récit : que son livre est moins un texte communiquant une pensée qu'une sorte d'instrument pour penser, pour y voir clair. Mon lecteur, écrit Proust, n'est pas le lecteur de mon livre, il est le lecteur de soi-même grâce à cet instrument d'optique que je lui procure (TR, III, p. 911, p. 1033). La forme romanesque de la présentation d'une vie serait cet instrument qui permet d'éclaircir les pensées et les sentiments confus du personnage principal. La *philosophie du roman* est qu'une pensée relative à ce qui vous arrive est plus claire (mieux écrite, de meilleur style, disent les romanciers) si elle est tournée en un rapport entre des personnages.

Mais, si la sorte de lecture que j'ai proposée a quelque fondement, il faut qu'on puisse éclaircir par le roman jusqu'aux obscures méditations du narrateur dans le *Temps retrouvé*. La question est alors de savoir comment une méditation, dont l'occasion est trouvée dans des réminiscences et dont le sujet est « l'essence même de l'œuvre d'art » (TR, III, p. 1044), peut être traduite en un scénario romanesque.

Je n'ai pas soutenu qu'on trouvait dans la *Recherche* une traduction romanesque, mot pour mot, de l'essai dont Proust était parti. Il est trop évident que l'analyse romanesque n'y est pas complète. (Je parle d'*analyse* dans le sens des philosophes ; analyser une proposition, c'est remplacer une forme d'expression par une autre, de façon à éclaircir le statut logique des termes employés. De même, l'analyse romanesque consiste

LA RÉALISATION DE SOI

à traduire une idée exprimée en termes généraux en une idée de roman. Par exemple, l'idée générale est que l'imagination humaine transfigure les choses, tandis que l'idée de roman est un scénario de malentendu entre un jeune homme sensible et une duchesse.) La *Recherche* comme roman n'est pas seulement l'essai proustien sur l'art et la littérature traduit en termes romanesques (en « stratégies » et « erreurs » des personnages dans leur commerce mutuel). Les critiques nous disent que Proust a transposé sa pensée, déjà formulée théoriquement, dans une narration. Ma thèse a été que ce n'était pas exact, pour deux raisons. D'une part, plusieurs idées de l'essai ne peuvent recevoir aucune transposition narrative, à moins d'être grandement corrigées ou prises pour de simples façons de parler. C'est ce qu'on aperçoit dès qu'on cherche à comprendre philosophiquement les thèses de l'essai, je veux dire : à les comprendre comme des thèses philosophiques. Mais il y a plus : le roman pris comme roman offre les éléments d'une autre philosophie et peut faire l'objet d'une lecture philosophique *à part* de l'essai dont il est censé illustrer les dogmes. Le roman nous propose le *vocabulaire* d'une pensée des affaires humaines. Alors que l'essai de Proust parle le langage d'un *essai de psychologie subjective*, le roman parle le langage d'un *récit d'action*.

Dans la construction de l'œuvre, la méditation du narrateur est censée dégager le sens de tout ce qui a précédé. Mais ce sens, il convient encore que nous le comprenions. Et, puisqu'il est le sens du roman, nous devrions pouvoir le comprendre dans les catégories fournies par le roman.

L'événement rapporté dans le *Temps retrouvé* n'a plus rien de romanesque. Cet événement, c'est en effet le « renouvellement spirituel » (TR, III, p. 882) du narrateur. Le récit pousse ici à l'extrême la division inventée par Rousseau entre la série des événements de la vie et la série des impressions de l'âme. Que se passe-t-il dans la vie « extérieure » du narrateur au cours de la matinée chez la princesse de Guermantes ? Rien de notable. Dans la série des événements de la vie, tout est insignifiant : la matinée est insipide, les personnages, qui ont perdu leur prestige en même temps que l'éclat de la jeunesse, ne font que radoter, n'ont rien appris, offrent la caricature d'eux-mêmes. Les propos qu'ils échangent sont vides. La seule leçon qui se dégage est qu'il n'y a plus de

Faubourg Saint-Germain, qu'on y admet n'importe qui, etc. (TR, III, p. 957). Mais cela, c'est ce que tout le monde a toujours dit depuis qu'il y a « monde » : *il n'y a plus de Faubourg Saint-Germain* (voir F, III, p. 661). De sorte que la vie extérieure du héros serait un pur néant d'événement s'il n'y avait pas quelques incidents minuscules : le héros a trébuché sur deux pavés inégaux, un domestique a cogné une cuiller contre une assiette, Marcel s'est essuyé la bouche avec une serviette empesée. Ces événements infimes sont les véritables faits marquants de la matinée, parce qu'il leur correspond dans la série des impressions, ou événements de la vie intérieure, des expériences décisives.

La disproportion est criante entre la place qu'ont les incidents rapportés dans l'histoire du *monde* et celle qu'ils reçoivent dans l'histoire de l'*âme* du narrateur. Proust pourrait dire comme Rousseau : *les faits ne sont ici que des causes occasionnelles.* Il semble donc que le genre de la *Confession* triomphe finalement de la forme romanesque du récit. Après toute une vie passée dans le monde à n'y rien faire de satisfaisant, le narrateur découvre enfin la vérité qu'il cherchait dans l'expérience intérieure. Toutefois, la construction de l'œuvre veut que nous devions traverser le roman du Temps perdu pour atteindre le monologue du Temps retrouvé. Même si le *Temps retrouvé* est au cœur de la « cathédrale » de la *Recherche* (TR, III, p. 1033), même s'il est la chapelle où s'organise l'adoration perpétuelle du mystère de la présence sensible du divin, encore faut-il se souvenir que nous y accédons par la voie longue des errements mondains du narrateur.

Qu'il y ait une philosophie du roman veut dire alors ceci : le roman nous a déjà donné les moyens de comprendre en termes romanesques l'expérience spirituelle du *Temps retrouvé*. Le roman nous a communiqué un vocabulaire permettant de traduire le monologue final en une aventure du héros à l'intérieur de son monde. Dans le monologue présentant sa méditation, le narrateur rapporte une expérience intime. Mais, dans le roman, ce même narrateur s'adresse au public et fait état de ce qu'il a vécu pour revendiquer une position exceptionnelle parmi ses semblables. Il s'autorise de ce qui lui a été révélé (à lui et à lui seul, dans une communication de sagesse privée) pour réclamer que lui soit reconnu la qualité (publique) d'*écrivain*. Ainsi, ce qui figure dans le monologue

LA RÉALISATION DE SOI

comme aventure de l'âme du narrateur doit être compris, dans le roman, comme un acte de s'individualiser. Dans ia société qu'a connue Proust, l'*institution de la littérature* permet à quelqu'un de revendiquer et d'obtenir, à certaines conditions, le statut d'individu autonome.

Quel a donc été le sujet de l'ensemble de la *Recherche* prise comme un récit ? Il ne suffit pas de dire : *Marcel devient écrivain*. Cette phrase n'est pas vraiment narrative, ne faisant que mentionner un fait relatif à Marcel. Nous ne pouvons pas la développer en un récit plus circonstancié parce que nous ne savons pas ce qui va déterminer ce simple fait en un événement. (Est-ce une action dont Marcel pourrait tirer gloire ? Est-ce une faveur dont il devrait se féliciter ?) Du même coup, le résumé *Marcel devient écrivain* n'emploie qu'un concept vide du temps. Le sens de ce « devenir » est en effet celui-ci :
1. Tout d'abord, ceci est vrai : *Marcel n'écrit pas* ;
2. Plus tard, ceci est vrai : *Marcel écrit*.

Entre ces deux constats, du temps a passé. Mais le temps comme ordre d'une succession des états de Marcel n'est qu'une forme de représentation. Grâce au temps compris comme « dimension », nous pouvons poser ensemble diverses descriptions contradictoires de Marcel. Autrement dit, le temps de *Marcel devient écrivain* n'est pas un temps réel. Il n'est pas le temps requis pour que s'accomplisse, *dans le monde*, un changement *spécifique*.

Dans un roman réaliste de l'écrivain, on aurait ce genre de scénario : le héros devient un écrivain bien que sa famille s'en désole, bien que ses concurrents cherchent à ruiner sa carrière, bien qu'il n'ait pas d'argent, etc. Mais il n'y a aucun obstacle réel, au sens prosaïque de la réalité, qui s'oppose à la vocation de Marcel. Ses parents, sans être positivement ravis de son projet littéraire, respectent sa liberté. Sa grand-mère l'encourage discrètement. Diverses sommités offrent leurs bons services, même si Marcel a le sentiment d'être incompris. Dans la *Recherche*, donc, aucun drame de l'écrivain, à moins qu'il faille tenir pour un drame le fait d'être entièrement libre d'écrire si seulement on le désire. (Il est remarquable que les parents de Marcel ne le pressent pas de choisir un métier ou de prendre femme. Hegel écrit qu'il y a, du point de vue moderne des droits de l'homme, deux choses inadmissibles dans la

République de Platon : que les citoyens ne puissent pas manifester leur particularité dans le libre choix d'une *profession* et d'un *conjoint*. Voir Hegel, *Philosophie du droit*, § 185. A cet égard, Marcel est dans le monde un être comblé, dont le droit à la libre satisfaction de sa particularité est pleinement respecté.)

Marcel ne peut pas désigner dans telle circonstance du monde la cause de ce qu'il n'écrit pas. Du même coup, il ne peut attendre un secours du monde lui-même (par exemple, d'« irrésistibles lettres de recommandation » que lui écrirait son père ; cs, I, p. 173). En fait, le monde est étrangement libre d'obstacles, de ce qu'on appellerait en langage prosaïque de véritables obstacles. Quant aux infortunes réelles du narrateur, par exemple sa santé fragile, elles ne sont pas du tout en cause (et auraient plutôt cet effet bénéfique qu'elles le détachent du souci du monde).

Pourquoi Marcel n'écrit-il pas, tant qu'il n'écrit pas ? Le narrateur parle de son manque de « dons littéraires », qu'on ne confondra pas avec le simple talent de tourner ses phrases. C'est bien le cas de distinguer avec Beckett l'artiste qui acquiert la « vision » et l'artisan qui fabrique de belles « pages ». En réalité, on a toujours reconnu à Marcel de la *facilité* (TR, III, p. 1041). L'obstacle ne vient donc pas de telle chose dans le monde (pauvreté, persécution, que sais-je ?) mais de la figure même du monde. Si Marcel n'est pas inspiré, c'est que le monde est trop rarement beau. (Comment le monde comme tel peut-il être beau ou laid ? Voir la note à la fin de ce chapitre.) Marcel n'est pas inspiré parce qu'*il s'ennuie*. On se souvient que l'ennui n'est pas dans la *Recherche* un simple prédicat psychologique, mais qu'il est aussi un prédicat spirituel. L'ennui dans le sens psychologique est celui que dégage les « ennuyeux », les fauteurs d'embarras dont parle Mme Verdurin. Mais l'ennui au sens spirituel désigne un état de l'*âme*, à savoir l'état dans lequel a disparu la capacité à éprouver de la joie. L'être qui s'ennuie a perdu, si l'on veut, l'« appétit de vivre » (TR, III, p. 872). Ordinairement, l'ennui s'explique par une situation d'exil ou d'abandon. Lorsque la famille du narrateur déménage pour venir habiter dans une dépendance de l'hôtel de Guermantes, Françoise se sent perdue et dit qu'elle s'ennuie. Mais, dans la langue de Françoise, qui reste classique, le verbe *s'ennuyer* comporte un complément circonstanciel. On s'ennuie *après quelque chose*. Ce mal que Françoise appelle ennui, c'est « l'ennui dans ce sens énergique qu'il a chez Corneille ou sous la plume des soldats qui finissent par se suicider parce qu'ils s'''"ennuient" trop après leur fiancée, leur village » (CG, II, p. 19). On s'ennuie loin de *chez soi*, si l'on entend par chez soi, non le domicile ou la résidence principale, mais le *pays*, le lieu où l'on sait devoir être. Mais, justement, le narrateur ne s'ennuie pas « après son village ». Rien ne l'empêche d'y retourner, ce qu'il se garde bien de faire. Quand il retrouve finalement Combray, invité par Gilberte à Tansonville, il est déçu. Pourquoi Marcel s'ennuie-t-il ? Ou plutôt : *après quoi* s'ennuie-t-il, si l'on peut dire ? Il ne sait pas le dire tant qu'il peut, libre de son temps et riche, s'installer où il veut. Marcel offre donc un cas typique du « phénomène cruel contemporain », noté par Mallarmé : « *être quelque part où l'on veut et s'y sentir étranger* » (*Crayonné au théâtre*, p. 326).

Ennuyé, ou plutôt s'ennuyant, Marcel est indifférent à tout ce qui s'offre ici, on dirait presque : *ici-bas*. Mais il ne saurait dire de quel pays natal il se sent séparé. Il voudrait écrire, mais n'a pas le cœur de se mettre à l'ouvrage. Ce n'est pas qu'il n'éprouve jamais de la joie. Déjà à Combray, au cours de ces promenades où il se désole de « devoir renoncer à être jamais un écrivain célèbre » (CS, I, p. 178), il lui arrive d'oublier son découragement parce que certaines impressions l'ont retenu (un toit, un reflet de soleil sur une pierre, l'odeur d'un chemin). Préparant de loin la révélation du *Temps retrouvé*, Proust a donc déjà disposé le remède à côté du mal. Marcel n'écrit pas parce qu'il n'a pas la pensée de chercher dans cette sorte d'impressions le matériau de son œuvre. Il n'a pas encore compris la valeur de ces sensations.

> « Certes, ce n'était pas des impressions de ce genre qui pouvaient me rendre l'espérance que j'avais perdue de pouvoir être un jour écrivain et poète, car elles étaient toujours liées à un objet particulier dépourvu de valeur intellectuelle et ne se rapportant à aucune vérité abstraite. Mais du moins elles me donnaient un plaisir irraisonné, l'illusion d'une sorte de fécondité et par là me distrayaient de l'ennui, du sentiment de mon impuissance que j'avais éprouvés chaque fois que j'avais cherché un sujet philosophique pour une grande œuvre littéraire. » (CS, I, p. 179.)

C'est clairement poser que le héros, à cette date, ne juge pas que ces impressions puissent lui fournir un sujet à la hauteur de ses ambitions. Il ne s'agit de rien de moins que de devenir un *écrivain célèbre*, l'auteur d'une *grande œuvre littéraire*. De telles aspirations supposent en effet que l'écrivain à venir, s'il doit être un nouveau Gœthe ou un nouveau Tolstoï, s'attaque à quelque « sujet philosophique ».

Le sujet de la *Recherche* est donc : *Marcel devient un grand écrivain*. Ce qui veut dire : d'abord, Marcel n'arrive pas à devenir ce grand écrivain qu'il veut être, non qu'il n'écrive matériellement rien, mais parce que rien de ce qu'il écrit ne le change en grand écrivain ; ensuite, Marcel a trouvé le sujet d'une grande œuvre.

Devenir un grand écrivain n'est pas un exploit qu'on puisse réussir à l'aventure, en exploitant adroitement les circonstances, en obtenant le concours des puissants. Il n'y a donc pas là le sujet d'un roman réaliste. On pourrait même penser qu'il n'y a là aucun sujet de roman. Proust l'a peut-être pensé quand il écrivait ses pages contre Sainte-Beuve. Quelle est en effet l'idée de Proust critique et théoricien de la littérature ? Il l'a bien rendue en détournant, dans sa préface au livre de son ami Jacques Blanche, le proverbe selon lequel il n'y a pas de grand homme pour son valet de chambre. Il faudrait dire : « Il n'y a pas de grand homme pour ses amphitryons, il n'y a pas de grand homme pour ses invités. » (CSB, p. 571.) On ne connaît pas mieux l'œuvre du grand écrivain pour avoir dîné plusieurs fois avec lui chez telle maîtresse de maison.

Tant que cette idée reste une idée de critique, à exprimer dans un essai, elle ne donne lieu qu'au développement d'un mythe de l'âme. Dans le salon, on rencontre l'homme extérieur, le *moi* terrestre. Il faut lire l'œuvre pour connaître l'homme intérieur, le *moi* céleste. C'est justement dans ce sens *gnostique* que Proust développe son idée dans cette même préface. Il reproche à son ami d'avoir commis la même erreur que Sainte-Beuve :

> « Le défaut de Jacques Blanche critique, comme de Sainte-Beuve, c'est de refaire l'inverse du trajet qu'accomplit l'artiste pour se réaliser, c'est d'expliquer le Fantin ou le Manet véritables, celui que l'on ne trouve que dans leur œuvre, à l'aide de l'homme périssable, pareil à ses contemporains, pétri

de défauts, auquel une âme originale était enchaînée, et contre lequel elle protestait (…). » (CSB, p. 577.)

Ici, le vocabulaire gnostique est repris pour énoncer le dogme majeur du credo symboliste : que la justification de l'artiste qui écrit est de ne pas être « pareil à ses semblables ». La différence de l'« âme originale » légitime l'acte insensé d'écrire. Dans cette version de son idée, Proust conçoit la réalisation de soi comme une entreprise purement individuelle. Chacun porte en soi la virtualité d'un être original, d'un *soi* authentique. La vie en société, parmi ses semblables, compromet le projet d'être soi. En société, l'homme périssable s'épanouit tandis que l'âme originale dépérit. (C'est à se demander par quelle faiblesse le grand homme consent à se rendre dans le monde, qui pourtant lui apparaît le « royaume du néant », P, III, p. 276. Il en va ici comme du philosophe idéaliste qui ne s'en présente pas moins à l'Académie.)

Saint-Loup, en bon intellectuel lecteur de Nietzsche (JF, I, p. 732), conçoit lui aussi le sens de la vie comme à trouver dans la réalisation d'un soi individuel. Le narrateur lui prête la plainte suivante : est-ce la peine que j'aie fait personnellement l'effort de rompre avec les préjugés de ma classe et de choisir mes compagnons parmi les intellectuels dreyfusards pour que ces derniers ne s'intéressent en moi qu'au *jeune noble*,

> « pour que le seul être qui apparaisse en moi (…) soit non celui que ma volonté, en s'efforçant et en méritant, a modelé à ma ressemblance, mais *un être qui n'est pas mon œuvre, qui n'est même pas moi*, que j'ai toujours méprisé et cherché à vaincre (…) » ? (CG, II, p. 414 ; je souligne.)

Le héros moderne s'efforce de se montrer égal à un idéal qui s'impose à lui avec évidence : *être soi-même*. L'injonction d'être soi serait vide s'il y était question d'un *soi* comme être, d'un *soi* qui n'a pas été voulu. Saint-Loup affronte ici le mystère idéaliste de l'absolue position de soi. Le *moi* qui doit poser le *moi* ne saurait être l'être humain reçu à la naissance et éduqué par les siens. Si le *moi* qui est mon œuvre est l'œuvre d'un *moi* qui n'est pas mon œuvre, ce *moi* voulu par moi n'en reste pas moins l'œuvre d'un *non-moi*. Le *moi* comme œuvre doit avoir pour ouvrier un *autre moi* que la personne finie, produit de sa race. Cet *autre moi*, c'est le *moi* comme volonté infinie de ne pas se laisser identifier à « un être qui n'est pas mon œuvre ». Le narrateur, lorsqu'il pose sur Saint-Loup un regard de romancier et s'enchante de voir un *opus francigenum* (CG, II, p. 409), se montre un mauvais ami : il trahit l'éthique idéaliste qui leur est commune.

Le rêve de Marcel, dès Combray, n'est pas seulement d'être soi-même dans le sens banal (ou prosaïque) d'une libre disposition de sa personne pour ces activités purement terrestres que sont la profession, le mariage, etc. Marcel est aussi émancipé qu'on peut l'être. Mais il a le projet d'être un grand écrivain, un grand homme. Et, s'il est vrai qu'on ne peut pas devenir un grand écrivain en utilisant les relations de son père, il est vrai aussi qu'on ne peut pas le devenir tout seul. La notion même de grand homme, ou celle de grand écrivain, font référence à une échelle de mesure de l'humanité, ainsi qu'à un jugement de la communauté. On ne peut pas être un grand homme par le seul effort de sa volonté propre, par soi seul. C'est dire que le récit de la vie d'un grand homme doit inclure le *monde* dans lequel cette grandeur est manifestée.

Mais il semble alors que le projet de Proust se soit enfermé dans une impasse. Marcel doit devenir un grand homme dans un monde qui est le « monde », le « royaume du néant » habités par les amphitryons et les invités. S'il n'y a pas de grand homme pour ses invités, il s'ensuit que le récit des invitations auxquelles se rend le grand homme, et des conversations auxquelles il prend part, ne pourra jamais dire la gloire du grand homme, témoigner de ce qui a prouvé sa grandeur.

Les reproches de Saint-Loup à son ami font comprendre la nature du problème qui est posé à tous deux. Une tâche a été assignée à l'individu moderne : il doit être soi-même en ce monde, faire reconnaître par ses compagnons un *soi*, un être individualisé, qui soit l'œuvre de sa volonté. Mais, si le monde est le « royaume du néant », si le monde manque de *beauté*, il est vain de chercher à s'y individualiser.

Il ne suffit pas d'être un individu (ce qui veut dire, tout simplement : d'*exister*, de faire partie de ce monde depuis sa naissance) pour être reconnu dans son individualité. Ce point décisif réclame un éclaircissement philosophique, lequel tient dans la nécessité de distinguer l'*individuation* de l'*individualisation*. La notion d'individuation est utilisée par les logiciens pour poser des problèmes de référence et d'identité. On parle d'individuation pour désigner la transition d'une description indéfinie de quelque chose à la description définie d'une chose particulièrement identifiée. Marcel rencontre les problèmes d'individuation dans son goût pour les jeunes filles. Tantôt il désire qu'on lui présente *une jeune fille* (n'importe laquelle). Tantôt il désire qu'on lui présente *telle jeune fille* (Albertine). Dans le premier cas, l'objet de la présentation n'a pas encore été individué. Aussi l'énoncé du désir ne fait-il référence à personne. Le désir est sans référent, puisqu'on a seulement spécifié le type d'êtres à présenter. Dans le second cas, l'objet de la présentation a été individué : Marcel désire qu'on lui présente, non pas une jeune fille sans plus, mais celle qu'il a vue sur la digue, qui avait un polo noir et de grosses joues. Les philosophes appellent *principe d'individuation pour un genre de choses donné* le concept dont nous nous servons pour décider si nous parlons bien du même individu. Par exemple, Gilberte rencontrée à la matinée finale n'est plus *la même petite fille* que Marcel a connue autrefois, mais elle est bien *la même personne* que cette petite fille. Le principe d'individuation, pour un être humain, est donc le concept qui permet de demander si nous avons affaire à la même personne. (On sait que cette question est profondément discutée dans la *Recherche* : Qu'est-ce qui fait que quelqu'un est la même personne au cours de sa vie ? Est-ce le corps ? Est-ce la mémoire ?) Quand nous parlons d'*individualisation*, nous ne discutons plus des problèmes d'identification, mais des problèmes de caractérisation. Il ne s'agit plus de savoir si la jeune fille au polo noir et cette jeune fille aperçue une autre fois dans la rue sont « une seule et même personne » (JF, I, p. 845), à savoir : Albertine. Il s'agit maintenant de savoir en quoi divers individus de même espèce se ressemblent et en quoi ils se distinguent. Ainsi, Marcel passe, dans son observation de la « petite bande » à Balbec, d'une description générique applicable à toutes les jeunes filles de la bande (« fillettes », « jeunes maîtresses de coureurs cyclistes »), à une description individualisée de chacune d'elles (l'une a un polo, l'autre est plus grande, etc. : « individualisées maintenant... etc. » ; JF, I, p. 793). Albertine est *individualisée* par son polo noir et sa bicyclette. Il serait absurde de dire qu'elle est *individuée* par des attributs aussi extérieurs. (Marcel se pose la question de savoir si une jeune fille aperçue à une autre occasion, qui a elle aussi un polo noir, mais paraît plus jolie que la jeune fille au polo noir de la digue, est ou non la même personne : JF, I, p. 829.) C'est une grande confusion philosophique de mêler individuation et individualisation, car on perd le moyen, en se privant de la distinction, de comprendre que des individus peuvent avoir des comportements uniformes ou individualisés. Le polo d'Albertine est certainement individuel : il est *ce* polo sur la tête de *cette* jeune fille. Mais le polo peut faire partie d'un uniforme, toutes les jeunes filles portant un polo noir, ou bien être une coiffure individualisée par laquelle Albertine se singularise.

Dans la *Recherche*, la plupart des personnages obéissent à l'impératif de l'individualisation, ou de la réalisation de soi comme individu reconnu comme tel. Françoise est encore satisfaite de suivre les usages collectifs de Combray. Mais déjà sa fille, devenue « parisienne » (JF, II, p. 148), appartient au monde romanesque dont les habitants veulent passer aux yeux les uns des autres pour des *individualités*. La plus habile à ce jeu est la duchesse de Guermantes. Elle sait, à coup d'« édits successifs et contradictoires » (CG, II, p. 473), de « décrets inattendus » (CG, II, p. 476), étonner le Faubourg, décidant par exemple de ne pas aller au bal masqué de l'ambassade de Grèce ou à la soirée de Mme de Saint-Euverte (SG, II, p. 683). Ce n'est pas seulement pour être plaisant que Proust évoque alors Kant. Au plus fort de la saison mondaine, Oriane décide d'aller visiter les fjords de Norvège :

> « Les gens du monde en furent stupéfaits et, sans se soucier d'imiter la duchesse, éprouvèrent pourtant de son action l'espèce de soulagement qu'on a dans Kant quand, après la démonstration la plus rigoureuse du déterminisme, on découvre qu'au-dessus du monde de la nécessité il y a celui de la liberté. » (CG, II, p. 477.)

La duchesse de Guermantes ne se laisse pas dicter l'emploi de son temps par les jugements du monde. Tout Paris sera chez Mme de Saint-Euverte, sauf elle. Pourtant, Oriane n'obtient ainsi qu'une apparence d'autonomie. C'est pour se singulariser qu'elle se découvre une curiosité pour les fjords de Norvège. C'est parce que la fête de Mme de Saint-Euverte a lieu demain qu'il devient urgent d'aller découvrir, justement demain, les vitraux de Montfort-l'Amaury. Dans la doctrine spirituelle de Proust, qui écrit parfois comme un directeur de conscience, cela s'interpréterait ainsi : Oriane risque fort de n'éprouver en Norvège ou à Monfort-l'Amaury que le plaisir superficiel d'avoir snobé tout le monde, non la joie véritable de découvrir de la beauté. Autrement dit, il est aisé de se singulariser, mais un ensemble d'excentricités ne suffit pas à produire une individualité authentique.

Ayant posé dans ses prémisses que la vie dans le monde, au sens du *siècle*, se réduisait aux mondanités du *gratin*, Proust peut en conclure, par un impeccable syllogisme romanesque, que la réalisation de soi est impossible par une action en ce bas monde. Proust théoricien explique cette impossibilité par sa monadologie. Mais Proust romancier construit un monde romanesque qui l'exhibe. Il décide de raconter une histoire qui se passe presque entièrement chez les mondains. Il pose *en romancier* que la vie sociale se laisse réduire au modèle simplifié des invitations et de la conversation : il élimine tout ce qu'un hégélien appellerait la « substance éthique » du monde. En particulier, le sérieux des luttes humaines — Affaire Dreyfus, Grande Guerre — n'apparaît que pour avoir nourri de futiles bavardages. Aussi les reproches de Saint-Loup au narrateur sont-ils, selon Proust, mal fondés. Ce n'est pas la faute de Marcel si la réalisation de soi n'est concevable qu'en dehors du monde. Robert, tel Nietzsche et les autres panégyristes de l'amitié, se figure à tort que « la vérité peut se réaliser dans ce mode d'expression par nature confus et inadéquat que sont, en général, des actions et, en particulier, des amitiés » (CG, II, p. 394). Notre « développement », écrit Proust, ne peut être que « purement interne ». C'est en réalité si j'avais sacrifié la méditation solitaire (portant par exemple *sur Robert de Saint-Loup en tant que spectacle ou œuvre d'art*, source de certaines « impressions » relatives au type du *jeune noble*) au plaisir trompeur d'une amicale conversation avec Robert, c'est alors, déclare le narrateur, que j'aurais prouvé que j'étais « incapable de me réaliser » (JF, I, p. 907). Proust théoricien présente cette pensée comme l'énoncé d'une loi de notre nature. Mais Proust romancier l'énonce comme une loi du monde où vivent ses personnages, monde qu'il a lui-même soigneusement construit de façon que sa loi y soit vérifiée.

Les volumes du Temps perdu ont énoncé le problème d'une réalisation de soi dans des termes tels que l'expérience du Temps retrouvé doit en être la solution lumineuse. Les données du problème sont :

1. L'impératif d'une réalisation de soi (au sens formel d'une vie satisfaisante, bien remplie, riche en accomplissements dignes d'éloge) sous la forme moderne d'une réalisation du *vrai moi*, de l'être en moi qui est vraiment *moi* parce qu'il est *mon œuvre* ;

2. La dévaluation du monde ou du siècle : il est impossible d'agir de façon autonome.

Le problème est donc qu'un sujet d'action ne peut pas prétendre être l'auteur de ce qu'il a fait. Certains croient n'obéir qu'à eux-mêmes dans leur conduite, mais ils agissent en fait pour se singulariser, signe qu'ils manquent encore d'une originalité véritable. D'autres se figurent qu'ils dirigent leurs vies, qu'ils accomplissent un plan. Ils ne savent pas qu'un amour ou une guerre peuvent (et même doivent) être racontés *comme un roman*.

On sait que la solution du *Temps retrouvé* tient en un mot : l'Art. Il reste à comprendre le pourquoi de cette réponse. En quoi le *Temps retrouvé* apporte-t-il la solution du problème que le lecteur s'est vu poser dans les volumes précédents ? Qu'est-ce que les expériences de réminiscence involontaire ont de si décisif ? Pourquoi le narrateur a-t-il soudain le sentiment d'avoir vaincu le vieux démon de l'impuissance ?

Ici, le *monologue* du narrateur nous éclaire assez peu (bien que ce soit, selon les conventions de Proust, le premier monologue authentique de Marcel, le premier entretien avec soi-même qui ne soit plus gouverné par autrui). Une circonstance insignifiante (pavé inégal, bruit de la cuiller sur l'assiette, etc.) procure à Marcel la même sensation qu'une circonstance passée (dalles inégales à Venise, bruit du marteau de l'employé contre la roue du train, etc.). Grâce à cet effet, le passé est comme ressuscité. Le passé (voyage à Venise, arrêt du train) obtient grâce à la sensation indentique une *présence sensible* : il est présent à l'esprit sans être, bien entendu, actuellement présent. Il est donc, si l'on peut dire, *présent en tant que passé*. Proust écrit : le bruit est entendu, l'odeur est respirée « à la fois dans le présent et le passé réels sans être actuels, idéaux sans être abstraits » (TR, III, p. 872). Autrement dit, Marcel refait l'*expérience* du voyage à Venise sans avoir à refaire le voyage lui-même.

D'où vient-il que cette résurrection de l'expérience donne une si grande joie au narrateur ? Proust lui attribue ici une spéculation sur le temps et l'immortalité qui repose, en fait, sur une équivocation. « Une minute affranchie de l'ordre du temps a recréé en nous, pour la sentir, l'homme affranchi de l'ordre du temps. » (TR, III, p. 873). Le narrateur est censé découvrir joyeusement qu'il échappe à la fatalité du « temps ». La réminiscence de Venise ou de Balbec est une « contemplation d'éternité » (TR, III, p. 875), puisque la sensation vécue une seconde fois est la même sensation, non sa copie. Grâce au bruit d'une conduite d'eau, le narrateur se retrouve à l'hôtel de Balbec. « Ce n'était d'ailleurs pas seulement un écho, un double d'une sensation passée que venait de me faire éprouver le bruit de la conduite d'eau, mais cette sensation elle-même. » (TR, III, p. 874) Or *la même sensation, cette sensation elle-même*, cela peut s'entendre de deux façons. Si *la même sensation* signifie une sensation strictement identique du point de vue de ce qui est senti, le narrateur doit dire qu'il vient d'entendre, aujourd'hui à Paris, *le même bruit* qu'autrefois à Balbec. (C'est ce que paraît vouloir dire Proust quand il écrit : « j'avais entendu le bruit commun à la fois à la cuiller qui touche l'assiette et au marteau qui frappe sur la roue » ; TR, III, p. 872. Ce qui est à chaque fois identique, c'est le bruit, l'odeur, le goût, etc.) Mais il n'y a alors, bien entendu, aucun saut « en dehors du temps » (TR, III, p. 871). En revanche, si *la même sensation* signifie le même événement mental, le même fait biographique de ressentir quelque chose, alors le narrateur peut éprouver la même sensation qu'à Venise seulement s'il est présentement à Venise et s'il a présentement cette sensation. Mais dans ce cas les dalles du baptistère seraient *actuellement* présentes (dans leur réalité physique) et non pas « réellement » présentes au sens où Proust l'entend ici, c'est-à-dire présentes à l'esprit par la sensation.

On serait d'ailleurs plus éclairé par ces pages sur la joie de se sentir éternel si le narrateur avait jamais fait le moindre rapport, dans le récit de ses heures de découragement, entre son impuissance à écrire et la pensée de sa mort. En réalité, il semble bien que ces spéculations sur le temps et l'éternité n'aient d'autres sens que de souligner l'*aura* épiphanique de tout l'épisode.

Mais à quoi tenait donc le découragement de Marcel pendant toute la durée du temps perdu ? Au début du *Temps retrouvé*, Proust a longuement préparé la scène des épiphanies de la mémoire par divers épisodes qui sont des variations sur ce thème : « la pensée de mon absence de dons littéraires » (TR, III, p. 854). Ces épisodes sont : les promenades à Combray en compagnie de Gilberte, la lecture d'un passage du « Journal inédit » des Goncourt racontant une soirée chez les Verdurin, enfin un arrêt du train dans la campagne pendant le voyage que fait le narrateur lorsqu'il rentre à Paris.

A Combray, Marcel est peiné de constater que le pays n'est pas aussi beau que dans son souvenir. Il n'a plus de goût à se promener. (Ceci prépare, bien sûr, l'opposition des deux mémoires, la volontaire et l'involontaire.)

En lisant le récit par Goncourt de la soirée chez les Verdurin, Marcel est accablé de constater que les habitués du petit clan paraissent remarquables dans le livre, alors qu'ils lui ont semblé nuls dans la réalité. Il ne sait que conclure, se demandant si c'est la littérature qui ment ou si c'est lui qui n'a pas su observer. (Le célèbre pastiche prépare évidemment l'attaque contre la littérature d'observation.)

Enfin, lors de l'arrêt du train, Marcel n'éprouve aucun plaisir tandis qu'il contemple une magnifique rangée d'arbres sur fond de soleil couchant. Il leur adresse alors cet étrange discours :

> « Arbres, pensai-je, vous n'avez plus rien à me dire, mon cœur refroidi ne vous entend plus. Je suis pourtant ici en pleine nature, eh bien, c'est avec froideur, avec ennui que mes yeux constatent la ligne qui sépare votre front lumineux de votre tronc d'ombre. Si j'ai jamais pu me croire poète, je sais maintenant que je ne le suis pas (…). » (TR, III, p. 855).

Le narrateur en conclut que, étant manifestement incapable de chanter la nature, il devra se contenter désormais d'observer les hommes : « Peut-être dans la nouvelle partie de ma vie, si desséchée, qui s'ouvre, les hommes pourraient-ils m'inspirer ce que ne me dit plus la nature » *(ibid.)*.

La succession de ces divers épisodes est habile. Le narrateur lui-même associe ces différentes occasions qu'il a eues de s'éprouver lui-même dans une seule découverte de son échec. Pourtant, quelque chose ne laisse pas de surprendre dans la façon dont la dernière scène de l'*adieu aux arbres* est donnée pour l'amère conclusion qui résulterait logiquement de la série des déconvenues : Combray ne l'inspire plus, le salon Verdurin ne l'a pas inspiré alors que les Goncourt en ont tiré quelques pages allègres. Mais pourquoi le fait que Combray ne soit pas aussi beau dans la réalité qu'il l'est dans les souvenirs d'enfance, ou le fait que les Verdurin soient moins beaux dans la vie que dans la littérature, pourquoi ces faits empêchent-ils le narrateur de jouir de la beauté des arbres ? A supposer que la mémoire volontaire soit inexacte, et la littérature de notations des Goncourt, mensongère, en quoi la ligne des arbres en est-elle moins admirable ? Car Marcel ne conteste nullement cette beauté elle-même. Il se plaint justement de ne plus pouvoir en jouir. Nous retrouvons ici une énigme que nous avons déjà rencontrée plus tôt. Jusqu'ici, Marcel n'a écrit qu'un poème en prose. Ce texte, qu'il a fini par publier, non sans peine (voir P, III, p. 13), dans *le Figaro*, ne l'a nullement changé en véritable écrivain. Ses doutes ne sont pas levés. Nous savons qu'il n'a obtenu aucune réaction intéressante à son article. Mais déjà Norpois avait condamné ce poème. Or, chose curieuse, Marcel en avait déjà conclu qu'il n'était pas né pour la littérature (JF, I, p. 475). Et son raisonnement n'était pas : M. de Norpois n'a pas aimé mon poème, donc je suis mauvais poète. Il était : M. de Norpois n'a pas aimé mon poème, donc l'état de rêverie qui a inspiré ce poème ne vaut rien. Ainsi, les doutes de Marcel portent sur la réalité de son *inspiration*. Il en va ici de même. Devant les arbres, Marcel ne ressent plus le désir de les chanter dans un poème : « car peut-on espérer transmettre au lecteur un plaisir qu'on n'a pas ressenti ? » (TR, III, p. 855). Pourtant, les Goncourt ont su, tout naïfs qu'ils étaient, transmettre un plaisir au lecteur, puisque Marcel trouve les Verdurin dignes d'intérêt dans le *Journal* alors qu'il sait leur nullité dans la vie. Les gens qu'on a connus paraissent transfigurés dans les livres ou même dans les journaux. On se reproche de les avoir négligés.

> « Quel malheur que (...) je n'aie pas fait plus attention à ce monsieur ! Je l'avais pris pour un raseur du monde, pour un simple figurant, c'était une Figure ! » (TR, III, p. 720).

La véritable question posée dans ce début du *Temps retrouvé* n'est pas de savoir si les Goncourt ont peint le salon Verdurin en trop beau ou si c'est le narrateur qui n'a pas été capable de les observer. Elle est plutôt, comme Marcel paraît le pressentir dans son apostrophe aux arbres, de savoir si l'inspiration lui viendra de la *nature* (comme il l'a toujours posé jusque-là avec une belle obstination) ou des *hommes*. La littérature pour laquelle Marcel est né et dans laquelle il s'accomplira comme grand homme, est-ce le *Poème en prose* rapportant exclusivement des états d'exaltation devant des paysages, ou bien est-ce un *Récit* dans lequel il y aura, outre les arbres et le coucher de soleil, les soirées dans le monde, les Verdurin, leurs habitués, etc. ?

En lisant les Goncourt, et même s'il les juge naïfs, Marcel commence à entrevoir qu'il a fait fausse route en cherchant son sujet exclusivement dans ce qui est *naturellement* beau. Tant qu'il ne sera pas capable de trouver un intérêt artistique au salon Verdurin, Marcel restera l'auteur de quelques proses poétiques : il ne sera pas un grand écrivain. C'est le cas d'appliquer au héros de Proust le reproche adressé à Elstir. Ce dernier ne voulait pas s'intéresser à l'église de Marcouville-l'Orgueilleuse : attitude d'archéologue, non de peintre impressionniste. Le tableau d'Elstir était plus hardi : il intégrait dans sa composition *la dame un peu vulgaire qu'un dilettante en promenade éviterait de regarder*. Depuis le début du récit, Marcel a été ce dilettante. Il marchait sur les traces de Swann. Il se contentait d'accueillir *le tableau poétique que la nature compose devant lui*. Jusqu'ici, en somme, Marcel n'avait pas su assimiler la leçon de la peinture d'Elstir. Il avait encore quelque chose à apprendre de *la vie profonde des natures mortes*. Dans tout ce contexte, *beau* veut dire : digne de paraître (voir la note en fin de chapitre). Ce n'est pas assez de laisser paraître dans son champ de vision les restes du repas. Il reste à laisser paraître, dans l'espace littéraire de l'œuvre à faire, ces figurants de la comédie humaine qui avaient d'abord paru inadmissibles dans une « une grande œuvre littéraire » : les Verdurin, les Cottard, le duc de Guermantes, etc. Tous ces personnages peuvent bien être médiocres et insignifiants dans la vie. Il appartient à l'écrivain d'en faire des Figures à l'intérieur de sa composition. De même que la dame vulgaire est *belle aussi* dans le tableau d'Elstir parce que le regard du peintre lui a accordé le même reflet de lumière qu'à la noble voile du bateau, de même les Verdurin atteignent dans le récit proustien à la grandeur des Figures.

Mais nous comprenons maintenant que Proust romancier ne nous raconte nullement une histoire privée, l'aventure particulière d'un être sensible qui s'extasie devant les poiriers en fleurs. Proust raconte l'histoire de la poésie moderne en France. Ce que Proust transpose ici en récit romanesque, c'est la *question poétique de la modernité* dont Baudelaire avait fixé l'énoncé : En quoi sommes-nous grands et poétiques dans nos cravates et nos bottes vernies ? (Cette question, étant au fond sociologique, n'est pas impropre à la transposition romanesque : voir la note en fin de chapitre.) C'est presque dans les mêmes termes que le narrateur est contraint de s'interroger sur la source authentique de son inspiration : En quoi les Verdurin, les Cottard, etc., sont-ils grands et poétiques dans leurs tenues de soirée ? A cette question, Proust donne une réponse dualiste. Les Verdurin et leurs invités sont des Figures du livre, mais des figurants de la vie. Il s'agit pour le narrateur d'instituer finalement cette division de la littérature et de la vie. Comme Mallarmé, Proust place la littérature au-dessus de la vie. Que signifie cette supériorité ? Il convient de distinguer ici ce que Pascal eût appelé des *ordres de grandeur*. Dans la vie, les Verdurin sont nuls et ne méritent pas de retenir notre attention. Mais, dans l'ordre des impressions, ils peuvent fournir à l'écrivain un motif littéraire, tout comme l'hôpital était un motif pictural pour Elstir. Tant que Marcel est resté un dilettante, il en a jugé selon l'échelle commune d'évaluation : le coucher de soleil sur la ligne d'arbres est alors plus noble, plus digne d'être admiré que la conversation des Cottard. Mais, si Marcel doit devenir un grand écrivain, il imposera souverainement une autre échelle d'évaluation de la qualité poétique des sujets. D'après cette échelle qui remplace dans le livre celle du sens commun, les Verdurin valent les arbres, sont aussi dignes que les aubépines.

Faut-il dire que Proust renonce au projet du Poème en prose pour adopter la poétique flaubertienne du roman pur ? Ce ne serait pas exact. Son projet reste poétique au sens baudelairien. Tel Constantin Guys, peintre de la vie moderne, le narrateur veut « traduire fidèlement ses propres impressions », donner la « traduction légendaire de la vie extérieure » (ce sont, on le sait, les propres termes de Baudelaire dans *Le peintre de la vie moderne*, p. 555). Mais on doit se souvenir ici que la prose poétique de Baudelaire n'est plus tout à fait celle du romantisme. Pierre Pachet a montré comment la prose du lyrisme romantique oppose l'individu et la société comme deux termes antithétiques, alors que le poème en prose de Baudelaire les traite comme deux termes réversibles. C'est ainsi que Baudelaire, dans sa définition de la prose poétique, ne fait pas seulement référence aux « mouvements lyriques de l'âme », mais aussi à la « description de la vie moderne », de la vie qui comporte la « fréquentation des villes énormes » et le « croisement de leurs innombrables rapports » (dédicace du *Spleen de Paris*). Baudelaire, écrit Pachet,

> « pour ainsi dire étudie la société dans son propre cœur (à la différence du lyrique qui, dans son cœur, approfondit le mouvement du cœur de chacun, et pour qui la société est forcément à la fois extérieure et ennemie). Haine, ambition, énergie soudaine et inexplicable, écrasement dans la concurrence ou euphorie de la rêverie triomphante alternent dans le duel intérieur et s'exacerbent dans le dandysme, forme moderne du duel (...). » (*Le premier venu*, p. 120).

Le *Temps retrouvé* raconte une crise poétique du narrateur. S'il doit répondre à sa vocation, qui est de trouver la joie dans la reconnaissance de la beauté de la vie, Marcel doit surmonter son romantisme initial. Car le premier projet littéraire de Marcel peut être dit romantique, au sens qui vient d'être rappelé. Le héros du récit est offensé par la laideur des *détails contemporains* (de tous ces détails du paysage qui rappellent de façon trop insistance l'existence des contemporains). Le beau se révèle à lui dans des promenades solitaires. Il ne se sent joyeux qu'*en pleine nature*, dans un monde resplendissant de l'absence d'autrui. (Le *romantisme* de Proust peut être isolé dans une remarque qu'il glisse à l'occasion d'un compte rendu, écrit en 1904, de deux ouvrages relatifs à Ruskin. Proust reproche à Goethe d'avoir dit : « Le monde est si vide quand on ne s'y représente que des montagnes et des fleuves ; mais ici et là nous savons que vit un ami dont la pensée est unie à la nôtre, et cela fait pour nous de ce globe désert un jardin habité. » Proust est indigné par cet « anthropomorphisme » :

« humain, trop humain », opinion digne de « ce XVIIIᵉ siècle trop humain, qui dépoétise le monde en le peuplant ». Le jardin habité est plus « sympathique », mais le globe désert est plus poétique et plus beau. Voir ce texte dans CSB, p. 480.) Pendant tout le temps perdu, Marcel a reculé devant les tâches d'un poète moderne. Chez Proust, la tâche et le devoir de l'écrivain — la traduction des impressions — comporte le redressement du *discours oblique*. Il est permis de voir dans le redressement de la *vie de salon mentale* l'équivalent de ce qui s'appelle chez Baudelaire la mise à nu du cœur, de cette étude de la société dans son propre cœur dont parle Pachet.

Mais alors quelle est la leçon des réminiscences dans la cour de l'hôtel de Guermantes ? En réalité, nous n'apprenons rien que nous ne sachions déjà. Cette leçon, la voici : la condition d'une grande œuvre d'art, c'est que l'artiste parvienne à la souveraineté de la vision. D'elles-mêmes, les choses ont une présence matérielle ou *actuelle*. L'art est de leur donner une présence *réelle*, mais non actuelle. Dans le monde commun, ces choses sont évaluées selon ce que nous pouvons attendre de leur présence actuelle. Nous attendons de la vague éclaboussante qu'elle nous mouille, du veston qu'il nous habille. L'artiste suspend cette appréciation de l'utilité. Il ne retient que la splendeur d'une présence sensible. Il fait ainsi entrer les choses dans un nouveau monde dont il établit les lois et les grands partages. Le pavé inégal, la cuiller heurtant l'assiette, ces causes occasionnelles accomplissent en faveur du narrateur une opération de « nouvelle création » analogue à celle d'Elstir. Il arrive maintenant à Venise et à Balbec ce qui était arrivé à la vague et au veston : *ils continuent à être, encore que dépourvus de ce en quoi ils passaient pour consister*. Usant d'un jargon philosophique assez relâché, Proust appelle cette forme d'être *essence*. Tandis que l'essence des choses est libérée, « notre vrai moi » s'éveille (TR, III, p. 873). Ainsi, le *Temps retrouvé* n'ajoute à proprement parler aucune leçon nouvelle à ce que le narrateur a déjà raconté. La voie courte de l'illumination concentre en quelques instants épiphaniques les fruits des exercices spirituels accomplis en suivant la voie longue d'un apprentissage de la sagesse.

Ce n'est pas dire que l'épisode du *Temps retrouvé* fasse double emploi avec celui de l'atelier d'Elstir. Les sensations qui bouleversent le narrateur sont un événement. Dans quelle histoire ? Le narrateur parle d'*expérimentation* (TR, III, p. 880), ce qui veut dire qu'une question vient de recevoir une réponse. Mais que la méthode expérimentale du narrateur est étrange ! Proust nous dit que les impressions sont une expérimentation, à cette différence près que le travail de l'intelligence ne précède pas le contrôle expérimental, comme chez le savant. Dans l'expérimentation littéraire, l'impression précède le travail de l'intelligence. Mais qu'est-ce qu'une expérimentation qui, tout en donnant une réponse attendue à une question posée, doit encore être suivie d'un travail de déchiffrement et d'interprétation ? Cette sorte d'expérimentation n'est pas un test, c'est un oracle. Comme le dit Beckett, le narrateur vit une expérience religieuse dans le plein sens du terme :

> « Il va recevoir l'oracle qui avait été constamment refusé à la tension la plus exaltée de son esprit, que son intelligence n'avait pas réussi à extraire des énigmes sismiques des arbres, des fleurs, des gestes et des arts, il va subir une expérience religieuse dans le seul sens intelligible de l'épithète, à la fois une assomption et une annonciation (...). » (*Proust*, p. 51).

Le narrateur reçoit un oracle, lequel se montre conforme à ce que l'histoire des religions dit être le « schème oraculaire ».

> « Le schème est ici celui du Signe caché mais non trompeur, échappant d'autant mieux à la supercherie ou à la contrefaçon que son apparition était plus improbable ; du Signe imprévisible et donc irréprochable, soustrait à la fraude par son infaillible surprise ; du Signe arbitrairement élu pour être le plus sûr. » (Edmond Ortigues, *Religion du livre, religions de la coutume*, p. 70).

Ne croirait-on pas qu'Ortigues commente ici le texte où Proust, expliquant la nature de la garantie que donnent les sensations à interpréter, écrit que leur premier caractère est d'être *données telles quelles* ? « Et je sentais que ce devait être la griffe de leur authenticité. Je n'avais pas été chercher les deux pavés inégaux de la cour où j'avais buté. » (TR, III, p. 879) Bien entendu, de tels signes sont bien incapables de donner la garantie que le passé a été tel que l'écrivain le décrit. La fonction de l'oracle est de lever un doute paralysant relativement à une décision qui engage toute la vie. Marcel se demandait anxieusement s'il était un écrivain. Les signes attestent sa vocation, de sorte qu'il a maintenant la certitude joyeuse d'être inspiré, et bien inspiré, quand il écrit.

L'expérience littéraire invoquée par Proust sous le nom d'expérimentation est une variété de l'expérience religieuse. Mais, ici, la critique contemporaine a posé la question : Est-ce bien l'expérience du narrateur qui est religieuse ? Ne serait-elle pas plutôt une expérience purement *littéraire* que Proust trahit ou dépasse quand il laisse entendre qu'elle est *religieuse* ?

Blanchot note par exemple que Proust a dû présenter dans un récit, donc dans le temps, les instants privilégiés qu'il donne pour des « fragments d'existence soustraits au temps » (TR, III, p. 875).

> « Sans doute, Proust n'a-t-il jamais renoncé à interpréter aussi ces instants comme des signes de l'intemporel ; il y verra toujours une présence libérée de l'ordre du temps (...). C'est sa foi et sa religion, de même qu'il tend à croire qu'il y a un monde d'essences intemporelles que l'art peut aider à représenter. » (*Le livre à venir*, p. 32).

Blanchot a raison de nier que l'expérience rapportée dans le *Temps retouvé* soit comme la preuve expérimentale de ce que l'écrivain aurait en effet obtenu une vision intemporelle des choses, une « contemplation d'éternité ». Mais est-ce cela qui décide de la signification de cette expérience du narrateur, telle qu'elle nous est rapportée ? Qu'est-ce qui nous permet de décrire une expérience comme religieuse ou comme littéraire ?

Si nous opposons, avec le critique littéraire, l'expérience littéraire à l'expérience religieuse, nous usons d'un concept *phénoménologique* de l'expérience. Ce qui spécifie une expérience, c'est son contenu tel qu'il est rapporté, dans un langage transparent, par le sujet de cette expérience. Toute expérience est expérience de quelque chose. Expérience littéraire et expérience religieuse sont opposées parce qu'elles ont des contenus opposés. Dans l'expérience *religieuse*, les choses sont présentes au sujet sous l'aspect du *sacré* ou du *numineux*. Par exemple, une chose apparaît comme réservée, interdite à tout emploi profane. Ou bien elle apparaît comme signifiante, porteuse d'une révélation qui nous concerne. De son côté, l'expérience littéraire est faite, comme il se doit, sous le rapport de l'*écriture*. C'est pourquoi les expériences religieuse et littéraire doivent être opposées. L'expérience religieuse est foncièrement *épiphanique* : le sujet est comme débordé ou envahi d'un surcroît de présence. Mais, dans l'expérience littéraire, les choses paraissent en tant qu'elles sont sujettes à « ce pouvoir de représenter par l'absence et de manifester par l'éloignement qui est au centre de l'art » (*Le livre à venir*, p. 71). Pour le dire autrement, on peut remarquer que Proust est bien obligé d'opposer la *présence réelle* et la *présence actuelle* (présence de ce qui nous est accordé dans la « céleste nourriture », TR, III, p. 873), alors que la présence réelle, dans une expérience authentiquement religieuse, serait le comble de l'actualité. S'il en est ainsi, ne faudrait-il pas aller jusqu'à dire que l'écriture est comme telle la dissolution du religieux (de cette présence qui se donnait, pure de toute *fiction* ou de toute *représentation*) ? Mais c'est justement ce que soutient Blanchot. Dans un texte où il commente les analyses de Barthes sur l'écriture littéraire, Blanchot oppose la littérature classique et la littérature moderne comme un régime religieux et un régime subvertif de l'écriture. Chez les écrivains classiques, l'écriture est un cérémonial, un rituel par lequel on ajoute à ce qu'on dit les signaux marquant « que ce qui est écrit appartient à la littérature, que celui qui le lit lit de la littérature » (*op.cit.*, p. 250). Ayant parlé de *cérémonial* et de *rites*, Blanchot en vient tout naturellement à caractériser le style littéraire classique comme religieux. Les signaux du bien écrire sont là pour « nous faire entendre que nous sommes entrés dans cet espace clos, séparé et sacré, qui est l'espace littéraire » *(ibid.)*. *La page écrite est un temple.* On doit entrer dans ce temple avec respect, en observant les formalités qui en séparent l'espace. Dès lors, la littérature moderne sera définie par son impiété à l'égard des formes. L'écriture moderne ébranle le temple. Qu'est-ce aujourd'hui qu'*écrire* ?

> « (...) Écrire, si c'est entrer dans un *templum* qui nous impose, indépendamment du langage qui est le nôtre par droit de naissance et par fatalité organique, un certain nombre d'usages, une religion implicite, une rumeur qui change, par

avance, tout ce que nous pouvons dire, qui le charge d'intentions d'autant plus agissantes qu'elles ne s'avouent pas, écrire, c'est d'abord vouloir détruire le temple, avant de l'édifier (...). » (*Op.cit.*, p. 251).

Or ce texte dit excellemment en quel sens l'expérience du narrateur, dans le *Temps retrouvé*, doit être dite religieuse. Elle doit être dite religieuse parce qu'elle est une expérience littéraire au sens moderne. Sa *religiosité* n'a rien à faire avec la recherche d'une preuve d'un au-delà. *Écrire, c'est détruire le temple, avant de l'édifier*. Ainsi, Blanchot n'oppose nullement le temple de l'écriture classique et un espace littéraire qui serait profane, ouvert comme un marché ou comme une aire de transhumance, nomadique. Le bien-écrire classique n'est pas contesté dans son aspect séparé, mais dans son aspect collectif. L'écrivain moderne ne supporte pas la *rumeur* qui parle à sa place, les *intentions* qui sont celles de l'institution et non les siennes. Le style classique était un style collectif. Le style moderne ne pourra jamais être défini autrement que négativement, parce qu'il repose sur le principe de l'originalité individuelle. Ainsi l'écrivain doit-il détruire le temple collectif avant d'édifier un temple privé, un espace séparé où seront célébrés des rites individuels, où seront reçues des révélations privées.

Non seulement l'expérience du narrateur se métamorphosant en écrivain est authentiquement religieuse, mais elle est peut-être la seule expérience religieuse complète qu'on puisse revendiquer à une époque où chacun doit se construire son propre temple. Mais, ici, nous quittons la description *phénoménologique* de l'expérience pour une description *sociologique*. Par description sociologique il convient d'entendre une description qui trouve le sens d'une expérience, non dans des données immédiates de la conscience, non dans une inspection attentive de ce qui s'est effectivement présenté à l'esprit d'un sujet individuel, mais dans le langage utilisé pour rapporter cette expérience, et surtout dans l'usage qui peut être fait de cette expérience dans des « conversations » au sein du groupe. Du point de vue sociologique, l'expérience est avant tout une *preuve rhétorique*. L'expérience est ce privilège invoqué chaque fois qu'on se porte témoin de quelque chose en disant : *je sais, j'y étais, j'ai vu*, etc. Mais ce sont alors les

315

institutions qui décident du sens de l'expérience prise au sens de la preuve valide d'une allégation. Une expérience vaudra comme expérimentation scientifique si elle est reçue comme sérieuse par les gens de science. Elle sera religieuse si elle autorise son sujet à se présenter comme un prophète, ou comme un législateur, ou comme le réformateur d'un ordre, etc. Une expérience sera littéraire si elle autorise son sujet à se présenter comme un écrivain.

L'expérience du narrareur de la *Recherche* est assurément littéraire. Elle se ramène en effet à ceci, si nous la réduisons à ses données narratives :

1. D'abord, Marcel n'écrit pas parce qu'il n'ose pas chercher son sujet dans ce qui l'inspire véritablement ; or, ce qui l'intéresse par-dessus tout tient dans deux sujets fort peu « intellectuels » ou « philosophiques », à savoir : d'une part, la duchesse de Guermantes (sujet mondain) et d'autre part une certaine sensation de fraîcheur (JF, I, p. 492), une certaine odeur de moisi (JF, I, p. 494), impression associée à des lieux aussi différents que les toilettes publiques des Champs-Elysées ou l'hôtel de Montmorency, mais qui toujours évoque Combray. Dans ces conditions, Marcel désespère de son avenir d'écrivain.

2. Ensuite, Marcel sait qu'il est écrivain parce qu'il osera inclure la duchesse de Guermantes et l'odeur de moisi dans sa « vie spirituelle » (TR, III, p. 872).

La libération du *vrai moi* passe par le renversement des valeurs. Il faut avoir l'audace de considérer les choses selon une échelle de grandeur poétique subjective. Proust écrit : Il faut convertir les sensations en équivalents spirituels (TR, III, p. 879). On peut comprendre : Il faut renverser l'échelle commune des valeurs, il faut tirer son trésor personnel du déchet collectif de l'expérience.

Telle est l'expérience littéraire du narrateur. Cette expérience peut-elle être dite religieuse ? Elle l'est assurément, non parce qu'elle ouvrirait subrepticement une fenêtre sur l'au-delà, mais parce qu'elle modifie le *statut religieux* du narrateur. Elle n'affecte pas tant ses croyances que l'ensemble de ses devoirs.

Si nous en restons à la définition phénoménologique du religieux, nous ne trouvons dans l'expérience spirituelle du narrateur aucune trace de religiosité, hormis un certain vocabulaire (« avertissement qui peut nous sauver », « foi dans les lettres », « céleste nourriture », « vocation », etc.). Cette définition phénoménologique, c'est par exemple celle de William James quand il pose ceci :

> « La religion (...) sera pour nous *les sentiments, actes et expériences d'hommes individuels dans leur solitude, en tant qu'ils s'appréhendent eux-mêmes en relation avec ce qu'ils tiennent pour le divin.* » (*Les variétés de l'expérience religieuse*, p. 42).

Mesurée à cette définition, l'expérience de Marcel n'est pas religieuse, car le narrateur ne se conçoit pas en relation avec un être divin. Toutefois, cette définition suppose qu'il y ait en somme deux parts dans une expérience : le donné incontestable (ici, les sentiments, actes et expériences), l'interprétation qui en est faite ensuite (ici, le fait que le sujet estime avoir expérimenté le divin). Il est remarquable que le donné se présente dans la condition d'un solipsisme de la conscience. Le sujet est censé inspecter ce qu'il lui a été donné d'éprouver et, à la vue de ce donné, donner son interprétation. Or le philosophe propose ici comme le fait religieux primitif (le sentiment interprété par le sujet comme épreuve sensible du divin) ce qui est en réalité un fait religieux très élaboré. Car c'est seulement sur le fond d'une religion publique traditionnelle, progressivement individualisée et intériorisée, que peut apparaître ce que les philosophes de la conscience croient être le phénomène initial : les variétés de l'expérience religieuse.

Tout le problème est de savoir si la définition sociologique n'est pas ici plus éclairante. Je veux dire par là : si elle n'est pas plus pertinente du point de vue d'une analyse (romanesque) de l'expérience du personnage en fonction de sa position dans le monde et de ses rapports avec les autres personnages. Un sociologue distinguera d'abord *la religion collective du groupe* et les *disciplines de salut individuel.* La religion du groupe est celle des hommes qui vivent dans le monde, au sens religieux du mot *monde.* Vivre dans le *siècle,* c'est observer dans ses rapports avec les autres certaines règles, lesquelles distribuent entre les hommes les droits et les devoirs, les créances et les dettes. Chaque existence fait sens en prenant place dans un ordre de justice. La religion du groupe, c'est alors l'organisation hiérarchique de l'*ensemble* de ces rapports. Elle fournit, par ses pratiques, ses doctrines et ses symboles, « un classement des êtres selon leur degré de dignité » (Louis Dumont, *Homo hierarchicus*, p. 92). De ce classement de la grande chaîne des êtres résulte une définition de ce qui est dû à chacun, en fait de services ou d'honneurs, selon la justice des choses. (Cette détermination sociologique du religieux ne fait, comme il se doit, que reprendre la pensée des auteurs pour lesquels le religieux présente un sens et non une énigme insoluble. On eût énormément surpris Saint Thomas d'Aquin en lui disant que la religion était d'abord une variété d'expérience ou une émotion spécifique. Pour lui, la *religion*, qu'il distinguait soigneusement de la *foi*, était ce qu'elle était pour les Romains, à savoir une dette de justice, un *debitum*. Avoir la vertu de religion, c'est se montrer juste dans ses rapports avec les autorités supérieures en leur rendant ce qu'on leur doit, à savoir la dette de *piété*. A l'intérieur de la piété, on distinguera celle qui est due à Dieu, celle qui est due aux ancêtres et celle qui est due à la patrie. On notera que la définition de la piété fait appel à une conception hiérarchique du cosmos. Voir *Somme de théologie*, II, II, question 101, article 1. La question est de savoir si la piété s'adresse à Dieu seul. Réponse : « L'homme est constitué débiteur, à des titres différents, vis-à-vis d'autres personnes, selon les degrés différents de perfection qu'elles possèdent et les bienfaits différents qu'il en a reçus (...). En conséquence, de même qu'il appartient à la religion de rendre un culte à Dieu, il appartient à la piété de rendre un culte aux parents et à la patrie. »)

Est-ce qu'une discipline personnelle de salut est encore une religion ? Elle commence certainement par s'opposer à la religion collective, puisqu'elle introduit le souci de soi, tandis que la religion du groupe ne s'intéresse qu'à la position de quelqu'un à l'intérieur d'un ordre de subordination (synchronique et diachronique). Dans une société typiquement holiste comme la société indienne, l'*institution du renoncement* incarne un renversement des valeurs du groupe. Le renonçant indien (ou *sannyasi*) pratique ce que Max Weber a appelé une *ascèse ultra-mondaine* (Economie et société, tome I, p. 555). L'ascèse hors du monde consiste à renoncer à poursuivre les fins de ce monde. Détaché des soucis du monde, l'ascète est en même temps libéré des devoirs qui étaient attachés à un état dans le monde. Il réussit donc à accomplir une individualisation de soi-même qui est interdite aux hommes du monde. Louis Dumont le compare sous ce rapport aux penseurs de l'Occident :

> « Le renonçant a laissé le monde derrière lui pour se consacrer à sa propre libération (…). En quittant le monde, il s'est vu soudain pourvu d'une individualité, incommode sans doute, qu'il lui faut transcender ou éteindre. Sa pensée est celle d'un individu. » (*Homo hierarchicus*, p. 336).

Le renonçant indien et le penseur occidental pensent en individus. La différence entre eux est que le premier s'est individualisé en sortant du monde, alors que le second entend bien s'individualiser dans le monde.

Max Weber a étudié les origines du monde moderne en montrant comment l'éthique protestante avait préparé l'esprit du capitalisme. Le christianisme encore traditionnel du Moyen Age ne connaissait encore qu'un ascétisme ultra-mondain. En revanche, l'éthique puritaine est un ascétisme dans le monde, qui prescrit la réalisation de soi par le travail et l'épargne. Le refus du monde se fait maintenant dans le monde. La certitude du salut personnel est maintenant liée à des succès manifestes en ce monde. Mais, comme l'a montré Louis Dumont, l'accent doit porter sur l'aspect intra-mondain de ce type d'individualisme plutôt que sur son caractère ascétique. L'originalité de l'éthique calviniste est d'inventer l'*individu dans le monde*. Par la suite, les éthiques modernes ne seront pas toujours ascétiques, mais elles assumeront toujours le projet d'une réalisation de soi, comme individu, dans le siècle (Voir L. Dumont, *Essais sur l'individualisme*, p. 63).

De cette remarque nous pouvons tirer la possibilité d'une description sociologique de la littérature moderne. Plus précisément : une description de la littérature conçue comme *écriture originale* dans l'espace littéraire d'une page dont il faut préalablement effacer tout ce que des siècles de littérature y ont d'avance inscrit. On sait en effet qu'à côté de l'ascétisme Max Weber définit une autre voie de salut, le mysticisme. Dans l'ascétisme, qu'il soit hors du monde ou dans le monde, l'esprit se montre actif. Dans le mysticisme, il est passif. Le mystique attend que la vérité lui soit donnée, qu'elle le visite. Max Weber a consacré quelques analyses au mysticisme ultra-mondain, mais parle assez peu du mysticisme dans le monde, bien qu'il en ait marqué la place dans sa typologie. Or, que nous dit Proust ? Qu'il faut renoncer au monde si l'on veut avoir les joies de l'Art. Cette décision de se détacher du monde, si elle correspond bien à une certaine ascèse, ne le conduit pourtant pas chez les Trappistes. Le narrateur éprouve qu'il est sauvé dans ce monde même où il a failli se perdre. On pense ici au mot de Claudel parlant (sévèrement) de Joyce et de Proust comme de deux « anachorètes littéraires » (*Œuvres en prose*, p. 1486). L'anachorète littéraire s'enferme dans sa chambre, mais c'est pour y écrire fiévreusement des milliers de pages où il n'est question que du monde dont il paraissait s'être détaché. Le narrateur de la *Recherche* figure un artiste qui renonce au monde *dans le monde*. Il renonce au monde de l'individualisme ascétique pour mieux s'accomplir dans le monde de l'individualisme mystique. Il renonce à un monde dans lequel les individus s'efforcent, en vain selon lui, de se réaliser comme individus autonomes par l'action. En même temps, il s'établit joyeusement dans un monde qui permet la réalisation de soi par l'impression. *L'art moderne*, tel que Proust nous le donne à penser à travers ses personnages d'artiste, principalement Elstir et le narrateur, *apparaît comme la voie mystique d'une individualisation de soi dans le monde*.

L'œuvre de Proust est bien, comme il l'écrit, une démonstration. Elle vise à établir que l'institution de la littérature permet une libération de soi dans un monde où l'action paraît vaine. *Institution* doit s'entendre ici au sens des sociologues de l'école française. Une institution n'est pas seulement un arrangement social (comme l'Ecole, le Parlement, etc.). Les institutions sont « des règles publiques d'action et de pensée » (Mauss, *Œuvres*, tome I, p. 25). La littérature est une institution, au sens où le renoncement est, dans la société indienne, une institution. Parler de l'institution de la littérature n'est donc pas désigner des aspects voyants ou surannés tels que l'Académie française, les prix littéraires, etc. C'est bien plutôt considérer que des phénomènes tels que l'*écriture*, la *page blanche*, les vicissitudes de l'*inspiration*, les migrations du *poétique* sont les traits visibles qui marquent, dans la conscience collective, le statut d'écrivain. Il y a une institution de la littérature parce qu'il y a une définition collective de l'écrivain, de celui qui a choisi de mener une « existence littéraire » (P,

III, p. 78). En reconnaissant ce que fait un individu comme de l'*écriture*, le groupe lui accorde le privilège de s'individualiser dans l'exercice du langage. C'est en effet un privilège que de pouvoir *interrompre la conversation*, laquelle est un exercice social de la parole, pour faire entendre une parole individuelle, dans le style comme dans le propos. Les critiques contemporains qui définissent l'écriture littéraire moderne comme perpétuelle transgression, subversion, négativité, n'ont retenu qu'un aspect des choses. Ils ont bien vu que l'écrivain authentique renversait les valeurs communes. Mais ils n'ont pas vu que cette transgression, cet incessant renversement des valeurs, c'était justement ce que le groupe attendait de l'artiste en tant que ce dernier incarne à sa façon le sacré du groupe, à savoir l'autonomie individuelle. Les hommes qui vivent une vie prosaïque (ou *profane*) dans le siècle attendent de l'artiste une *fête*. Ils l'attendent, bien entendu, de l'œuvre de l'artiste, mais non de sa personne. Le monde tolère toutes les audaces artistiques à condition qu'elles se fassent dans l'espace réservé de la page blanche, du tableau ou de la scène de théâtre. Ainsi, tout comme le renonçant indien n'est pas sans conserver certaines relations avec le monde qu'il a quitté, mais qui le nourrit, l'individu autonome passe un compromis avec le monde prosaïque. La libération sera celle du « vrai moi » : elle sera intérieure.

L'expérience du narrateur dans le *Temps retrouvé* est religieuse, au sens sociologique du terme, parce qu'elle provoque une mutation de l'ensemble de ses devoirs. Tout est maintenant subordonné à l'exigence supérieure d'écrire. Or c'est bien ainsi que le roman présente les choses. Qu'est-ce qui a changé dans la vie de Marcel vue du dehors ? Ceci : Marcel néglige ses devoirs de civilité, il oublie de répondre au courrier. Désormais, la politesse ou la délicatesse envers les autres sont des fautes. « Mes devoirs envers ma pensée et mon œuvre » doivent passer avant « mes obligations envers les êtres » (TR, III, p. 1041). C'est ici le moment religieux de l'*entrée en littérature* de Marcel. « Même chez moi, je ne laisserai pas de gens venir me voir dans des instants de travail, car le devoir de faire mon œuvre primait celui d'être poli ou même bon. » (TR, III, p. 986). Il y a une tâche qui *prime* toutes les autres, c'est l'écriture. Il y a un être auquel l'écrivain doit toutes ses forces,

PROUST

c'est l'œuvre. Le narrateur vient donc d'établir une *hiérarchie* dans sa vie. Ce sera une faute (religieuse) que de sacrifier un « devoir réel » (envers l'œuvre) à une « obligation factice » (envers telle correspondante). Du point de vue de l'œuvre, les obligations mondaines perdent toute réalité. Telle est donc la religion de l'écriture.

Qu'on soit fondé à parler de religion, c'est justement Proust qui le confirme. Lorsqu'il confie au narrateur une sorte d'oraison funèbre de l'écrivain Bergotte (de tout écrivain), Proust commence par le sens aujourd'hui conventionnel du religieux, à savoir : le contenu des croyances de quelqu'un. Bergotte est-il mort à jamais ? L'âme est-elle immortelle ? Proust n'en sait rien. « Il était mort. Mort à jamais ? Qui peut le dire ? » (P, III, p. 187). Ceci règle la question religieuse au sens où elle porte sur le credo personnel de l'auteur. Proust est donc pleinement agnostique. Mais cela ne lui interdit nullement de désigner le fait religieux, cette fois au sens sociologique. Car nous observons ceci :

> « (...) Tout se passe dans notre vie comme si nous y entrions avec le faix d'obligations contractées dans une vie antérieure ; il n'y a aucune raison dans nos conditions de vie sur cette terre pour que nous nous croyions obligés à faire le bien, à être délicats, même à être polis, ni pour l'artiste athée à ce qu'il se croie obligé de recommencer vingt fois un morceau dont l'admiration qu'il excitera importera peu à son corps mangé par les vers (...). » (P, III, p. 187-188).

C'est poser la religion comme la dette à payer en retour du don de la vie. En penseur individualiste qu'il est, Proust ne peut pas rattacher cette dette à une hiérarchie des êtres, comme l'auraient fait Platon ou saint Thomas d'Aquin. Il doit donc imaginer des obligations contractées (personnellement) dans une autre vie. Mais Proust conçoit pourtant fort bien une hiérarchie des devoirs : la politesse est la religion du mondain, la perfection de l'œuvre est la religion de l'artiste. L'artiste peut bien être athée, il n'en obéit pas moins à une exigence qui prime toutes les autres quand il pratique son art. L'œuvre s'accomplit dans un espace *séparé* du monde, non pourtant des saveurs du monde, seulement des besognes mondaines.

NOTE SUR LE BEAU

Nous trouvons dans les livres de philosophie d'aujourd'hui, et jusque dans le langage ordinaire, une conception *esthétique* du beau. Est beau ce qui procure une *délectation sensible*. Mais cette signification esthétique du mot n'a pas entièrement supplanté un sens plus ancien, celui où *beau* n'est pas l'épithète d'une forme sensible, mais d'un accomplissement humain : une *belle conduite*, un *beau geste*, une *belle démonstration*, une *belle mort*, un *beau combat*, un *beau mariage*, une *belle histoire*, etc. Ici, est beau ce qui est admirable, ce qui est noble, ce qui est exemplaire d'un point de vue moral, non celui pourtant de la « loi morale », mais celui de l'excellence humaine (de ce que la langue classique appelait la *valeur*). Il est alors permis de parler, pour ce sens du mot, d'une conception *rhétorique* du beau. L'éloge et le blâme sont deux actes rhétoriques, deux actes de discours qui ont pour point de vue spécifique, écrit Aristote, « la vertu et le vice, le beau et le laid » (*Rhétorique*, 1366a23 ; l'*arétè* est la « vertu », mais dans le sens de la valeur humaine ou de l'excellence). Qu'est-ce que c'est que poser la question de la beauté de quelque chose ? C'est considérer cette chose, en général une action humaine, du point de vue de l'excellence dont elle témoigne. Ce point de vue « moral » ou « poétique » n'est, bien sûr, qu'un point de vue possible. Aristote en étudie deux autres dans sa *Rhétorique* : le point de vue *politique* des conséquences d'une décision prise, et le point de vue *juridique* du bon droit, du juste.

L'éloge met en évidence « la *grandeur* de la vertu » (*Rhétorique*, 1367b26). C'est un problème de savoir quelles sortes de choses entrent dans le champ de l'éloge, dès lors que son objet formel est la grandeur de la valeur manifestée dans des actions ou des manières qui auraient pu être autres. Aristote pose ces questions : Quel sens y a-t-il à faire l'éloge des dieux, au lieu de seulement les dire bienheureux (de les *béatifier*) ? Quel sens y a-t-il à faire l'éloge des bêtes et des choses inanimées ? Si on en fait l'éloge, c'est qu'on y trouve, d'une façon ou d'une autre, une forme d'excellence atteinte dans une performance qui aurait pu manquer, qui aurait pu être, non pas moins *heureuse*, mais moins parfaitement accomplie.

De sorte que le monde lui-même, pris comme totalité des choses, peut être dit beau s'il est digne d'éloge, s'il est possible de l'envisager comme une victoire sur le hasard ou sur l'ineptie.

Mais le monde pris comme l'endroit où l'on habite, où l'on se trouve chez soi, est beau s'il contient en abondance des choses dignes d'admiration.

Le *poétique* et le *prosaïque* sont ici définis au sein d'une conception de l'*action humaine*. L'être humain donne sa mesure dans l'action. Mais une action ne se réduit pas à un comportement individuel. Pour comprendre quelle action s'accomplit lorsque des personnes gesticulent ensemble et se déplacent diversement, il faut pouvoir les référer au *monde* qu'elles habitent. C'est donc finalement la théorie du monde, la cosmologie, qui fournira l'étalon à appliquer pour mesurer la grandeur humaine.

C'est ainsi, par exemple, que Pascal propose une authentique cosmologie lorsqu'il distingue trois *ordres de grandeur* (*Pensées*, fgt 308, Lafuma). Les grands de la *chair* sont les rois, les riches, les capitaines. Les grands de l'*esprit* sont les sages de ce monde, les génies, Archimède. Les grands de la *charité* sont les saints. A la tripartition de la grandeur humaine en grandeur charnelle, spirituelle et surnaturelle, répond une tripartition du monde en corps, esprits et êtres surnaturels.

La théorie des trois ordres permet de répondre à la question : Qu'est-ce qui est admirable ? Or les prouesses sont admirables *dans leur ordre*. Pour juger de la beauté d'une action ou d'une vie, il convient de savoir dans quel ordre la juger. Chaque ordre a sa beauté, que Pascal appelle l'*empire*, l'*éclat*, la *grandeur*, la *victoire* et le *lustre*. La hiérarchie des trois ordres explique pourquoi une invention géniale passe infiniment le coup d'éclat d'un capitaine, et pourquoi le *moindre mouvement de charité* surpasse infiniment toutes les productions des corps et des esprits.

Baudelaire a posé le problème poétique de la modernité. Loin de réduire la tâche poétique à une aventure de l'âme ou à une pratique du langage, il a posé qu'il y avait une poésie moderne possible s'il y avait un *héroïme de la vie moderne*. Après Stendhal, Baudelaire oppose l'héroïsme politique (guerrier) des Anciens et l'héroïsme privé (social) des Modernes. L'idéal antique est figuré par le citoyen en armes. L'idéal moderne est figuré, chez Baudelaire, par le *dandy*. L'héroïsme est d'exceller dans le type de conduite que le groupe attend de ses membres. C'est une paresse, écrit Baudelaire, que de s'en tenir aux modèles de beauté des Anciens. Nous devons découvrir *le côté épique de la vie moderne*. Or il y a un côté épique de notre vie, puisqu'il y a des gestes et des conduites que nous admirons. Ces gestes, ces mots, ces actions auxquels nous trouvons de la beauté, ce sont toujours des manifestations de force individuelle dans un conflit avec autrui. Dans son chapitre sur *L'héroïsme de la vie moderne*, Baudelaire cite malicieusement les deux exemples suivants d'une beauté qui nous est propre : un ministre que l'opposition harcèle lui témoigne de son mépris, un criminel qu'on conduit à l'échafaud refuse de baisser la tête devant la « suprême machine ». Pierre Pachet a montré comment le dandysme était, pour Baudelaire, une intériorisation de l'institution du duel. Il ne s'agit plus de prouver sa valeur personnelle sur le terrain contre un adversaire particulier et pour une affaire particulière. Il s'agit de prouver cette valeur à tout instant, contre le « premier venu », et sur un terrain « intérieur ». Le dandy est quelqu'un qui ne faiblit pas devant *autrui*.

Les jugements de Baudelaire sur le roman sont ambigus. En un sens, Baudelaire reste fidèle à une doctrine classique des genres littéraires : le roman est alors un « genre bâtard », le produit d'un accouplement entre le Poème et l'Histoire (« Théophile Gautier », p. 464). Lorsque Baudelaire fait l'éloge de Balzac, c'est pour avoir donné de la poésie à tous ses personnages. « Bref, chacun, chez Balzac, même les portières ont du génie. Toutes les âmes sont des armes chargées de volonté jusqu'à la gueule. » (*Op.cit.*, p. 465). Baudelaire loue *Madame Bovary* parce qu'il se plaît à y voir une insolence de Flaubert, un défi jeté au public. Flaubert est grand pour avoir élu un sujet aussi poétiquement nul (l'adultère en province). Mais le roman au sujet nul ne peut s'empêcher de poétiser. Emma Bovary, elle aussi, a sa grandeur : Baudelaire lui trouve du dandysme (« Gustave Flaubert », p. 451).

Baudelaire a tiré la leçon *poétique* de l'œuvre des romanciers. Balzac avait lui-même présenté l'organisation encyclopédique de la *Comédie humaine* comme une solution au tarissement de la source poétique classique. Dans la préface de *la Fille aux yeux d'or* (1835), pour justifier le choix d'un sujet aussi scabreux, il écrivait : « La société moderne, en nivelant toutes les conditions, en éclairant tout, a supprimé le comique et le tragique (...). Tout le dramatique et tout le comique de notre époque est à l'hôpital ou dans l'étude des gens de loi. » (Proust ne manquera pas de se référer à *la Fille aux yeux d'or* pour expliquer qu'une recherche de la Vérité doive passer par Sodome et Gomorrhe.) Balzac résout ce problème poétique en déplaçant la scène de l'action. La scène ne représente plus un palais ou un champ de bataille. La scène représente la salle à manger du père Grandet ou la loge de la concierge du cousin Pons. Autrement dit, il y a de la poésie partout, car il se dépense une énergie considérable dans la poursuite d'intérêts privés, qu'on aurait dit autrefois « prosaïques ». *Toutes les âmes sont des armes chargées de volonté jusqu'à la gueule.*

Baudelaire salue chez Balzac ce changement de terrain. Pourtant, chez Baudelaire lui-même, l'action tend à se faire plus rare. Il y a une poésie de la vie moderne, qu'il faut extraire, mais ce n'est plus vraiment le génie que met la concierge à être concierge ou le notaire à être notaire. Baudelaire dit ce qui l'arrête dans son compte rendu des *Misérables*, « poème plutôt que roman ». Tous les personnages sont « hyperboliques », sont des « figures poétiques ». Et pourtant, comment peut-on idéaliser, poétiser, exalter un personnage aussi répugnant que le policier Javert ? « Je sais que l'homme peut apporter plus que de la ferveur dans toutes les professions. Il devient chien de chasse et chien de combat dans toutes les fonctions. C'est là certainement une beauté, tirant son origine de la passion. On peut donc être agent de police *avec enthousiasme* ; mais entre-t-on dans la police *par enthousiasme* ? » (« Victor Hugo », p. 496) Il y a bien une poésie de la vie moderne, mais elle est de moins en moins dramatique. Le « peintre de la vie moderne » s'applique à donner la « traduction *légendaire* de la vie extérieure » (« L'art mnémotechnique », p. 555). Mais ce dont il tire une légende, ce qui l'inspire, n'est plus une aventure (comme par exemple, la vie de Napoléon ou celle d'un entrepreneur privé). Ce qui compte n'est pas l'action, mais l'allure, la manière, la mimique, le costume.

Proust a observé un semblable tarissement de l'action poétique chez Flaubert : « Dans *l'Education sentimentale*, la révolution est accomplie ; ce qui jusqu'à Flaubert était action devient impression » (« A propos du ''style'' de Flaubert » ; CSB, p. 588). Il s'agit bien, en effet, d'une question de *style*. La notion classique était celle d'une certaine convenance entre la nature d'un sujet et la forme de sa présentation. On ne peut pas introduire des scènes triviales dans la tragédie, les paysans ne peuvent paraître que dans la comédie. La *beauté d'un sujet* se définit donc, dans cette doctrine, comme un mérite qui donne le droit de figurer dans une œuvre de tel style. Erich Auerbach, qui a retracé dans son ouvrage *Mimésis* les vicissitudes de la doctrine antique des trois styles, montre bien comment deux solutions au problème poétique s'offrent au début de la *modernité* : la solution *romantique* (unir le *sublime* et le *grotesque*) et la solution *romanesque* (unir le *sérieux* et le *trivial.*) Auerbach dit avec raison que la solution romanesque est plus profonde (voir *Mimésis*, p. 477). L'opposition que fait René Girard entre le romantique et le romanesque trouve donc son sens en littérature à partir de Balzac et de Stendhal. Ces auteurs sont en effet les premiers à avoir écrit en *style romanesque*, qu'on peut définir ainsi ; donner la *représentation sérieuse*, et non plus seulement comique ou grotesque, d'*individus quelconques de la vie quotidienne saisis dans la contingence des événements historiques* (*ibid.*, p. 541).

Lorsque Flaubert adopte le style romanesque, dans *Madame Bovary*, il est conscient de transgresser toutes les règles de la poétique classique : « Vouloir donner à la prose le rythme du vers (en la laissant prose et très prose) et écrire la vie ordinaire comme on écrit l'histoire ou l'épopée (sans dénaturer le sujet) est peut-être une absurdité. » (Lettre à Louise Colet du 27 mars 1853). Désormais, la beauté du sujet n'est plus annoncée d'avance par le statut cosmologique de cette chose. Toute hiérarchie des sujets est abolie du côté du monde, du côté des « objets ». Dans le langage de l'époque, on dira que la poésie n'est plus *objective*, mais *subjective*. C'est justement le principe que Flaubert veut établir avec *Madame Bovary* : « Si le livre que j'écris avec tant de mal arrive à bien, j'aurai établi par le fait seul de son exécution ces deux vérités, qui sont pour moi des axiomes, à savoir :

d'abord, que la poésie est purement subjective, qu'il n'y a pas en littérature de beaux sujets d'art, et qu'Yvetot vaut donc Constantinople ; et qu'en conséquence l'on peut écrire n'importe quoi aussi bien que quoi que ce soit. *L'artiste doit tout élever* (...). » (Lettre à Louise Colet du 26 juin 1853). Ce principe est celui que Proust incarne dans le personnage d'Elstir. Communément, la ville de Constantinople est un meilleur sujet de conversation que celle d'Yvetot. Pour le touriste, la cathédrale vaut mieux que l'hôpital ou le bâtiment scolaire. Poétiquement, ces différences s'abolissent. L'artiste décidera souverainement de ce qui doit paraître dans l'œuvre, de la place qui sera donnée à chacun, du détail qu'on fera des mérites respectifs. Le remède à la crise poétique est ainsi l'individualisation du style.

Bibliographie

AQUIN saint Thomas d', *Somme théologique, Les vertus sociales*, (II^aII^{ae}, qu.101-122), trad. franç. par J.D. Folghera, Cerf, 1931.

ARISTOTE, *Ethique de Nicomaque*.
— *Rhétorique*.
— *La Poétique*, trad. franç. par R. Dupont-Roc et J. Lallot, Seuil, 1980.

AUERBACH Erich, *Mimésis : la représentation de la réalité dans la littérature occidentale* (1946), trad. franç. par C. Heim, Gallimard, 1968.

BARTHES Roland, *Essais critiques*, Seuil, 1964.
— « Introduction à l'analyse structurale du récit », *Communications* (1966), n°8, p. 1-27.

BARDÈCHE Maurice, *Marcel Proust romancier*, Les Sept couleurs, 1971.

BATAILLE Georges, *Manet*, Genève, Skira, 1955.
— *La littérature et le mal*, Gallimard, 1957.

BAUDELAIRE Charles, *Œuvres complètes*, Seuil, coll. l'Intégrale, 1968.

BECKETT Samuel, *Proust* (1931), New York, Grove Press, 1970.

BENVENISTE Emile, *Le vocabulaire des institutions indo-européennes*, tome I, Minuit, 1969.

BLANCHOT Maurice, *Faux pas*, Gallimard, 1943.
— *L'espace littéraire*, Gallimard, 1955.
— *Le livre à venir*, Gallimard, 1959.

BOUVERESSE Jacques, *Le mythe de l'intériorité : expérience, signification et langage privé chez Wittgenstein*, Minuit, 1976.

CAILLOIS Roger, « Puissances du roman » (1942), dans : *Approches de l'imaginaire*, Gallimard, 1974.

CLAUDEL Paul, *Œuvres en prose*, Gallimard, Bibliothèque de la Pléiade, 1965.

DELEUZE Gilles, *Proust et les signes*, Presses Universitaires de France, 2° édition augmentée, 1970.

DOUGLAS Mary, *Natural Symbols : Explorations in Cosmology* (1970) New York, Pantheon Books, 1982.

— *Implicit Meanings : Essays in Anthropology*, Londres, Routledge & Kegan Paul, 1975.

DUMONT Louis, *Homo hierarchicus : le système des castes et ses implications*, Gallimard, 1966.

— *Homo aequalis : Genèse et épanouissement de l'idéologie économique*, Gallimard, 1977.

— *Essais sur l'individualisme : une perspective anthropologique sur l'idéologie moderne*, Seuil, 1983.

FLOCON Albert et TATON René, *La perspective*, Presses Universitaires de France, 1963.

FLAUBERT Gustave, *Extraits de la Correspondance ou Préface à la vie d'écrivain*, présentation de Geneviève Bollème, Seuil, 1963.

FOUCAULT Michel, *Raymond Roussel*, Gallimard, 1963.

— *Les mots et les choses : une archéologie des sciences humaines*, Gallimard, 1966.

FRIED Michael, « Shape as Form : Frank Stella's New Paintings », dans : *New York Painting and Sculpture 1940-1970*, ed. H. Geldzahler, New York, Dutton, 1969.

FRYE Northrop, *Anatomy of Criticism*, Princeton University Press, 1957.

GENETTE Gérard, « Proust et le langage indirect », dans : *Figures II*, Seuil, 1969.

— « Discours du récit », dans : *Figures III*, Seuil, 1972.

GIRARD Paul, *Manuel élémentaire de droit romain*, Rousseau, 1906.

GIRARD René, *Mensonge romantique et vérité romanesque*, Grasset, 1961.

GOURMONT Rémy de, *Le livre des masques* (1896), Mercure de France, 1914.

GREENBERG Clement, « Modernist Painting », dans : *The New Art : A Critical Anthology*, ed. G. Battcock, New York, Dutton, 1966.

HEGEL G.W.F., *Grundlienien der Philosophie des Rechts oder Naturrecht und Staatswissenschaft im Grundrisse* (1820).

HENRY Anne, *Marcel Proust : Théories pour une esthétique*, Klincksieck, 1981.

JAMES William, *The Varieties of Religious Experience : A Study in Human Nature* (1902), New York, Colliers, 1961.

JAUSS, Hans Robert, « La "modernité" dans la tradition littéraire et la conscience d'aujourd'hui », dans : *Pour une esthétique de la réception*, trad. franç, par C. Maillard, Gallimard, 1978.

KAHNWEILER Daniel-Henry, « Mallarmé et la peinture » (1948), dans : *Confessions esthétiques*, Gallimard, 1963.

KENNY Antony, *Action Emotion and Will*, Londres, Routledge & Kegan Paul, 1963.

LATTRE Alain de, *La doctrine de la réalité chez Proust*, Corti, 1978.

LEIBNIZ G.W., *Principes de la nature et de la grâce fondés en raison*, publié par A. Robinet, Presses Universitaires de France, 1954.

LYOTARD Jean-François, *Le différend*, Minuit, 1983.

MALLARMÉ Stéphane, *Œuvres complètes*, Gallimard, Bibliothèque de la Pléiade, 1945.

— « The Impressionnists and Edouard Manet », *Documents Mallarmé*, tome I, Nizet, 1968.

MAUPASSANT Guy de, « Étude sur Gustave Flaubert », publiée dans : Gustave Flaubert, *Œuvres complètes*, ed. Henry May, s.d., t.VII.

MAUSS Marcel, *Œuvres*, tome I, Minuit, 1968.

MERLEAU-PONTY Maurice, *Phénoménologie de la perception*, Gallimard 1945.

— *Résumés de cours : Collège de France 1952-1960*, Gallimard, 1968.

ORTIGUES Edmond, *Religions du livre et religions de la coutume*, Le Sycomore, 1981.

— « Que veut dire "mystique" ? », *Revue de métaphysique et de morale* (1984), p. 68-85.

PACHET Pierre, *Le premier venu : essai sur la politique baudelairienne*, Denoël, 1976.

PASCAL, *Pensées*, édition Lafuma.

PROUST Marcel, *A la recherche du temps perdu*, Gallimard, Bibliothèque de la Pléiade, 3 volumes, 1954.

— *Jean Santeuil* précédé de *Les plaisirs et les jours*, Gallimard, Bibliothèque de la Pléiade, 1971.

— *Contre Sainte-Beuve* précédé de *Pastiches et mélanges* et suivis de *Essais et articles*, Gallimard, Bibliothèque de la Pléiade, 1971.

— *Le carnet de 1908* (*Cahier Marcel Proust*, VIII), édité par Philip Kolb, Gallimard, 1976.

— *Matinée chez la princesse de Guermantes*, édité par Henri Bonnet et Bernard Brun, Gallimard, 1982.

RORTY Richard, « Nineteeth-Century Idealism and Twentieth-Century Textualism », dans : *Consequences of Pragmatism*, Minneapolis, University of Minnesota Press, 1982.

ROUSSEAU Jean-Jacques, *Œuvres complètes*, tome I, *Les Confessions*, Gallimard, Bibliothèque de la Pléiade, 1959.

SCHOPENHAUER Arthur, *Le monde comme volonté et comme représentation* (1819, 1859), trad. franç. par A. Burdeau revue par R. Roos, Presses Universitaires de France, 1966.

SERRES Michel, *Le système de Leibniz et ses modèles mathématiques*, Presses Universitaires de France, 1968.

STENDHAL, *Romans et nouvelles*, tome I, Gallimard, Bibliothèque de la Pléiade, 1952.

THOMPSON Michael, *Rubbish Theory*, Oxford University Press, 1979.

VALÉRY Paul, *Œuvres*, tome II, Gallimard, Bibliothèque de la Pléiade, 1960.

WEBER Max, *Economie et société* (1922), trad. franç. sous la dir. de J. Chavy et d'E. de Dampierre, Plon, 1971.

WITTGENSTEIN Ludwig, *Notebooks 1914-1916*, Oxford, Blackwell, 1961.

— *Tractatus logico-philosophicus* (1921), Londres, Routledge & Kegan Paul, 1961.

— *Notes sur l'expérience privée et les sense data*, trad. franç. par Elizabeth Rigal, Trans-Europ-Repress, 1982.

— *The Blue and Brown Books : Preliminary Studies for the Philosophical Investigations*, Oxford, Blackwell, 1958.

— *Remarks on Colour*, Berkeley, University of California Press, 1978.

— *Zettel*, Oxford, Blackwell, 1967.

Index

absolu, 17, 96, 101, 105, 115, 299.
abstraction, 16, 43.
amitié, 53, 55, 56, 205-206, 250, 303.
amour, 37, 80-82, 184, 187, 229, 250, 255, 277, 290-91.
analyse, 81, 90, 292-93.
Aquin, Thomas, 318, 322.
Aristote, 17-18, 29, 87, 103, 158-61, 163, 166, 188, 206, 215, 323.
art moderne, 101-2, 105, 109, 112-13, 119-20, 139, 141-47, 151-54, 320.
Auerbach, Erich, 233, 326.
autrui, 205-206, 228, 325.

Balzac, Honoré de, 25-27, 30, 41, 48, 126, 153, 166-67, 168, 172, 195, 205, 221, 232, 233, 325, 326.
Barbey d'Aurevilly, Jules de, 72.
Bardèche, Maurice, 237.
Barthes, Roland, 93, 97-99, 100, 156, 314.
Bataille, Georges, 19, 278.
Baudelaire, Charles, 116, 141, 147, 152, 153, 176, 185, 197, 309, 310, 311, 324.
beau, 126, 273, 300, 308, 323-27.
Beckett, Samuel, 244, 296, 312.
Benveniste, Emile, 206.
Bergson, Henri, 11, 35.
Blanchot, Maurice, 44, 77, 93, 101, 105, 117, 241, 313-15.
Boutroux, Emile, 35.
Bouveresse, Jacques, 219.
Brochard, Victor, 35.

Caillois, Roger, 19.
Caractère (genre littéraire du —), 215-16, 218, 220, 268.

Chardin, Jean-Baptiste, 274.
chez soi, 173, 179, 196, 297.
civilité, 58, 190, 192, 207, 321.
Claudel, Paul, 320.
Clausewitz, Carl von, 12.
Colet, Louise, 74, 326.
comédie, 184-85, 228, 230.
communication, 15-16, 39-43, 50, 52-57, 60.
concours, 131, 134, 137, 139, 145, 147, 201.
Confession (genre littéraire de la —), 218-20, 227, 233, 294.
conscience de soi, 53, 95, 102, 104, 112, 147, 232.
conte, 39, 42.
conversation, 179, 248, 250, 321.
cosmologie, 20, 27-30, 163, 178, 181-82, 187-93, 223-24, 324.
critère d'identité, 114; voir : individuation.
culpabilité, 221-25, 230, 271.

dandysme, 197, 310, 324, 325.
déchet, 238, 277, 316.
Degas, Edouard, 117.
Deleuze, Gilles, 24, 44, 47, 54-57, 60.
démocratie, 109, 119, 228.
Denis, Maurice, 108.
Derrida, Jacques, 241.
Descartes, René, 150, 237.
description : et explication, 83-85; — métaphorique, 85; — et narration, 81.
devoirs et obligations, 186, 200, 208-9, 321-22.
discernement des esprits, 248-49.
discipline de salut, 89, 122, 318-20.

Kant, Immanuel, 17, 88-89, 145, 302.
Kenny, Antony, 83.

La Bruyère, 36.
Lachelier, Jules, 35.
Lalande, André, 35.
langage, 15, 76, 79-81, 93, 97, 100, 104, 120, 239, 250, 280.
Lattre, Alain de, 47.
Leconte de Lisle, 126, 143.
Leibniz, 51-52, 130, 247.
livre, 19, 104-5, 110, 112, 120, 139.
Locke, John, 237.
Lyotard, Jean-François, 146, 214.

Mâle, Emile, 45-46.
Mallarmé, Stéphane, 44, 74, 101, 106-17, 120, 141, 143-47, 151, 201, 239, 253, 276, 297, 309.
Malraux, André, 105.
Manet, Edouard, 107-14, 116, 144, 261, 262, 278.
Mann, Thomas, 40, 42.
Maupassant, Guy de, 74-75.
Mauss, Marcel, 19, 189, 320.
Merleau-Ponty, Maurice, 240-42.
métaphore, 85, 239, 282.
modernité, 19, 25, 97, 99, 101, 119, 147-48, 150-54, 192, 309, 324, 326.
moi (le —), 33, 58-66, 298-300, 304.
monadologie, 35, 51, 54-55, 64, 174, 247.
monde, 175, 300, 317 ; voir : cosmologie.
Monet, Claude, 261, 262.
monologue (genre littéraire du —), 227, 236, 238, 250-51, 294, 304.
Musil, Robert, 40, 120.
mystique, 21, 59, 122, 319-20.
mythe de l'intériorité, 15, 21, 219, 237, 242, 247.

narrativité, 20, 148, 156, 157, 162.
narratologie, 20, 156-163, 295.
nature morte, 273-74, 277, 308.
Newton, Isaac, 12.
Nietzsche, Frederich, 299, 303.

obligations, voir : devoirs.
oracle, 312.
originalité, 52-53, 114, 129-32, 136, 139, 143-45, 147-48, 253, 315.
Ortigues, Edmond, 122, 312.
Orwell, Georges, 39.

Pachet, Pierre, 19, 141, 310, 311, 324.
Pascal, Blaise, 58-59, 88, 309, 324.
patrie, 190-91, 196, 318.
perspective, 47-49, 51, 54, 287-89.
phénoménologie, 18, 239-41, 266, 280-84, 289-90, 313, 315, 317.
philosophie, 87-90, 175-79, 188.
philosophie de la conscience, 16, 19, 98, 188, 238, 239, 317.
philosophie poétique, 93, 109, 115.
philosophie du roman, 18, 19, 23-24, 46, 47, 71, 80, 92, 103, 262-64, 292, 294.
Platon, 29, 34, 296, 322.
Poe, Edgard, 44, 126.
poème en prose (genre littéraire du —), 71, 248, 256, 308, 309-10.
poétique (le —), 27-28, 153, 212, 221, 235-36, 290, 323-27.
Pollock, Jackson, 115.
Portrait (genre littéraire du —), 84, 268.
Pound, Ezra, 151.
proverbe, 177-78.
psychologie, 77-86.

Rabelais, 39.
religion, 109, 179, 312, 313-322.
Rembrandt, 115.
rhétorique, 179, 188, 189, 211, 213-14, 220-222, 230, 251, 315, 323.
richesses (théorie des —), 276-77.
Rimbaud, Arthur, 151.
Rivière, Jacques, 12-13, 73.
Robert, Marthe, 23.
roman (genre littéraire du —), 30, 67-73, 75, 77-78, 117-18, 149, 155-56, 163, 170, 182-87, 205-210, 214, 227, 233, 256, 294.
romantisme, 58, 67-68, 101-102, 112, 128, 130, 310, 326.
Rorty, Richard, 90-91.
Rousseau, Jean-Jacques, 192-93, 218-20, 228-29, 293, 294.
Ruskin, John, 45, 46, 310.

Sainte-Beuve, Charles-Augustin, 13, 298.
Saint-Simon, duc de, 192.
Sand, George, 123, 126, 166-67, 172, 228, 233.
Schelling, F.W.J., 44, 45.
Schopenhauer, Arthur, 11, 35, 45, 52, 54, 57-58, 59, 62, 65-66, 175.
Serres, Michel, 52.

Sévigné, Marquise de, 21, 231, 232, 257-61, 265-67, 285-86, 288, 289.
snobisme, 184, 197, 213, 214-17, 221, 229.
societas (contrat de —), 207-10.
sociologie, 19, 139, 173, 187-93, 194, 197, 315, 317.
solipsisme, 15, 16, 35-36, 51, 57-62, 317.
souveraineté, 68, 101, 186, 195, 278.
spirituel, 58, 248, 250, 293-94, 296, 316.
Stendhal, 73-74, 76, 79, 80, 81, 152, 228, 324, 326.
style, 79, 120, 125, 126-29, 135, 139, 142, 149, 151, 233, 252-53, 259, 315, 326.
subjectivité, 16, 19, 47-51, 55-56, 63, 151, 234, 326.
Suger, abbé, 145.
superstition, 222.
sujet (pensant), 16, 49-50, 57, 65-66, 219, 223, 226-27, 229, 234, 317.
Swift, Jonathan, 39.
symbolisme (école littéraire du —), 27-29, 44, 52, 130, 255.

tableau, 108-111, 114-15, 145, 273.
Taton, René, 49.
temps, 48, 122, 264-65, 295, 305, 313.
texte, 9, 76, 79, 93, 97, 99-100, 103, 110, 111, 112, 241.

textualisme, 76, 80, 90-91, 93, 99-101, 103, 112, 116, 119-20.
Thibaudet, Albert, 23.
Thompson, Michael, 277.
Tolstoï, Léon, 72, 298.
tragédie, 223-24.
Turner, William, 266, 283-84.

Valéry, Paul, 152, 201.
valeur (jugement de —), 110-11, 134, 136, 174, 208, 323.
valeurs (renversement des —), 220, 276, 316.
Ver Meer, Jan, 138.
Véronèse, Paul, 274.
Verne, Jules, 99.
Vinci, Léonard de, 49, 115.
vision du dehors / vision du dedans, 169-71, 184-85, 215-20, 225-34.

Weber, Max, 318-19.
Wittgenstein, Ludwig, 16, 18, 51, 57, 59, 61-62, 63, 65-66, 235, 272.
Woolf, Virginia, 151.

Zénon d'Elée, 242.
Zola, Emile, 201.

Table des matières

337

« CRITIQUE »

Georges Bataille, LA PART MAUDITE, précédé de LA NOTION DE DÉPENSE.

Jean-Marie Benoist, TYRANNIE DU LOGOS.

Jacques Bouveresse, LA PAROLE MALHEUREUSE. *De l'alchimie linguistique à la grammaire philosophique.* — WITTGENSTEIN : LA RIME ET LA RAISON. *Science, éthique et esthétique.* — LE MYTHE DE L'INTÉRIORITÉ. *Expérience, signification et langage privé chez Wittgenstein.* — LE PHILOSOPHE CHEZ LES AUTOPHAGES. — RATIONALITÉ ET CYNISME. — LA FORCE DE LA RÈGLE.

Michel Butor, RÉPERTOIRE I. — RÉPERTOIRE II. — RÉPERTOIRE III. — RÉPERTOIRE IV. — RÉPERTOIRE V et dernier.

Pierre Charpentrat, LE MIRAGE BAROQUE.

Pierre Clastres, LA SOCIÉTÉ CONTRE L'ETAT. *Recherches d'anthropologie politique.*

Hubert Damisch, RUPTURES/CULTURES.

Gilles Deleuze, LOGIQUE DU SENS. — L'IMAGE-MOUVEMENT. — L'IMAGE-TEMPS. — FOUCAULT.

Gilles Deleuze, Félix Guattari, L'ANTI-ŒDIPE. — KAFKA. *Pour une littérature mineure.* — MILLE PLATEAUX.

Jacques Derrida, DE LA GRAMMATOLOGIE. — MARGES DE LA PHILOSOPHIE. — POSITIONS.

Jacques Derrida, Vincent Descombes, Garbis Kortian, Philippe Lacoue-Labarthe, Jean-François Lyotard, Jean-Luc Nancy, LA FACULTÉ DE JUGER.

Vincent Descombes, L'INCONSCIENT MALGRÉ LUI. — LE MÊME ET L'AUTRE. *Quarante-cinq ans de philosophie française* (1933-1978). — GRAMMAIRE D'OBJETS EN TOUS GENRES. — PROUST, *Philosophie du roman.*

Georges Didi-Huberman, LA PEINTURE INCARNÉE, *suivi de « Le chef-d'œuvre inconnu »* par Honoré de Balzac.

Jacques Donzelot, LA POLICE DES FAMILLES.

Thierry de Duve, NOMINALISME PICTURAL. *Marcel Duchamp, la peinture et la modernité.*

Serge Fauchereau, LECTURE DE LA POÉSIE AMÉRICAINE.

André Green, UN ŒIL EN TROP. *Le complexe d'Œdipe dans la tragédie.* — NARCISSISME DE VIE, NARCISSISME DE MORT.

André Green, Jean-Luc Donnet, L'ENFANT DE ÇA. *Psychanalyse d'un entretien : la psychose blanche.*

Luce Irigaray, SPECULUM. *De l'autre femme.* — CE SEXE QUI N'EN EST PAS UN. — AMANTE MARINE. *De Friedrich Nietzsche.* — L'OUBLI DE L'AIR. *Chez Martin Heidegger.* ETHIQUE DE LA DIFFÉRENCE SEXUELLE. — PARLER N'EST JAMAIS NEUTRE. — SEXES ET PARENTÉS.

Garbis Kortian, MÉTACRITIQUE.

Jacques Leenhardt, LECTURE POLITIQUE DU ROMAN « LA JALOUSIE » D'ALAIN ROBBE-GRILLET.

Pierre Legendre, JOUIR DU POUVOIR. *Traité de la bureaucratie patriote.*

Emmanuel Levinas, QUATRE LECTURES TALMUDIQUES. — DU SACRÉ AU SAINT. *Cinq nouvelles lectures talmudiques.* — L'AU-DELA DU VERSET. *Lectures et discours talmudiques.*

Jean-François Lyotard, ÉCONOMIE LIBIDINALE. — LA CONDITION POSTMODERNE. *Rapport sur le savoir.* — LE DIFFÉREND.

Louis Marin, UTOPIQUES : JEUX D'ESPACES. — LE RÉCIT EST UN PIÈGE.

Francine Markovits, MARX DANS LE JARDIN D'ÉPICURE.

Michèle Montrelay, L'OMBRE ET LE NOM. *Sur la féminité.*

Michel Picard, LA LECTURE COMME JEU.

Michel Pierssens, LA TOUR DE BABIL. *La fiction du signe.*

Claude Reichler, LA DIABOLIE. *La séduction, la renardie, l'écriture.* — L'AGE LIBERTIN.

Alain Rey, LES SPECTRES DE LA BANDE. *Essai sur la B. D.*

Alain Robbe-Grillet, POUR UN NOUVEAU ROMAN.

Charles Rosen, SCHŒNBERG.

Clément Rosset, LE RÉEL. *Traité de l'idiotie.* — L'OBJET SINGULIER. — LA FORCE MAJEURE. — LE PHILOSOPHE ET SES SORTILÈGES.

François Roustang, UN DESTIN SI FUNESTE. — ... ELLE NE LE LACHE PLUS. — LE BAL MASQUÉ DE GIACOMO CASANOVA.

Michel Serres, HERMES I. : LA COMMUNICATION. — HERMES II : L'INTERFÉRENCE. HERMES III : LA TRADUCTION. — HERMES IV : LA DISTRIBUTION. — HERMES V : LE PASSAGE DU NORD-OUEST. — JOUVENCES. *Sur Jules Verne.* — LA NAISSANCE DE LA PHYSIQUE DANS LE TEXTE DE LUCRÈCE. *Fleuves et turbulences.*

Michel Thévoz, L'ACADÉMISME ET SES FANTASMES.

Jean-Louis Tristani, LE STADE DU RESPIR.

Gianni Vattimo, LES AVENTURES DE LA DIFFÉRENCE.

Paul Zumthor, PARLER DU MOYEN AGE.

CET OUVRAGE A ÉTÉ ACHEVÉ D'IMPRIMER LE VINGT-
TROIS SEPTEMBRE MIL NEUF CENT QUATRE-VINGT-SEPT
DANS LES ATELIERS DE NORMANDIE IMPRESSION S.A. A
ALENÇON ET INSCRIT DANS LES REGISTRES DE
L'ÉDITEUR SOUS LE N^O 2257
DÉPOT LÉGAL : SEPTEMBRE 1987